1996

Andrés

MONTAIGNE À CHEVAL

JEAN LACOUTURE

MONTAIGNE
À CHEVAL

ÉDITIONS DU SEUIL
27, rue Jacob, Paris VIᵉ

ISBN 2-02-026368-8

© Éditions du Seuil, avril 1996

« […] je n'ai aimé d'aller qu'à cheval […] si les destins me laissaient conduire ma vie à ma guise […] je choisirais à la passer le cul sur la selle. »

Michel de Montaigne.

« Le grand chemin de la France va de la Gascogne à Paris. »

Albert Thibaudet, *Montaigne*.

Avant-propos

Dans le grand vestibule de la faculté de lettres de Bordeaux, il nous obsédait, ce tombeau de Montaigne, austère, frigide, cuirassé. Nous y trouvions moins de quoi nourrir notre chauvinisme gascon ou bordelais que matière à nous moquer d'un certain culte de la gloire.

Pour honorer le plus pénétrant des déchiffreurs du cœur humain, fallait-il ériger ce mausolée de marbre fauve, ce gisant minéral armé de pied en cap, flanqué de son heaume et de son épée ? Voulait-on nous faire prendre Montaigne pour Charles Martel ou pour Blaise de Monluc ? Nous ricanions.

Nous avions tort, ayant mal lu les *Essais*, plus mal encore le *Journal de voyage* ou la correspondance de l'ancien maire de notre ville. Il suffit de tenir pour ce qu'elles valent les gloses magistrales sur l'égotiste frileux, le châtelain égrotant et casanier, et de se plonger dans des chapitres tels que « De l'exercitation » (II, 6), « Des plus excellents hommes » (II, 36), « De l'utile et de l'honnête » (III, 1) ou « De l'expérience » (III, 13), pour retrouver en Montaigne un intrépide acteur de l'Histoire, un citoyen du monde souvent mêlé en première file aux débats d'un siècle baigné de sang, constamment « pelaudé » entre camps adverses, pionnier d'un combat pour la tolérance qui trouvera son achèvement dans l'accession au trône de son ami le roi Henri.

Ainsi Fortunat Strowski, qui enseigna Montaigne à tant d'étudiants bordelais – dont François Mauriac –, pouvait-il écrire en tête de la biographie de l'auteur des *Essais* que lui avaient inspirée ses travaux en vue de l'établissement de la célèbre « Édition municipale » :

« Montaigne apparaît sous un jour plus clair. Ce n'est plus une sorte de bourgeois-gentilhomme enrichi, craintivement penché sur ses livres, mais un personnage de grande importance, familier des rois et des princes, appelé à tenir un rôle dans la politique active de son pays, noble d'épée comme son père, et respecté dans tout le royaume... Sa sagesse ne nous paraît plus l'effet d'un nonchaloir congénital, mais une conquête de la volonté et de l'esprit sur le tourment de l'inquiétude et l'appréhension de la mort – sans parler de la violence du caractère. »

Dans cet éclairage rénové, le mausolée de Montaigne (désormais intégré au musée d'Aquitaine) cesse de paraître aberrant. Cette armure de marbre n'est pas le camouflage solennel d'un déserteur de l'Histoire mais le tribut payé à un homme qui, « dans le moyeu[1] des guerres » dites de religion, assuma les plus périlleuses responsabilités et manifesta ce qu'il aurait pu appeler, après ses maîtres romains et Machiavel, sa « vertu »...

Sa « vertu », son sens politique ? On dirait mieux encore son étonnante représentativité politique. Ce qu'exprimait admirablement Albert Thibaudet dans un article écrit en avril 1933 dans la *NRF* à propos du quatrième centenaire de la naissance de Montaigne : « ... le portrait politique de la France fût figuré par Montaigne comme le portrait politique d'Athènes l'est par Socrate. Je dis portrait politique, non religieux, moral ou littéraire : en ces matières, d'autres registres s'opposent à Montaigne, font contraste au dialogue avec le sien. Mais en politique il contient vraiment tout, et les contraires mêmes qui demandent aujourd'hui à être pensés par des cerveaux différents ou ennemis. »

Nul ne doute que Montaigne soit, avant tout, l'auteur d'un grand livre, l'un des fondateurs de l'introspection, l'inventeur d'une philosophie du réel en mouvement – telle que l'ont présentée André Gide, Albert Thibaudet, Hugo Friedrich, Stefan Zweig, Michael Andrew Screech ou Jean Starobinski – et que, resté calfeutré dans la tour où voulait l'enfermer Michelet, il n'en ait pas moins été l'un des inventeurs de la sensibilité et de la culture occidentales.

Il ne paraît pas vain pourtant de lui restituer sa stature historique et de retrouver, derrière ce grand poète de l'intelligence et de la liberté, l'un des personnages les plus vivants d'un temps fertile en démons et

---

1. Ayant choisi de travailler sur les éditions en orthographe dite « modernisée » de Claude Pinganaud (Arléa, 1992) et de Robert Barral et Pierre Michel (Seuil, 1967), je crois plus cohérent d'écrire ici et plus loin « moyeu » plutôt que « moiau ».

merveilles, ce personnage qu'après Alphonse Grün, Paul Bonnefon et Fortunat Strowski, nombre de « montaignistes » contemporains, Roger Trinquet, Colette Fleuret, Madeleine Lazard et Géralde Nakam, ont arraché peu à peu aux bandelettes du sarcophage, faisant revivre un gentilhomme gascon digne d'inspirer Alexandre Dumas aussi bien que Sainte-Beuve, et que j'ai d'autant plus volontiers situé « à cheval » que, de son propre aveu, c'est en cette posture qu'il méditait le plus à loisir...

Gascon, au fait, l'est-il autant qu'on se plaît, ici, à le dire ? Ni par la démesure ou la vantardise, ni par la propension à la ripaille ou la vraie gastronomie, ni par la tonitruante imagination que l'on prête volontiers aux compatriotes de D'Artagnan ou du baron de Crac, Montaigne ne se signale – lui, le mesuré, prenant plaisir à se dénigrer, affectant un profil bas en matière de sexe, peu délicat sur le choix des mets...

Et tout de même, ce citoyen des bords de la Dordogne qui se retrouvera maire d'une cité de la Garonne, nous le reconnaîtrons gascon par l'essentiel, le langage (« si le français n'y peut aller... »), lui qui s'irrite d'entendre Henri II estropier les patronymes aquitains, qui refuse à son ami Pasquier d'épurer ses *Essais* de ce qu'on y trouve de « ramage gascon » ; aussi par la frénétique curiosité humaine qui le pousse partout, de Rhénanie en Toscane, culture indienne ou pratique réformée, à mieux connaître et comprendre, lui qui eût aimé entraîner ses compagnons de voyage jusqu'en Pologne et au Péloponnèse. Gascon parce que gasconnant. Gascon parce que citoyen gourmand du monde...

JEAN LACOUTURE.

Le texte des *Essais* sur lequel j'ai travaillé, y puisant les citations qui émaillent ce livre, est celui, en orthographe « moderne », établi par Claude Pinganaud pour les Éditions Arléa en 1992. Pour les autres textes de Montaigne, je me suis reporté à l'excellente édition des *Œuvres complètes* publiées par les Éditions du Seuil en 1967 (R. Barral et P. Michel), mais je n'ai jamais cessé de garder sous la main les éditions de Pierre Villey, d'Albert Thibaudet et de Maurice Rat. Compte tenu des différences de pagination, les renvois sont faits au livre et au chapitre (ex. : II, 13). Pour une vérification plus minutieuse, le lecteur est convié au plaisir de relire quelques pages des *Essais...*

Indépendamment des classiques de la biographie montaignienne déjà cités ou qui le seront au fil des pages, je me suis souvent reporté au précieux *Bulletin de la Société des amis de Montaigne*.

Les responsables du fonds Montaigne à la bibliothèque de Bordeaux, notamment Pierre Botineau, Hélène de Bellaigue et Nadine Massias, m'ont fait bénéficier de leur compétence et de leur obligeance ; à Montaigne, Mme Mahler-Besse m'a ouvert ses portes avec générosité. A Paris, enfin, mes amis du Seuil, de Dominique Miollan à Jean-Claude Guillebaud et Mireille Demaria, de Carole Simonelli à Muriel Carasso et Manuela Vaney, ont « redoublé pour moi de soins officieux ». Sans parler, bien sûr, de Paul Flamand et de Simonne Lacouture.

CHAPITRE I

La première chevauchée

**Sur le chemin de Montaigne à Paris • Une odeur de hareng •
«Micheau» et la langue française • La grande révolte de la
gabelle • «Que le Gascon y arrive!» • Un père admiré, une mère
acrimonieuse • A nous deux, Paris.**

Quand il enfourchait sa jument pour dévaler le tertre de Montravel à
travers bois – les vignes sont au-delà –, c'était le plus souvent pour
s'en aller courir les filles le long de la Lidoire ou du Léchou, du côté
de Montpeyroux ou du moulin de Pombazet, à Mussidan surtout, où il
était très attendu...

Parfois aussi, Michel, dit «Micheau», fils du seigneur de Montaigne,
piquait vers l'ouest et le sud, vers Lamothe et Castillon, Bordeaux
ensuite et le collège de Guyenne. Mais avec moins d'entrain que lorsqu'il galopait parmi les châtaigniers du pays de Gurson. Parce qu'il
préférait les demoiselles aux professeurs? Bien sûr. Mais aussi du fait
de l'itinéraire vers la grande ville.

Par deux fois, pour franchir la Dordogne, puis la Garonne, il fallait
mettre pied à terre et pousser sa monture dans une «filadière», grande
pirogue à fond plat, et subir cette «agitation rude sur l'eau», cette
«légère secousse que les avirons donnent, dérobant le vaisseau sous
nous [par quoi] je me sens brouiller, je ne sais comment, la tête et
l'estomac» (III, 6). Encore heureux quand les eaux brunes de la
Dordogne ou de la Garonne n'étaient pas soulevées, au temps de
l'équinoxe, par la terrible vague venue de la mer, le «mascaret» (du
nom d'un taureau fou...)! On reconnaît souvent les bons cavaliers à ce
qu'ils n'ont pas le pied marin.

Mais, ce jour-là, l'adolescent n'aurait pas à résoudre de problème aquatique. Si ambitieux qu'il fût, le premier grand voyage qu'entreprenait « Micheau » devait se dérouler sur la terre ferme : c'est Paris cette fois qu'il allait découvrir, sinon conquérir. Et jusqu'à la Loire, il n'aurait pas trop de mal à franchir les voies d'eau, que l'on passait à gué en bonne saison, si on ne les contournait par l'est. Ainsi, vers Montpon, le Périgord vert, le Limousin et le pays d'oïl, il pourrait pousser sa bête en terre ferme.

Était-ce en été, en hiver ? Par chemins poudreux ou ravinés de fondrières boueuses ? Était-ce en 1549, en 1550 ? Avait-il seize ou dix-sept ans, le fils de Pierre Eyquem de Montaigne, « jurat » et vice-maire de Bordeaux, quand, ses études achevées au collège des Arts de Bordeaux où on lui avait appris des rudiments de logique et de morale[1], il partit vers l'université, le monde et peut-être le pouvoir ?

A vrai dire, nul ne le sait. Nous connaissons tout des faits et gestes de l'enfant Montaigne, aussi bien les hurlements du nouveau-né que les humeurs de l'adolescent mal adapté à l'enseignement collectif, la nourrice de Papessus, le dépucelage précoce et les premières lectures que fait l'enfant de quelques érotiques latins – et plus rien jusqu'à son entrée à la cour des aides de Périgueux, en 1554. Près de dix années de mystère.

Succédant à une enfance aussi bien repérée que celle du petit roi Louis et dont nous n'ignorons ni le maître de latin allemand, ni les réveils en musique (mythiques ou non...), une adolescence anonyme de fils de notable provincial bientôt maire d'une grande cité. Nous en sommes réduits à quelques indices permettant de supputer plusieurs séjours à Toulouse, telle débauche à Bordeaux, telle aventure à Bonnefare, telle partie de chasse dans la forêt de Bretenord... Ignorance cruelle, s'agissant de ces années où se jouent les parties décisives – par rapport au père (et à la mère), à la culture, à l'ambition, à l'action, au faire et au paraître. Nous apprenons seulement, par les *Essais*, que ce Michel en gestation, si « mousse » que fût son esprit, était enclin à une « sotte fierté »...

Pour tenter de déchiffrer Montaigne abordant l'âge d'homme, il faut donc accorder sa part à l'imagination dont l'auteur des *Essais* fait si

1. En ce collège de Guyenne qui semble avoir été créé pour lui (six jours exactement avant sa naissance...) et où il a bénéficié du plus brillant enseignement des lettres qui fût en son temps – relevé d'un parfum de Réforme qui lui donnait du sens.

grand cas (I, 21), quitte à recommander de lui tenir la bride. Le conseil a du bon ; on se fondera donc sur les travaux de Roger Trinquet[2], de tous les biographes de Montaigne le plus convaincant – parce que le plus minutieux ? – sur cette période, mais aussi sur les recherches savoureuses de Jacques de Feytaud, montaigniste comme on est maître de chai du côté de Saint-Émilion, si proche[3]...

Si nous avons choisi, non sans impertinence, de jeter l'adolescent sur les chemins malaisés qui conduisent des collines riveraines de la Dordogne à la montagne Sainte-Geneviève vers 1550, c'est surtout à partir des hypothèses que l'auteur de *La Jeunesse de Montaigne* a formulées et solidement étayées, contredisant la plupart de ses prédécesseurs qui envoient en ce temps-là le fils de Pierre Eyquem faire ses études de droit à Toulouse en vue de devenir le magistrat qu'il sera en effet, de 1554 à 1568, à Périgueux d'abord, puis à Bordeaux.

Les arguments qui ont conduit l'auteur de *La Jeunesse de Montaigne* à privilégier, sur ce qu'il appelle le « mythe des études toulousaines », l'hypothèse parisienne semblent d'autant plus forts qu'ils se réfèrent au texte des *Essais*, où ne manquent ni les indications relatives à un précoce séjour parisien ni les silences touchant à des études éventuelles dans la capitale du Languedoc. Certes, les *Essais* ne sont pas une autobiographie (le seraient-ils, il conviendrait aussi de vérifier...). Ils ne disent pas tout, cachent plus encore, et suggèrent parfois à l'excès ce que l'auteur voudrait bien que l'on crût. Mais ils sont une source.

Des silences de Montaigne relatifs à ses études, le plus éloquent est à coup sûr celui qu'il observe à propos de l'enseignement du droit. Il évoque bien deux séjours à Toulouse, où sa famille maternelle exerçait une influence presque comparable à celle dont jouissait celle de son père à Bordeaux. Et bien que le voyage vers la grande cité languedocienne fût d'ordinaire effectué par voie d'eau, qu'il détestait nous le savons, nul doute qu'il y fut à diverses reprises accueilli par ses grands-parents entre 1548 et 1560.

Toulouse était alors dotée d'une université plus prestigieuse que celle de Bordeaux, surtout dans le domaine juridique, nul ne le conteste.

---

2. Roger Trinquet, *La Jeunesse de Montaigne*, Paris, Nizet, 1972.
3. *Bulletin de la Société des amis de Montaigne* (désormais *BSAM*), *passim*.

Mais c'est précisément cet éclat qui fait douter que le jeune Michel y fût étudiant. Lui qui fait si volontiers valoir ses relations, ses titres et ses maîtres, qui ne tarit pas d'éloges sur ceux dont il suivit l'enseignement, à Bordeaux comme Gouvea, à Paris comme Turnèbe, on le trouve muet sur le compte des célèbres jurisconsultes toulousains – et s'il parle de Jean de Coras, c'est à propos d'un procès fameux, celui de Martin Guerre, qui se déroula plus de dix ans après la période universitaire en question.

Quoi ? Pas un mot sur l'illustre Cujas, ornement de l'université toulousaine, que toute l'Europe consultait, que l'on venait écouter depuis Bologne, Augsbourg ou Salamanque ? Pourquoi faire silence sur un maître aussi prestigieux, quand on vante ailleurs « son » Buchanan ou « son » Sylvius ? Pas un mot, s'agissant de cette période, sur des condisciples promis à la notoriété, comme Henri de Mesmes ou Guy de Pibrac, si bien loués par ailleurs ? Voilà qui ne sent pas son jeune châtelain de Dordogne...

Mais si l'on voit Michel, dit « Micheau », chevaucher sur la route de Paris, après les très grandes vacances dans la campagne proche de Montaigne qui lui furent vraisemblablement accordées par son père à la fin du cycle d'études bordelaises [4], c'est pour des raisons beaucoup plus positives.

Pierre Eyquem de Montaigne était encore, aux yeux de beaucoup, un « parvenu ». Il tenait la terre de Montaigne de son grand-père Ramon et de son père Grimon, négociants en poisson séché, produits colorants (le pastel notamment) et vins de Bordeaux. Il n'avait pas accédé encore à la « chevalerie », bien qu'il eût guerroyé près de dix ans en Italie, entre Marignan et Pavie. « Noble Pierre Eyquem » ? « Seigneur de Montaigne » ? Certes. Mais Jules-César Scaliger, qui, d'Agen, observait sans bienveillance l'ascension de ce voisin heureux, traitera encore l'auteur des *Essais* de « fils de marchands de hareng » – métier honorable, certes, mais que le grand-père de Michel avait délaissé sans que l'odeur qui s'y attache fût tout à fait évaporée.

Jurat de Bordeaux et bientôt maire, grand notable, châtelain de Montravel, vassal de l'archevêque de Bordeaux, maître d'une fortune

---

4. Comme le soutient Fortunat Strowski dans *Montaigne, sa vie publique et privée*, Paris, Éd. Nouvelle Revue critique, 1938.

importante, il n'en entendait pas moins une rumeur autour de lui : noble récent, plus bourgeois que gentilhomme, plus opulent que seigneurial. Il avait beau faire dresser des tours aux angles de la maison forte achetée par son grand-père sur le tertre devenu « montagne », la rumeur, sinon l'odeur, traînait toujours.

Ce « Micheau » qui lui est né en 1533, après deux garçons tôt disparus, Pierre a voulu en faire une petite merveille, le produit modèle d'une pédagogie inspirée du grand Érasme et de son *De pueris* – latin précoce, liberté d'allure, arts appliqués, douceur des échanges. Il lui faut maintenant le poser en gentilhomme authentique, en seigneur de grand style, par qui sa maison se fera enfin reconnaître.

Mais par quoi s'affirme alors la gentilhommerie ? Par l'exaltation, l'ornementation, l'épanouissement du domaine ? C'est bien la voie que Pierre a choisie, après ses batailles. Mais, de la campagne, son fils chéri ne goûte guère que les bergères, ou les meunières, incapable qu'il est – avouera-t-il dans les *Essais* – de distinguer un chou d'une salade, un pied de vigne d'un églantier et d'une pie, un ramier...

Faire de lui un page chez Monluc ou Brantôme en vue d'obtenir, « guidon » puis officier, une compagnie – plus tard un régiment de Gascons au poil noir ? La guerre n'est plus ce qu'elle était au temps du roi François, lointaine et décorative, et le jeune Michel, alangui, pataud, ne semble guère doué pour les combats, moins encore pour la discipline. (Il aimera pourtant les hasards de la guerre, faite « à sa main »[5]. Mais il faudra, pour cela, passer par bien des épreuves...)

La robe ? Elle était, dans les familles nobles, réservée aux puînés ; pour un nouveau gentilhomme avide de promouvoir son fils, et par lui sa maison, c'était prendre un médiocre détour. Le fils aîné du guerrier d'Italie, simple magistrat dans quelque tribunal de Gascogne ou du Languedoc ? Un de Thou est d'assez noble ascendance pour se permettre d'endosser la robe longue, assuré dès lors de la considération de ses collègues roturiers. Mais Pierre Eyquem, héritier des marchands de la Rousselle, ne se résignera que plus tard à faire de son fils un robin.

Reste ce qu'on pourrait appeler les « grands emplois » civils, à la Cour, auprès de quelque grand, les missions politiques ou diploma-

5. Cf. *infra*, chap. VI.

tiques qui se multiplient en ces temps agités où, les guerres d'Italie s'achevant, la négociation se développant avec la maison d'Autriche, les remous provoqués par le développement des « nouvelletés » réformatrices, politiques autant que religieuses, s'avivant, et compte tenu des ambitions forcenées que, face aux Valois stériles, dissimulent de moins en moins les Bourbon et les Guise, il y a fort à faire...

Michel, tout flottant qu'il soit, et coureur, et dissipé, l'esprit « mousse » et les mains percées, n'en manifeste pas moins une vive intelligence et sait mettre en valeur la riche culture humaniste inculquée par les meilleurs maîtres du temps en ce collège de Guyenne où il a bénéficié du plus brillant enseignement des lettres qui fût en son temps – relevé d'un parfum de Réforme qui lui donnait tout son sens.

Hugo Friedrich montre bien[6], il est vrai, que la situation d'« intellectuel » n'est pas très prestigieuse en ce temps-là, que la noblesse française, à la différence de l'italienne, se défie des versificateurs comme Ronsard, des faiseurs de livres comme du Bellay. Mais dans l'esprit du seigneur Pierre de Montaigne il ne s'agit pas de cela : l'art de « conférer » qui distingue déjà son fils, il n'est pas question de l'employer à publier ou à enseigner, mais à conseiller, à influer, à éclairer. C'est dans cette « ambition »-là qu'on le « plongea jusqu'aux oreilles », écrira-t-il, et qu'il se devait d'aller accomplir à la Cour, après le sacre universitaire que ne sauraient accorder que les grands maîtres du collège des « lecteurs royaux ».

Bon. Mais que sont après tout les Montaigne ? Des hobereaux gascons nantis d'armes récentes, maîtres d'un domaine comme il en est plus de mille entre la Meuse et les Pyrénées... Peu de chose à côté d'un Biron, ou même d'un Brantôme tout proche. C'est vrai, mais Pierre Eyquem sait qu'il peut tabler sur une alliance considérable, celle qu'il a nouée avec son voisin le marquis de Trans, dont l'un des châteaux se dresse, formidable, sur les hauteurs qui barrent, au nord, l'horizon des Montaigne. Le marquis regarde de haut ces nouveaux seigneurs ? Il n'en tient pas moins Pierre en grande estime, et tout donne à penser qu'il a promis à son diligent voisin de prendre le jeune Michel, si doué, sous sa protection.

---

6. Hugo Friedrich, *Montaigne* (trad. Robert Rovini), Paris, Gallimard, 1968 ; rééd. 1984.

Dès avant d'accéder, en 1554, à la mairie de Bordeaux, fonction qui restait l'apanage des notables de haut rang, Pierre Eyquem de Montaigne ne s'est pas contenté de nourrir pour son fils de nobles ambitions. Il lui a imposé une formation extraordinairement complexe et raffinée, de l'immersion du poupon au milieu de paysans de la « plus abjecte fortune » aux leçons des humanistes les plus prestigieux. Ce n'était pas pour faire de Michel un nobliau habile au jardinage ou apte à résoudre des affaires de contentieux fiscal.

Il est manifeste que ce fils tant chéri, dorloté, peaufiné, latinisé dès le berceau, ce petit chef-d'œuvre selon saint Érasme, le seigneur de Montravel a choisi d'en faire l'illustration de sa lignée. Lui-même a sacrifié ses jeunes années à l'anoblissement par la guerre. Michel mettra le comble à cette ascension en brillant à la Cour, ou tout au moins dans l'exercice du pouvoir – qui, du train où vont les choses, et alors que s'espacent les empoignades avec les Habsbourg pour la maîtrise de Milan ou de Naples, va requérir de plus en plus de finesse, de culture, de savoir. Bientôt courra le dicton « *cedant arma libris* », « que les armes le cèdent aux livres ». Le chemin du pouvoir, pour un gentilhomme, passera ainsi par l'acquisition de la culture.

L'expédition parisienne qu'entreprend Michel, c'est aussi une opération linguistique. Si bien que la greffe latine ait pris sur lui, « Micheau » ne manquait pas, en milieu villageois, d'user du patois local : on l'imagine mal latinisant avec les gardeuses de dindons. Mais le français dans tout cela ? En 1539, l'ordonnance de Villers-Cotterêts, peut-être le geste le plus important qu'ait jamais accompli François Ier, faisait du français la langue officielle du royaume. Comment désormais occuper de hautes fonctions sans manier avec aisance le langage dont du Bellay vient d'assurer (1549) la défense et l'illustration ? Et comment y parvenir mieux qu'à Paris, où la fréquentation des gens de cour, des « dames honnêtes » et des maîtres de l'université purgera le langage du petit Gascon des tournures un peu crottées, en dissipant les derniers effluves du hareng familial ?

L'« ambition », l'auteur des *Essais* assure que son père la lui avait insufflée dès l'« enfance ». On peut disputer du sens exact donné, ici et ailleurs, à ce mot. Il arrive à l'essayiste d'en faire le synonyme d'une « jeunesse » largement entendue, prolongée jusqu'à vingt ans passés. Mais dans le contexte où nous nous plaçons, celui du choix d'une carrière ouverte à l'élève lauréat du collège des Arts de Bordeaux, on verrait volontiers en cet « enfant » l'adolescent de seize ou dix-sept ans que son père est d'autant plus désireux d'orienter vers l'université la plus glorieuse qu'il est impatient de l'éloigner de la ville.

Impatient ? Pourquoi ce sentiment d'urgence ? Non seulement parce que la capitale de l'Aquitaine n'offre plus à son fils de débouchés convenables à son ambition, mais surtout parce que Bordeaux est devenu en 1548 un foyer de troubles et de malaises de toutes sortes, une cité maudite par ce pouvoir royal que Pierre Eyquem veut à tout prix amadouer et dont il convient d'écarter au plus tôt le rejeton promis selon lui à un grand destin.

Au printemps 1548 a éclaté en Charente et Saintonge, avant de s'étendre à l'ensemble de la Guyenne, la révolte dite des « pitauts[7] » – ces culs-terreux, va-nu-pieds ou pieds-gris, ceux qui souffrent plus que tous de l'impôt. Or il se trouve que c'est à la gabelle, taxe sur le sel particulièrement vexatoire en ces provinces maritimes, que le pouvoir central – Henri II – prétend assujettir ces populations, en vue d'éponger la dette publique aggravée par le règne fastueux de François Ier. D'avril à juillet, la révolte contre les « gabeleurs », très collective, étonnamment organisée et armée, s'étend d'Angoulême à Bordeaux, où la pression fiscale est déjà très lourde. En juillet, les révoltés proclament une « commune » qui, au cri de : « Guyenne ! Guyenne ! » vitupère « la France ». Plus qu'une jacquerie, c'est la préfiguration d'une chouannerie levée contre le pouvoir central, cette fois monarchique. Faut-il y voir une influence protestante – sinon anglaise – rayonnant à partir de La Rochelle ? Peut-être. En tout cas, une dimension politique.

Le 17 août, les « communeux » sont maîtres des rues de Bordeaux, où le lieutenant du roi, Tristan de Moneins, ne trouve rien de mieux à faire que de se barricader au Château-Trompette, citadelle construite non pour défendre la ville au nom du roi, mais pour protéger, contre les citadins, les représentants du souverain. Le peuple exige que Moneins se transporte à la « mairerie », rue des Ayres, au cœur du vieux Bordeaux, puis qu'il en sorte pour parlementer : il y consent, est

---

7. On appelle aussi « pitauts » certains coquillages. Allusion à l'une des ressources locales des Charentais ?

appréhendé, molesté et sauvagement mis en pièces avec quelques « gabeleurs ».

L'ordre est bientôt rétabli par la troupe. Mais, pour être opérée « à froid », la vengeance royale n'en sera que plus terrible. Deux mois plus tard, en octobre, une expédition punitive est conduite par le connétable Anne de Montmorency. Pendant des semaines, Bordeaux est soumis à la terreur : des nobles sont décapités, des bourgeois envoyés au bûcher, des centaines de manants écartelés, empalés ou « maillotés ». L'horreur à l'état pur, dont le souvenir ne s'effacera pas. Au nom du roi, « ladite communauté, corps et université de ladite ville [sont déclarés] privés à perpétuité de tous privilèges, franchises, libertés, droits, actions, exemptions, immeubles, maison de ville, jurade et conseil, sceau, cloche, justice et juridiction[8] ». Et le mandat du maire est limité à deux ans, ce qui minimise son autorité en même temps que la personnalité bordelaise et réduit cette fonction à celle d'un mandataire du pouvoir royal. Mesure qui devait avoir quelque incidence sur les vies, les actions et carrières de Pierre, puis de Michel de Montaigne.

Les scènes de violence dont il fut, nous dit-il, le témoin, cette répression sadique, ne pouvaient manquer de marquer à jamais un « enfant » de quinze ans – encore que le commentaire qu'il en fit trente ans plus tard mette beaucoup moins l'accent sur des sentiments d'horreur ou de pitié que sur les problèmes de maintien de l'ordre et d'exercice de l'autorité alors posés au malheureux Moneins. Il les expose – nous y reviendrons – en véritable homme de pouvoir, du ton de Machiavel.

Poussant sa monture entre Dordogne et Charente, deux ans après ces terribles journées, comment le jeune « Micheau » n'en serait-il pas hanté ? Il sait bien que, s'il est là, chevauchant vers Paris, ce n'est pas seulement parce que son père veut le « lancer » à la Cour et dans les cercles du savoir et du pouvoir, c'est aussi parce qu'il fallait éloigner le rejeton dépositaire de tant d'espérances, l'écarter d'une ville suppli-

8. Camille Jullian, *Histoire de Bordeaux depuis les origines jusqu'en 1895*, Bordeaux, 1895, chap. XX, p. 342.

ciée où, comme toujours en ce temps-là, la peste s'infiltre avec tous les autres malheurs, avec les immondices négligées par les soudards qui ont pris la relève de l'autorité et les chaleurs de l'été girondin. Indice qui porte à croire que Pierre de Montaigne expédia son fils vers Paris à l'approche des jours les plus longs qui sont les plus pesteux, et que les chevaux des voyageurs piétinèrent moins la boue d'avril en Saintonge que la poussière des sentiers du Périgord et du Limousin.

« Les voyageurs » ? Le seigneur de Montravel ne pouvait laisser partir l'adolescent tout seul. Il dut mettre beaucoup de soin à trouver un compagnon de route digne de son fils. Nous lisons dans les *Essais* que cet ingénieux châtelain conçut l'idée d'une sorte de « bourse » d'échanges et d'informations où l'on viendrait, en quête d'un travailleur, d'un équipier, d'une occasion : cette idée lui vint peut-être au moment de jeter son fils dans l'aventure. Quelque étudiant plus âgé, ou secrétaire, ou jeune clerc, dut être ainsi recruté, et un valet, cheminant à pied, être adjoint à l'entreprise.

Traçait-on, en ce temps-là, un itinéraire ? La première carte de France, celle de Jean Jolivet, date de 1578 – plus de vingt ans après. Chaque voyage était, en tout état de cause, hasardeux, dès avant le surgissement des « picoreurs », que feraient pulluler les guerres de religion. Tous les « pitauts » de 1548 n'avaient pas été pendus, et nombre de survivants se muaient évidemment en pillards : mieux valait éviter les provinces d'origine de ces troubles, Charente et Saintonge. On peut penser qu'ici aussi s'exerça la sollicitude paternelle, orientant le voyage vers Périgueux et Limoges, plutôt que sur Angoulême et Poitiers.

Chemin de l'est ou voie d'ouest, nos voyageurs ne peuvent savoir qu'ils traversent un monde rural au crépuscule d'une sorte d'« âge d'or ». En grande partie parce que les guerres ont fait trêve depuis un siècle – hormis quelques incursions d'impériaux dans l'est et en Provence –, la paysannerie française connaît une éphémère prospérité.

Dans ses *Propos rustiques* (publiés en 1547) et dans les *Baliverneries*, Noël du Fail propose alors un miroir assez joyeux du peuple paysan – ainsi d'ailleurs que l'aimable sire de Gouberville, hobereau normand à la verve bienveillante. Dans le tome 2 de l'*Histoire de la France rurale*, Jean Jacquart met l'accent sur cette expansion, qui s'exprime à la fois par une nette croissance de la population – qui entrera vers 1580, au plus fort des guerres de religion, dans un cycle régressif – et par une hausse des prix agricoles, fort bénéfique aux paysans.

Certes, les ruraux restent ceux que Richelieu appellera les « mulets de l'État ». Certes, les campagnes demeurent hantées par des bandes de miséreux, vagabonds, « horsains » dont la rapacité hagarde dit bien que la misère menace partout la croissance. Mais, de la vigne qui, en Guyenne, a pris son essor au XIVe siècle avec la domination anglaise aux céréales d'Ile-de-France, nos voyageurs de 1550 vont traverser un monde rural provisoirement accordé à l'optimisme naturel de l'adolescent périgourdin.

Pour mieux nous mêler à ce grand voyage initiatique où l'on peut voir sinon la naissance, du moins l'éclosion de la conscience de Michel de Montaigne le mouvant, sur ce chemin de la Gascogne à Paris qui, à en croire Thibaudet, est sa vraie patrie, on empruntera quelques traits à un bel article d'Anne-Marie Cocula[9]. On ne saurait mieux évoquer le voyageur du XVIe siècle, allant de bourg en bourg, de ville en ville – lesquelles, ceintes de remparts, ne s'ouvrent sur la campagne que par des poternes bien gardées, cadenassées la nuit venue, où se hâtent de rentrer à la tombée du jour les citadins-paysans. Les villages sont concentrés autour de l'église et du château, configuration qui témoigne d'une anxiété permanente, comme la lourde structure des maisons fortes isolées dans la campagne.

Quant aux « routes », ce ne sont que des chemins empoussiérés l'été, ravinés et boueux l'hiver. Riches et marchands y vont à cheval, comme nos héros, croisant les mulets dont les paysans aisés font leur monture ou le véhicule de leur commerce, l'instrument de leur charroi, les pauvres allant à pied, sac au dos et bâton ferré à la main pour se protéger des bêtes, chiens errants, loups à l'occasion, et de toutes sortes de mauvaises rencontres. On se parle peu, compte tenu de la méfiance qui règne entre Girondins et « Gavaches[10] », Limousins et

9. *Sud-Ouest*, mai 1992, p. 9.
10. A la fois « culs-terreux » et « gens du Nord ».

Berrichons, catholiques et huguenots, et des décalages linguistiques :
au nord de la Creuse, tous ces Gascons ou Limousins sont tenus pour
des jargonneurs.

Ainsi vont nos voyageurs, songeant bien sûr à ce Périgord mâtiné
de Gironde qu'ils laissent derrière eux. Avec nostalgie ? Michel, qui
plus tard déclarera à Paris une passion brûlante, ne parlera guère
de son amour pour les paysages de son enfance. Sans insister trop
lourdement sur la préférence qu'il donne aux fermières sur les fermes,
aux bergères sur leurs moutons, aux meunières sur les moulins,
on relèvera simplement qu'il ne fait pas de la Lidoire son « petit
Liré », ni cette Hure où son lointain héritier François Mauriac ira
puiser quelque chose de son génie. Castillon, Montcaret, Nastringues,
Villefranche-de-Lonchat – ces jolis noms ne viendront guère égayer
les méditations autobiographiques du châtelain. Le jeune cavalier, que
nous verrons peu ému par la séparation d'avec sa mère, ne semble
guère avoir souffert d'abord de quitter les horizons familiers.

Au fait, se sent-il Gascon, notre « Micheau » ? Périgourdin, Bordelais ? Lors de son pèlerinage à Notre-Dame-de-Lorette, trente ans
plus tard, il se déclarera, sur un ex-voto, « *Gallus Vasco* » – Français de
Gascogne. On sait qu'il goûtait assez le parler de son pays natal
pour écrire, à propos d'une idée qui lui venait : « Que le gascon y
arrive, si le français n'y peut aller ! » (I, 26). Mais qu'était, à vrai dire,
le langage que parlaient les naturels de Basse-Dordogne, au milieu
du XVIᵉ siècle ? Une forme de limousin assez éloigné de l'occitan de
Gascogne, on veut dire du pays situé entre la Garonne, le Languedoc
et les contreforts des Pyrénées, celui de Monluc et de Pierre de Brach,
qui sera son dernier ami [11].

Le tertre de Montaigne, à coup sûr, est situé en pays d'oc. Mais plus
encore les diverses terres des Eyquem, ses aïeux. Montaigne, montagne, ce patronyme pourrait être de partout. Mais pas Eyquem, le
mot, qu'il soit de lointaine origine celte, hispanique (ou juive, par
déformation de Joachim), est d'Aquitaine, girondin ou landais, bien
planté dans les terres de Blanquefort, porte de Bordeaux vers le Médoc,
de Saint-Médard-en-Jalles, d'Eyzines ou de Mérignac. Ces gens-là

---

11. Au-delà même du débat entre « oc » et « oïl », gascon ou pas, le monde rural,
observe Pierre Goubert, aura très longtemps été divisé en trois par deux barrières, celle de
l'« écriture courante » et celle de l'usage du latin.

étaient des paysans (serfs à l'origine ?) avant d'être commerçants. Les premiers mots du testament de Ramon Eyquem, rédigé en 1473, ouvert en 1478, sentent leur terroir gascon : « Jo Ramon Eyquem, marchant, parropiant de la gleysa de sant Miqueu, borgués de Bordeu [12]... » On a accusé Montaigne d'avoir tenté de faire oublier ce terreau épais, comme les entrepôts de la Rousselle. Mais non : l'auteur des *Essais* revendique clairement son Eyquem, bien odorant de vignes et de pinèdes.

Le fait est qu'en franchissant le cours de la Charente, en longeant celui de la Vienne, en laissant derrière lui les tuiles romaines, ocre-rose (ou brunes, comme dans le Sarladais), Michel sent bien qu'il a passé une frontière et changé de pays. Comme les « pitauts » insurgés deux ans plus tôt, il distingue encore la Guyenne de la France. Le voilà maintenant passé en pays d'oïl – droit coutumier, parler pointu, ardoises grises. Comment ne pas y ressentir une impression d'étrangeté ? Combien de cadets de Gascogne ont-ils subi ce choc, serrant une rapière dans leur poigne rustique ? Mais lui, le petit génie du collège de Guyenne, il détient un autre passeport, son latin, qu'il va pouvoir opposer ici et là aux puissants, aux prélats et aux juges.

Ce latin qu'il a tété d'un Allemand comme le lait de sa nourrice de Papessus, il lui doit beaucoup mieux que cette assurance d'intellectuel à jamais reconnu, de notable du savoir et par là d'un certain pouvoir : il lui doit ses premières joies de libre lecteur, celles qu'il a goûtées au cours des longues soirées du collège de Guyenne après les leçons d'Élie Vinet, de Guérente, de Grouchy et de Buchanan – quand ce coquin de Marc-Antoine Muret, entre deux caresses furtives – le petit Michel lui ayant fait comprendre que là n'était pas son goût –, lui prêtait (compensation ?) son Ovide, où l'adolescent déluré n'avait plus guère de leçons de galanterie à picorer, seulement des bonheurs de lecture à connaître.

Y songeant, au pas de sa monture, aux approches de la Loire, « Micheau » ne peut manquer de se remémorer les délices de ces comédies où il remportait tant de succès, *Jephté* de Buchanan, *Julius Caesar* de Muret (interprétait-il le rôle-titre ?) où se donnaient libre

12. « Moi Ramon Eyquem, marchand, paroissien de l'église de Saint-Michel, cité de Bordeaux. » Jean-François Payen, *Documents inédits ou peu connus sur Montaigne*, Paris, Slatkine, 1971.

cours sa nature « singeresse et imitatrice », son goût pour les héros antiques et le beau latin. Bonne occasion de faire briller ces dons si bien décelés par son père sous l'écorce de l'endormi stupide.

Point n'est besoin d'être grand montaigniste pour savoir que Michel parle de Pierre Eyquem comme du « meilleur père qui fut oncques » (I, 28 ; II, 12). Cet homme qui l'a pétri pendant plus de quinze ans comme cire à modeler, de nourrice latinisante en précepteur teuton et de régents à baguette en chasse à la perdrix au bord du Lérou, il n'aura de cesse de louer son ingéniosité, sa bienveillance, les soins qu'il a apportés à l'embellissement du domaine et la seigneurie de Montravel aussi bien que le dévouement à la chose publique dont il a fait preuve – ne craignant pas de mettre en parallèle avec tant de vertus sa propre négligence et son incompétence gestionnaire. Et le chapitre qu'il consacre à ce type de relations, il a choisi de l'intituler « De l'affection des pères aux enfants » (II, 8).

Nous reviendrons bien entendu sur cet énoncé, sur le choix du père aux dépens de la mère[13]. Retenons en attendant que l'affection est ici présentée – dans les *Essais*, rédigés trente ans plus tard – comme venant de l'ascendant, sans douter pour autant que le fils n'éprouvât le même sentiment à l'endroit du seigneur de Montaigne. Des aigreurs entre eux devaient se manifester plus tard, dues à des traits d'avarice attribués aux « pères » en général, mais que l'on peut rapporter à Pierre Eyquem, auteur en 1561 d'un fâcheux testament corrigé plus tard.

Les *Essais* ne font en aucune façon paraître un quelconque rejet des envahissantes initiatives paternelles. Dans les pages rageuses consacrées à la discipline scolaire et à la brutalité des régents du collège de Guyenne qui semble pourtant s'être exercée sur lui beaucoup moins durement que sur ses condisciples plus modestes ou ignorants, on ne sent guère la rancune qu'il aurait pu éprouver à l'encontre du responsable de ce choix éducatif.

Le cavalier adolescent qui chemine encore quelque temps vers la

---

13. Quoique de bons montaignistes veuillent ici lire, pour « pères », « parents ».

Loire, de clocher en auberge, au pas d'une monture sellée chaque matin, non par lui – il y est inapte, nous confiera-t-il – mais par le valet qui ensuite chemine à son côté en contrebas du sentier caillouteux, tenant la bride au passage des gués, amassant le foin le soir quand il faut coucher dans une grange – lorsqu'il songe à Pierre Eyquem, à son enfance, aux soins dont elle fut entourée, aux libertés dont il a joui, il se sent, gageons-le, tout empli de tendresse et de respect.

On ne peut naturellement oublier que « Micheau » ne fut pas un admirateur sans réserve du système d'éducation imposé par son père : « De vrai, le soin et la dépense de nos pères ne visent qu'à nous meubler la tête de science ; du jugement et de la vertu, peu de nouvelles » (I, 25). Mais il admire à coup sûr ce père combattant des guerres d'Italie, précurseur de Blaise de Monluc, ami des humanistes, assez courageux pour avoir hébergé à Montaigne le meilleur de ses maîtres, l'Écossais George Buchanan, éloigné du collège de Bordeaux parce qu'on le juge trop favorable à la Réforme – grief, si c'en est un, justifié...

Bon catholique mais tolérant, bâtisseur, gestionnaire habile au privé comme au public, athlète complet de la mise en valeur domaniale, maître de son corps, mari vertueux, chasseur avisé, cavalier émérite, fine lame, rude jouteur à la paume, le petit, le pétulant Pierre Eyquem de Montaigne, avant même de devenir maire de Bordeaux, avait tout pour séduire un fils à l'esprit un peu « mousse » et au corps plutôt « lâche », aussi prodigue que son père était économe, aussi divaguant que l'autre semblait doté d'un infaillible gouvernail.

Ruminée au long de la route en ce mitan de siècle, l'admiration de l'adolescent résistera pour l'essentiel aux incompréhensions, aux réprimandes, aux déceptions et révisions qui le conduiront, sans joie, à la « vacation » judiciaire, sans oublier le méchant testament de 1561 qui semble n'avoir eu d'autre objet que de le déshériter, en tout cas de le mettre, fils prodigue, sous la tutelle de sa mère. Dix ans après s'être vu infliger cette avanie tant bien que mal corrigée par la suite, le temps ayant fait son œuvre, l'auteur des *Essais* tracera ce vibrant portrait du maître du château, feu son père :

[...] Étant très avenant, et par art et par nature, à l'usage des dames. Il parlait peu et bien [...]. La contenance, il l'avait d'une gravité douce, humble et très modeste. Singulier soin de l'honnêteté et décence de sa

29

personne et de ses habits, soit à pied, soit à cheval. Monstrueuse foi en ses paroles, et une conscience et religion en général penchant plutôt vers la superstition que vers l'autre bout. Pour un homme de petite taille, plein de vigueur et d'une stature droite et bien proportionnée. D'un visage agréable, tirant sur le brun. Adroit et exquis en tous nobles exercices. J'ai vu encore des cannes farcies de plomb, desquelles on dit qu'il exerçait ses bras pour se préparer à ruer la barre ou la pierre, ou à l'escrime, et des souliers aux semelles plombées pour s'alléger au courir et à sauter. [...] Je l'ai vu, par-delà soixante ans, se moquer de nos allégresses, se jeter avec sa robe fourrée sur un cheval, faire le tour de la table sur son pouce, ne monter guère en sa chambre sans s'élancer trois ou quatre degrés à la fois (II, 2).

La mélancolie qui ne cessera, par vagues, de pénétrer l'auteur des *Essais*, d'assombrir sa jovialité naturelle, conférant souvent à sa méditation de primesaut une résonance poignante, on veut croire que le jeune chevaucheur des coteaux du Limousin ne peut tout à fait la maîtriser, au souvenir de ses étranges, de ses amères relations avec sa mère, Antoinette, l'âpre châtelaine de Montravel.

Connaît-on, dans l'histoire des lettres, beaucoup d'exemples de ce type de rapports – s'agissant d'un écrivain bienveillant et sensible, ami du genre humain et très peu porté à la révolte ? Animosité telle que, dans un vigoureux article du *Bulletin de la Société des amis de Montaigne* (1984), « L'absente des *Essais* [14] », Françoise Charpentier ira jusqu'à parler deux fois de « haine » pour décrire les sentiments que portait à son fils Antoinette de Louppes.

L'auteur de « L'absente des *Essais* » relève notamment les extraordinaires précautions prises par Pierre Eyquem lorsqu'il révisa, en 1567, les dispositions de son premier testament les plus vexatoires pour son fils aîné, à l'avantage d'Antoinette : c'est un véritable traité de coexistence non belliqueuse qui est alors signé entre mère et fils sous l'égide du père qui va mourir : « Les précautions, écrit Mme Charpentier, disent presque en clair la hargne, la tension permanente entre la mère et le fils. L'acte définit strictement les droits d'Antoinette, ses allées et venues au château, la disposition du potager, ses droits d'entrées... » Ahurissant... Et que dire du testament d'Antoinette qui

---

14. *BSAM*, n°s 17-18, 1984.

déshérite Léonor, la fille unique de Michel, parce qu'elle la juge trop riche ? Sa petite-fille... De quoi tirait-elle vengeance ?

Que l'auteur des *Essais*, si éloquent à propos de son père et fort disert à propos des femmes, honnêtes ou non, épouses ou courtisanes, ne cite que deux fois sa mère – de façon très allusive et anecdotique – dans ce livre prodigieusement fouillé et qui est, par tant de points, surtout le tome III, un autoportrait, a bien de quoi déconcerter. Pour l'expliquer, on a soutenu qu'il s'était interdit de citer ou mettre en scène les vivants. Mais nombre d'entre eux y sont évoqués, à commencer par Henri de Navarre et tel ou tel des frères de l'auteur. Non, l'exil de la mère des *Essais* doit avoir d'autres raisons, bien difficiles à démêler, et plus encore à formuler.

Pour tenter de le faire, il faut s'arrêter à ce curieux personnage. Le « Beuther », l'agenda familial des Montaigne, rédigé en une sorte de latin de château, signale en 1529 le mariage contracté par « Petro Montano » avec « Anthonia Lopessia » : c'est la fille d'un riche marchand toulousain ayant des attaches à Bordeaux, Antoine de Louppes de Villeneuve, descendant d'une lignée de commerçants juifs aragonais dont l'ancêtre – d'après les travaux successifs de Théophile Malvezin, Cecil Roth et Donald Frame – se nommait Abraham (ou Meyer) Paçagon, originaire de Calatayud, où il aurait d'abord exercé le métier de chiffonnier. Vers le milieu du XVe siècle, son ascension sociale l'aurait incité à prendre le nom plus banal de Lopez, puis de Lopez de Villanueva. Les descendants de Paçagon le chiffonnier étaient devenus des notables de Saragosse, convertis (librement ?) au catholicisme.

Étaient-ils des « marranes », c'est-à-dire des « nouveaux chrétiens » pratiquant en secret (et à grands risques) leur religion d'origine ? Il ne semble pas. Car si c'était pour échapper à l'Inquisition (très menaçante à Saragosse) qu'ils s'étaient installés en France, ils n'auraient pas choisi de le faire à Toulouse, capitale des dominicains, la ville de France où l'Inquisition était la plus active.

C'est là, en tout cas, que les Lopez de Villanueva étaient venus s'implanter à la fin du XVe siècle. Ils y prospéraient – dans le commerce du pastel – au point qu'un oncle d'Antoinette devait être élu « capitoul » de la ville. C'est là, probablement, au cours d'un voyage d'affaires, que Pierre Eyquem avait rencontré la demoiselle (très jeune, puisqu'elle eut encore un fils trente ans après ses noces). Les archives notariales de Toulouse conservent un contrat de mariage passé, le 12 décembre 1528, entre « noble Pierre d'Eyquem, escuyer, seigneur de Montaigne, et demoiselle Anthonye de Lopez » (ce qui semble indiquer que seule la branche bordelaise de la famille avait francisé son nom). La cérémonie religieuse eut lieu deux mois plus tard.

Mariage d'intérêt ? Rien n'est moins sûr. La dot apportée à Pierre (400 livres) était assez médiocre, selon les spécialistes. Le seigneur de Montravel, bon époux semble-t-il, n'en trouva pas moins quelque avantage en s'alliant à ces commerçants influents, respectés et très actifs, qui avaient pignon sur rue non seulement à Toulouse et à Bordeaux, mais encore à Anvers et même à Londres.

L'origine juive de Michel, par sa mère, semble donc avérée. Mais les Lopez avaient contracté à diverses reprises des alliances avec des chrétiennes, dont la mère d'Antoinette, Giraude (ou Honorette) de Puy, bourgeoise d'Auch. Est-ce dire que sa « judéité » en était altérée, diluée, abolie ? Il faudrait, pour répondre dignement, connaître aussi bien les prescriptions rabbiniques que celles du droit canonique. Ce qui est clair, c'est que le comportement de la mère de Michel ne semble avoir été en rien conditionné ou influencé par ses origines, qu'aucun indice en elle ne révèle d'accointance existentielle avec le judaïsme.

En conclusion d'un article publié en 1935 à Bordeaux (dans les *Mélanges Laumonier*) sur la mère de l'auteur des *Essais*, Paul Courteault, notoire historien bordelais, exclut qu'Antoinette de Louppes ait « judaïsé » – c'est-à-dire pratiqué en secret la religion de ses ancêtres. Certains ont soutenu qu'elle penchait plutôt pour la Réforme : deux de ses enfants purent trouver chez elle quelque encouragement à leur propre conversion au calvinisme.

Plus important pour nous : Michel de Montaigne ne marque en aucune occasion à l'égard du judaïsme – qu'il cite un trait plus ou moins douloureux de l'histoire des Hébreux ou raconte une visite de synagogue – autre chose que la sympathie tolérante que lui inspirent les religions autres que la sienne. S'il dénonce des souffrances juives, c'est du même ton que pour les injustices infligées aux Indiens. On ne saurait imaginer attitude plus flegmatique, plus aimablement distanciée. Et quand il s'indigne de telle ou telle manifestation d'intolérance, de fanatisme, de cruauté ou d'exclusion dont se sont rendus

32

coupables ses coreligionnaires catholiques, ce n'est presque jamais à propos des communautés juives – qui, pourtant, n'étaient guère, en ce temps-là, ménagées. Lors de son voyage en Italie, il décrira même avec une choquante impassibilité d'ignobles vexations imposées aux juifs. A-t-il été laissé dans l'ignorance des complexes origines de sa mère ?

S'il les connaît, ce qui est le plus vraisemblable, on ne saurait évidemment chercher là l'explication de l'éloignement manifesté par le fils à l'égard de la mère. On ne formule l'hypothèse que pour la rejeter fermement : ce serait méconnaître ce qui fait la grandeur proprement innovatrice de l'auteur des *Essais*, l'ouverture illimitée à l'Autre – personne, culture, ethnie, croyance...

Et pour ce qui est d'établir quelque lien entre ces origines et ce que le génie de Montaigne a de mouvant et de tragique, de subtil et de mélancolique, sinon de cosmopolite, comme l'a tenté, après quelques malotrus (dont Barrès, qui fit ensuite amende honorable), un historien aussi intelligent que Thibaudet [15], on s'y refusera, bien sûr : ce serait tomber dans les fantasmes les plus sots et les plus controuvés du racisme dit « scientifique ».

Le fait, tout simple et douloureux, est que Michel n'aimait pas sa mère, qui l'aimait moins encore. A cause d'une éducation misogyne jusque dans son raffinement ? Certains traits de l'éducation stoïcienne, à la romaine, mettaient en garde contre l'implication de la mère dans l'éducation des jeunes hommes. En raison du comportement paternel, qui, outrageusement concentré sur le fils aîné, poussa son épouse à donner sa préférence aux cadets ? Parce que les sympathies qu'éprouvait Antoinette pour le protestantisme l'incitèrent à prendre parti pour ceux de ses enfants qui avaient épousé la cause de la Réforme – Thomas et Jeanne ? Et peut-être une part de son animosité à l'encontre de Michel doit-elle être rapportée à celle que lui aurait inspirée sa bru, Françoise de La Chassaigne, lui confisquant en fait la gestion du domaine.

En mourant à Bordeaux, en 1601, à l'écart du château familial, cette femme singulière laissait un testament qui témoigne de son antipathie

---

15. Non sans y voir une des sources de la « modernité » de Montaigne, ce qui serait une idée séduisante, si l'hypothèse de base pouvait être retenue...

à l'égard de son fils aîné, de Françoise et de leur fille Léonor, et se présente comme un plaidoyer pour ses vertus domestiques :

« Il est notoyre que j'ay travaillé l'espasse de quarante ans en la maison de Montaigne avecques mon mary en manière que par mon travaille, soing et ménagerie la dicte maison a été grandement avalluée, boniffiée et augmentée, de quoy et de tout ce que dessus feu Michel de Montaigne, mon filx aisné, a joui paisiblement par mon octroy et permission… »

« Boniffiée », « octroy », « permission »… Voilà qui ne fleure pas la tendresse du foyer. Mais en 1550, quand Michel quitta le château pour « monter » à Paris, Antoinette était-elle déjà cette virago domestique ? La prodigalité dont son fils fit alors preuve ne put manquer d'aggraver, en quelques années, ces aigres préventions. Et qui sait si l'adolescent qui va au pas de sa bête, sur les rives de la Loire, cherchant un passage du côté d'Orléans ou de Cléry, ne médite pas déjà de faire enrager la « ménagère » en dilapidant gaillardement bon nombre des écus amassés depuis 1529 et « serrés » dans les coffres de la majestueuse bâtisse périgourdine, « grandement avalluée » par Antoinette.

Beaucoup plus que dans on ne sait trop quel problème de conception douteuse – Michel assure qu'il naquit après une grossesse maternelle de onze mois, ce qui incite tel ou tel commentateur à faire de lui un bâtard et à voir là la raison des tensions avec la mère… –, il nous semble que c'est dans les affaires d'intérêt qu'il faut chercher l'origine de cette surprenante animosité. On ne peut mesurer ce qu'un avare peut nourrir de haine à l'encontre du prodigue, de celui qui dilapide l'or qu'il a passionnément amassé. Ce que les pères de Molière crient, la mère de Montaigne semble l'avoir vécu. Et l'on sait que les fils de Molière ne sont pas tendres pour les avaricieux…

Ce qui ressort de cette amère tragi-comédie, c'est que Michel de Montaigne n'a pas connu l'amour maternel, ni celui que l'on ressent, ni celui que l'on reçoit. Et cela, au cours d'une vie commune d'un demi-siècle, au château… Rien de tout ce qu'il fera, écrira, sentira ne pourra manquer d'être marqué par cette terrible absence. Quelle source plus claire de la « mélancolie » qui imprégnera ce qu'il appellera lui-même sa jovialité naturelle ?

Mais que va-t-il trouver là-haut, dans ce grand Paris, le petit cavalier ? Pourra-t-il seulement s'insinuer à la Cour, sur laquelle règne depuis trois ans, moins immense que son père, mais massif, musculeux, portant beau et parlant fort, Henri II ? Pour pénétrer au Louvre, Michel croit pouvoir compter, on l'a dit, sur leur important voisin Germain Gaston de Foix-Candale, comte de Gurson, marquis de Trans, châtelain du Fleix, membre du Conseil du roi. Mais il n'est pas le seul Gascon à nourrir un si beau rêve. D'autres, venus de Nérac ou de Condom, de Marmande ou d'Orthez, ont plus fière mine, la jambe plus fine ou plus longue, la rapière plus flamboyante et arborent un blason plus ancien...

Depuis la mort du roi François, les « lettres » ne brillent plus du même éclat. Les réminiscences d'Ovide, les maximes de Térence, les citations de Virgile ne sonnent plus aussi bellement que naguère dans l'entourage du souverain, où il vaut mieux, dit-on, manier la lance et pratiquer les « jeux indiscrets et âpres, à la française », que le petit « Micheau » ne goûte guère, ou s'adonner à la danse : il est trop court et pataud pour y briller. Mais quoi : quand on a pu, à peine arraché à ses châtaigniers du Périgord, éblouir à Bordeaux les premiers humanistes du temps, Gouvea, Buchanan, Vinet, pourquoi ne charmerait-on pas cette cour des Valois qui ne saurait donner sans réserve le pas au muscle sur l'entendement ? N'est-on pas au pays de Ronsard, de Guillaume Budé ?

Ainsi va l'héritier du seigneur de Montravel, au pas de sa monture, déjà porté par ce fumet d'ambition où l'a fait croître le fils des marchands de la Rousselle. Le voici en vue du château d'Étampes où flotte le souvenir des amours de François Ier et Anne de Pisseleu. Il eût aimé, bien sûr, découvrir Paris au temps du « père des bonnes lettres », de la fondation du collège des « lecteurs royaux », plutôt que d'affronter ce gymnase de jouteurs, de danseurs et de ferrailleurs ! Mais il se fait une joie de rencontrer du Bellay, peut-être, ou Dorat, ou Ronsard...

Michel de Montaigne chevauche déjà, de clocher en auberge, depuis bientôt trois semaines. Il continuerait bien ainsi des jours et des jours, heureux de faire corps avec sa monture et d'être de ce fait juché à hauteur respectable, et non plus, petit homme, de trottiner au ras du sol :

[...] je n'ai aimé d'aller qu'à cheval. [...] si les destins me laissaient conduire ma vie à ma guise[16] [...] je choisirais à la passer le cul sur la selle [...]. Si toutefois j'avais à choisir [ma mort], ce serait, ce crois-je, plutôt à cheval que dans un lit [...]. Je ne démonte pas volontiers quand je suis à cheval, car c'est l'assiette en laquelle je me trouve le mieux [...]. C'est là où sont mes plus larges entretiens[17].

De Brantôme ? De Monluc ? De D'Artagnan ? Non : de Michel de Montaigne, qui ne consacrera pas moins de trois chapitres des *Essais* à la chose cavalière, sous ses diverses formes. Il « monte court », « Micheau », eu égard à ses petites jambes. Un peu comme un jockey. Mais bien en selle, si on l'en croit – lui qui ne cesse de moquer ses performances athlétiques. Il ne saura jamais harnacher ni soigner un cheval, avoue-t-il. Mais il sait quand changer de monture et acheter, au relais, la meilleure. Bon maquignon à l'occasion, amoureux des belles bêtes et féru de prouesses équestres (I, 48), il l'était déjà avant que, la gravelle le tenaillant, il trouve dans le balancement de la course et le massage de la selle un soulagement à son mal.

Mais nous n'en sommes pas là. Seulement aux abords des tours de Notre-Dame. Déjà, cheminant à travers les jardinets de Sceaux et de Montrouge, notre petit ambitieux prend pour point de mire la montagne Sainte-Geneviève, où sont les livres. Quelques mois après la publication du *Quart Livre* de Rabelais, après celle de *Défense et Illustration de la langue française*, c'est tout vibrant qu'il pénètre à Paris par les fossés Saint-Jacques, avide de savoir, sinon de pouvoir.

Se sent-il déjà en proie à ces tentations de l'ambition qu'il avouera plus tard ? Croit-il, en ses dix-sept ans, que « la plus honorable vacation est de servir au public et être utile à beaucoup » (III, 9) ? Pour l'heure, il va se mesurer à Paris, non pas en précurseur de D'Artagnan ou de Rastignac, ses compatriotes, mais plutôt en chasseur de merveilles, et peut-être de grandeurs.

---

16. Virgile, *Énéide*, IV.
17. Ce qui fera dire à Emerson, dans son *Journal*, qu'il est « impossible de retirer le cheval des *Essais*... ».

CHAPITRE II

A Paris,
dans le mitan du siècle

• J'aime Paris jusqu'à ses verrues • Une cité en expansion • L'ambition politique d'un nobliau provincial • A l'écoute du grand Turnèbe • De Morel en Carnavalet • Les fastes de la Cour des Valois • De Toulouse et du droit • Un bilan décevant.

Entre Michel adolescent et le Paris d'Henri II, ce furent comme des noces. Le ton sur lequel l'auteur des *Essais* parle de la capitale des Valois a une vibration qui fait penser à celle qu'inspirent aux jeunes gens leurs premières amours.

Cet homme que l'on a prétendu sceptique, incapable d'élan, d'enthousiasme ou d'adhésion, nous l'avons vu déjà bouillonner d'admiration pour son père, s'indigner contre les régents de son collège, enragé à courir les filles, fou d'équitation. Et le voici maintenant amoureux d'une ville, amoureux comme il ne le sera plus que d'Étienne de La Boétie, sans réserve ni rémission.

Ouvrons les *Essais*, au livre III :

> [...] je ne me mutine jamais tant contre la France que je ne regarde Paris de bon œil ; elle [Paris] a mon cœur dès mon enfance. Et m'en est advenu comme des choses excellentes ; plus j'ai vu depuis d'autres villes belles, plus la beauté de celle-ci peut et gagne sur mon affection. Je l'aime par elle-même, et plus en son être seul que rechargée de pompe étrangère. Je l'aime tendrement, jusqu'à ses verrues et ses taches. Je ne suis français que par cette grande cité ; grande en peuples, grande en félicité de son assiette, mais surtout grande et incomparable en variété et diversité de commodités, la gloire de la France, et l'un des plus nobles ornements du monde. [...] Entière et unie, je la trouve défendue de toute

autre violence. Je l'avise que de tous les partis le pire sera celui qui la mettra en discorde. [...] Et crains pour elle autant certes que pour autre pièce de cet État. Tant qu'elle durera, je n'aurai faute de retraite où rendre mes abois, suffisante à me faire perdre le regret de toute autre retraite (III, 9).

Jusqu'à l'admirable phrase finale, il y a bien là le ton de la tendresse ou de l'affection que l'on peut porter aux personnes – dont sont aimées jusqu'aux « verrues » et aux « taches ». Ainsi Alceste parle-t-il de Célimène, Baudelaire des amours enfantines. Et cette accointance passionnée qui s'est faite entre le voyageur et la ville, entre le petit provincial et la capitale, elle ne connaîtra pas de relâche, même quand Paris sera devenu le théâtre de la Saint-Barthélemy, la capitale de la Ligue, où il se verra soudain expédié à la Bastille...

Pour le cavalier gascon venu de ses vignes et de ses châtaigniers, Paris déploya d'emblée des charmes déjà foisonnants que célébraient alors, après Rabelais, les jeunes gens de la Pléiade et les « lecteurs royaux » assemblés au quartier Latin sur l'initiative de Guillaume Budé.

La ville où pénètre le petit gentilhomme des coteaux de Dordogne est devenue la première du continent. On estime sa population à 350 000 âmes environ. Son étendue a doublé en un siècle : le vieux rempart élevé par Philippe Auguste craque de toutes parts sous la poussée d'une immigration à laquelle tentent de s'opposer le prévôt des marchands Claude Guyot et les diverses corporations. On y compterait près de mille rues : la ville n'est plus qu'un chantier et partout l'enserrent des faubourgs – on dit alors faux-bourgs –, ces satellites qui, digérés par la ville, feront bientôt sa gloire, de Montmartre à Saint-Germain.

Contre l'avis de nombre des conseillers du roi Henri comme le maréchal François de Montmorency, hantés par les risques d'invasion – des impériaux, des Anglais, des Espagnols ? –, on perce, de place en place, surtout au sud, la grande muraille encombrée, parasitée de masures et de boutiques : portes Saint-Jacques, Saint-Michel, de Buci. Il y en a quinze à la fin du siècle. Les gens de « qualité » tendent à s'installer le long de la rive gauche de la Seine, que surplombent l'énorme hôtel de Nevers et le couvent des Augustins, entre le pont Saint-Michel, la tour de Nesle et le Pré-aux-Clercs (nous y retrouverons Michel de Montaigne…). En attendant la construction de ce qu'on appellera le Pont-Neuf, dont circulent déjà les plans, un bac[1] est mis là à la disposition des Parisiens, entre la pointe ouest de l'île de la Cité et les deux rives.

Par où pénétra-t-il dans Paris, notre adolescent ébloui ? Vraisemblablement par la porte Saint-Jacques, suivant le tracé de la vieille voie romaine de la Loire à Lutèce, devenue le chemin de Compostelle – dont la fréquentation restait appréciable. Passé la poterne se profilaient aux yeux des arrivants la montagne Sainte-Geneviève, le moulin des Gobelins, la chartreuse de Vaugirard ceinte de jardinets. Paris ayant été baptisé Lutèce, par référence à *lutus* (boue), ses rénovateurs avaient entrepris d'en paver les artères principales et les voies d'accès, dont la rue Saint-Jacques. Un écho de ces instants dans les *Essais* ?

« Sur le pavé, depuis mon premier âge, je n'ai aimé d'aller qu'à cheval ; à pied je me crotte jusqu'aux fesses, et les petites gens[2] sont sujets par ces rues à être choqués et coudoyés à faute d'apparence » (III, 13).

Ainsi, longeant le couvent des Jacobins, l'hôtel de Cluny, l'église Saint-Séverin, l'ensemble des bâtiments qui composent, de bric et de broc, l'université du temps de Rabelais, le petit Gascon se donne-t-il le plaisir de regarder du haut de sa monture ces marchands et ces manants, tout imposants et parisiens qu'ils soient.

Il est très beau, le Paris de ce temps-là, entre les fastes ornementés du règne de François Ier et les horreurs des guerres dites « de religion », ce Paris de 1550 où la vagabonde monarchie française daigne enfin fixer son séjour (pour un peu plus d'un siècle…), confiant à Pierre Lescot le soin de transformer la vieille forteresse du Louvre en un palais digne de l'une des premières nations d'Occident. En attendant les exubérances du règne d'Henri III, la cour des Valois y esquisse une espèce de modèle de la Renaissance amoureuse, dont *La Princesse de Clèves* sera le ravissant miroir.

1. A l'emplacement de la rue du même nom.
2. Tels que lui ; « pitchoun », dit-on chez nous.

De ce Paris sans cesse exalté depuis le début du siècle on doit au chroniqueur Gilles Corrozet une évocation savoureuse (*Fleur des antiquités de Paris*), tandis que les cartographes Truschet et Hoyau proposent en 1550, avec leur « plan de Bâle », le premier « Vrai pourctrait naturel de la ville, cité et université de Paris » : triptyque où se dessinent et répartissent bien les fonctions de la ville, métropole commerçante, capitale politique et berceau des arts, des armes et des lois, des sciences et du savoir.

Nous ne suivrons pas le jeune Michel dans toutes ses déambulations parisiennes – émerveillements et dégoûts – de la rue Galande à la rue des Marais (devenue Visconti), la place Maubert où déjà, sous le roi François, on élevait des bûchers pour des hérétiques aussi prestigieux qu'Étienne Dolet ou Berquin, ami de la reine Marguerite (pratique qui va s'intensifier sous le roi Henri II), de la rue des Rats à celle que l'on dit Perdue, de la rue Troussevache à celles du Sucre-Raisins, du Paon, du Bon-Puits, de la Mortellerie et de la Putigneuse, du Petit-Pont (en cours de réparation) à la rue des Poirées qui jouxte la Sorbonne, du cloître Saint-Séverin au Petit Châtelet qui n'est qu'une prison, et du marché aux volailles du quai des Grands-Augustins à celui que l'on qualifie depuis longtemps de « neuf », où l'on vend le poisson.

Délices et surprises : ces gens de Paris parlent un langage tout blanc, comme ce qui, dans le poulet, a le moins de saveur (certains disent même « bonhur », « malhur »), et les filles, jusqu'à un âge avancé, balancent les hanches sans craindre d'émouvoir – parbleu ! – les garçons aux joues tendres et à la barbe duveteuse sous le menton – comme celle de « Micheau », d'une appétissante couleur de châtaigne. Et ces malandrins qui partout se glissent, ces « guilleris », ces « tire-laine » ou « grisets » ou « rougets » qui vont par bandes et finissent au gibet, ces porteurs de froc à l'allure indécise, et ces bateleurs qui font s'amasser, sur les ponts, les badauds (rue Badaude, bien sûr).

Nous savons, nous, que ce que vivent ces Parisiens et leur hôte, c'est déjà le crépuscule du « beau XVIᵉ siècle », que ce qui couve sous cet éclat, cette poudre d'or, ce sont les pustules de la guerre interne, que dans vingt ans se lèvera l'aube d'un 24 août qui est à jamais celui de la Saint-Barthélemy. Mais eux, et le petit Montaigne au milieu, s'ils s'inquiètent de la reprise de la guerre avec les Habsbourg, de la hausse des impôts, de l'insécurité partout, ils voient s'accomplir les travaux du Louvre, maçonner les quais, s'ordonner les marchés et s'achever, sous l'autorité de l'architecte Guillain, les nouvelles fortifications du côté de l'abbaye de Saint-Germain – permettant la croissance des quartiers Saint-Séverin et Saint-André-des-Arts[3].

Où loge-t-il, le fils de Pierre Eyquem, encore flanqué peut-être de l'anonyme écuyer-précepteur qui l'a mené à bon port de la Dordogne aux quais de la Seine ? En l'un de ces collèges – Sainte-Barbe, Navarre, Boncourt – où s'entassaient les écoliers ? Il semble que le garçon, nanti d'une bourse assez ronde et peu regardant à la dépense (on en reparlera !), nicha dans une auberge du type du Petit More[4], rue de la Huchette – « Montaigne s'y essaya, buvant à petits coups[5] », écrit Michel Chaillou –, de la Petite Galère, rue de Seine, ou de la Pomme-de-Pin, au pont Notre-Dame.

Retrouvé dans la correspondance administrative d'Henri II, un document officiel d'époque, relatif à la construction dans le faubourg Saint-Germain, donne l'illusion de pouvoir localiser notre héros : « Montaigne, l'un des habitants dudit faubourg, nous a fait quelques ouvertures[6]... » On sursaute, on suppute, on vérifie – et constate qu'il s'agit d'un Gabriel Montaigne, marchand rue de Seine, qui a dès long-temps pignon sur rue...

« C'est quelque chose d'éclatant que le séjour de Montaigne à Paris dans son "enfance" : éclatant par les maîtres du collège royal dont il fréquente les leçons ; éclatant par le nom des protecteurs qui intro-duisent le jeune homme dans les salons de la Cour. »

L'excellente montaigniste qu'est Géralde Nakam, dont *Montaigne et son temps*[7] restitue hardiment à l'auteur des *Essais* sa stature d'homme public, acteur et citoyen de l'Histoire, conforte ainsi les hypothèses formées naguère par Grün, Strowski, Nicolaï, et fortement étayées par

---

3. Cf. Jean-Pierre Babelon, *Paris au XVIe siècle*, Paris, Hachette, 1986, p. 205.
4. Il en parlera avec nostalgie pendant son voyage en Italie.
5. Michel Chaillou, *Domestique chez Montaigne*, Paris, Gallimard, 1982, p. 90.
6. Cité par Jean-Pierre Babelon, *Paris au XVIe siècle*, op. cit.
7. Géralde Nakam, *Montaigne et son temps*, Paris, Gallimard, coll. « Tel », 1993, reprise du tome 1 de sa thèse, *Les « Essais » de Montaigne, miroir et procès de leur temps*, Paris, Nizet, 1984.

Roger Trinquet : c'est bien à Paris, au cours d'une « enfance » que l'on peut sans doute prolonger au-delà de sa vingtième année mais qui n'en est pas moins la période de formation universitaire, que le fils du seigneur de Montaigne a couronné l'étrange cycle d'études qui aura contribué à faire de lui l'un des maîtres de l'humanisme européen.

Pour Géralde Nakam, ce séjour avait un objectif très clair, fermement tracé par son père : la préparation de l'adolescent au traitement des grandes affaires publiques. Lors d'un colloque tenu à Bordeaux en novembre 1981[8], l'auteur de *Montaigne et son temps* soutenait déjà que « cet enfant doué, on le destinait vraiment à la carrière d'homme d'État » au nom d'« une morale selon laquelle il faut se donner entièrement à autrui »... Que le « on » de Mme Nakam se rapporte uniquement à Pierre Eyquem ou englobe quelques parents, amis ou protecteurs, le fait est que c'est cette « vocation » qui fut à l'origine du voyage parisien.

On sait bien que l'héritier de la seigneurie périgourdine se refusa d'abord à assumer cette tâche écrasante, rétif à ce don de soi qu'il jugeait le plus digne d'un homme accompli mais qui, il le constatait au fil des ans, épuisait la forte énergie de son père et brimait sa propre nonchalance. Ce ne fut que trente ans plus tard, après la longue parenthèse juridique et parlementaire à laquelle il consacra, faute de mieux et tant bien que mal, quinze années de sa vie, qu'il remplit la mission à lui assignée par Pierre Eyquem – du fait d'une surprenante élection à la mairie de Bordeaux et de son « accointance » avec Henri de Navarre.

Le projet n'en fut pas moins formé en ses jeunes années, et sa réalisation entamée, valant à Michel les hautes leçons de l'université parisienne, un réseau de relations exceptionnel pour un nobliau provincial, et surtout un entregent dont on verra les fruits. Ainsi Michel de Montaigne, avant de donner licence à son génie créateur, fut-il l'ébauche d'un L'Hospital, sinon un Machiavel suspendu...

Nul mieux que Roger Trinquet n'a mis en lumière, du « prélude latin » à la grande expédition parisienne, la remarquable cohérence de l'ensemble du projet de Pierre Eyquem :

---

8. *In* colloque *Les Écrivains du Sud-Ouest et la Politique au XVI*e *siècle*, Bordeaux, Presses universitaires de Bordeaux, 1981.

« Cet homme sensé, chez qui se fait jour souvent un naturel pratique et utilitaire, peut-on penser que le seul désir de faire de son fils un grand lettré ait pu l'engager dans une entreprise aussi onéreuse [...] ? [Une] transformation s'opérait alors dans l'esprit de la noblesse à l'instigation des humanistes du temps. Une culture approfondie semblait devoir constituer désormais pour elle bien mieux qu'un simple ornement. Plus utile à présent que les armes, cette culture permettrait aux gentils-hommes qui sauraient l'acquérir de conserver ou de reprendre les hautes charges de l'État, à la Cour ou dans les provinces [...]. Que les fils de la noblesse répondissent au besoin du temps ! Ils sauraient ainsi, mieux qu'en restant des soldats ignares, défendre tout à la fois les intérêts du prince et les privilèges de leur classe [9]. »

Trois cercles ou institutions font alors de Paris, pour l'arrivant, un très ardent foyer de culture : le collège des « lecteurs royaux » (qui deviendra le Collège de France), le groupe de la Pléiade, qui vient de recevoir, avec la *Défense et Illustration* de Joachim du Bellay, sa charte, et les salons, qui annoncent, en quelque sorte, ceux du XVIIIe siècle.

C'est vingt ans plus tôt, à partir de 1530, à l'initiative de François Ier et de Guillaume Budé, qu'a été amorcée contre la dictature cléricale de la Sorbonne, la création du collège des « trois langues » ou des « lecteurs royaux ». Invité par le roi à venir en prendre la direction, Érasme s'était récusé, alléguant des raisons de santé et faisant valoir qu'une ville qui pouvait compter sur un Guillaume Budé n'avait pas besoin de recourir à ses talents.

« Trois langues » ? Le latin, le grec et l'hébreu, les deux dernières étant tenues pour propres à la diffusion de toutes les hétérodoxies. D'où l'hostilité de la Sorbonne à l'égard de cette institution qui ne survécut que par la faveur du roi : Henri II, si « bien-pensant » qu'il fût, restait attaché au legs de son père.

Le « collège royal » accueillit d'emblée des maîtres prestigieux, Vatable, Mercier, Galland, Toussain et Pierre de La Ramée, dit « Ramus », le plus fameux, qui osa le premier faire son cours en langue

9. Roger Trinquet, *La Jeunesse de Montaigne*, op. cit., p. 215-216.

« vulgaire », c'est-à-dire en français, manifesta sa sympathie pour la Réforme et fut l'une des plus illustres victimes de la Saint-Barthélemy.

Mais le maître qui obtint entre tous les suffrages et l'attention du jeune Montaigne, c'est Turnèbe, de tous les auteurs modernes cités dans les *Essais* celui qui reçoit l'hommage le plus enthousiaste avec Jacques Amyot. Le Normand Adrien Tournebœuf, dit « Turnèbe » ou « Tournebus », que Montaigne appelle parfois, en bon gascon, « mon Tournebou », était un éminent commentateur des grands classiques grecs, de Sophocle à Thucydide, et des maîtres latins.

Au temps où Montaigne vint étudier à Paris, il jouissait d'un prestige incomparable : on le tenait pour le plus brillant enseignant d'Europe. Tout indique que son charme et son art surpassaient sa science : ses *Adversaria* suscitent moins l'admiration chez les spécialistes modernes que parmi les contemporains de Montaigne.

Mais le petit provincial qui découvrait alors Paris vit en lui le maître incomparable, l'humaniste par excellence, le père spirituel dont les très libres leçons, riches en digressions, servirent peut-être de modèle aux *Essais* et qui, à l'excellent petit latiniste qu'il était, ouvrit les portes du monde grec, son nouveau paradis. Montaigne est visiblement fier de pouvoir écrire au livre Ier des *Essais* : « [...] j'ai vu Adrien Turnèbe, qui, n'ayant fait autre profession que des lettres [...] était, à mon opinion, le plus grand homme qui fût il y a mille ans [...] » (I, 25).

Voilà un étudiant qui n'aura pas marchandé sa reconnaissance à l'homme auquel il doit la révélation de ses deux maîtres les plus chers, Socrate et Plutarque. A l'homme aussi qui sait mieux que nul autre établir des rapprochements entre les tragédies du monde antique et celles du temps où il enseigne : rien ne fascine mieux les étudiants, non sans risque. Turnèbe ne paya pas ses audaces de sa vie, comme Ramus – qu'il détestait. Mais on ne saurait dire qu'il fut inhumé en odeur de sainteté : le parti catholique le tenait pour un huguenot camouflé.

Ce maître des Anciens qui enseignait en latin n'en était pas moins l'admirateur et l'ami de la jeune école poétique : Dorat, du Bellay, Baïf, Jodelle – et Ronsard qui lui décernera cet éloge :

> D'un si grand homme il ne faut qu'on écrive,
> Sans nos écrits, son nom est assez beau [10].

10. Géralde Nakam, *in* colloque *Les Écrivains du Sud-Ouest...*, *op. cit.*, p. 100.

Le fils de Pierre Eyquem craignait-il à Paris de sentir encore un peu trop le foin et la châtaigne ? Ce type d'appréhension dut s'atténuer quand il retrouva dans la capitale deux des maîtres de sa jeunesse au collège de Guyenne à Bordeaux, Marc-Antoine Muret et George Buchanan. Tous deux enseignants au collège de Boncourt – le second réchappé des prisons de l'Inquisition au Portugal, le premier « monté » à Paris après s'être fait, en diverses cités de Gascogne, la réputation d'un conteur étincelant et d'un luron scandaleux.

Le gros Marc-Antoine pouvait bien se répandre en propos édifiants, sa nature de sybarite reprenait le dessus : ses *Juvenilia* le disputaient en hardiesse aux érotiques latins. Dans les *Essais*, son ancien élève se moquera gentiment de ce « galant homme [qui présentait] d'une main [...] des vers excellents [...] en débordement, et de l'autre [...] la plus querelleuse réformation théologienne [...] » (III, 9). Bon exemple pour le futur auteur de la grave « apologie de Raymond Sebond », qui sera aussi l'audacieux commentateur de « quelques vers de Virgile » riches en « débordements ».

Il est très difficile de retrouver les traces des relations que put entretenir l'étudiant gascon avec les nouveaux maîtres de la Pléiade. Les éloges dont il les couvre dans les *Essais* ne mettent sur aucune trace d'accointances autres que celle de lecteur à auteur. Mais l'aisance que commence à manifester le jeune homme en tout ce qui à trait aux rapports humains (pour peu que le sujet ou le personnage l'intéresse) et les occasions proposées par leurs relations respectives, les lieux de rencontre ou d'entretien possibles – collèges ou salons, sinon la Cour – donnent à penser que le dialogue se noua entre les nouveaux maîtres de la poésie lyrique et le petit provincial : c'est en 1550 précisément que Ronsard publie son « Ode à [son] retour de Gascogne, voyant de loin Paris... ».

Michel de Montaigne « parisien », sinon par l'accent, au moins par le style et le goût ? Il ne saurait le devenir sans la fréquentation du monde, des dames et de la Cour. Il nous dit bien que son cher Turnèbe « n'avait toutefois rien de pédantesque que le port de sa robe, et quelque façon externe [...] » (I, 25) ; mais c'est précisément cette « façon externe » qu'il importait, chez l'élève périgourdin, comme chez le maître normand, de corriger. Tous et toutes s'y employèrent si bien qu'ils se retrouvèrent, maître Adrien et « Micheau », dans l'un des lieux de Paris où l'on pouvait le mieux essuyer sa crotte.

Jean de Morel d'Embrun était alors l'un des personnages les plus sûrement dotés de ce qu'on appelle le « pied parisien ». Originaire de la haute Provence, disciple d'Érasme, dont il avait écouté les leçons et, disait-on, veillé la mort à Bâle, il avait, par son mariage avec Antoinette de Loynes, assuré sa position dans la société parisienne et le monde littéraire. Tour à tour écuyer de Catherine de Médicis, « maître d'hôtel » d'Henri II (une fonction qui n'avait pas seulement trait aux arts de la table) et gouverneur de l'un des enfants royaux, il était au cœur du « système » politique et intellectuel.

Son hôtel de la rue Pavée[11], à deux pas de celui, superbe, de la duchesse d'Étampes, était le siège de réunions littéraires présidées par son épouse, bas-bleu considérable qui en fit le premier « salon » de Paris[12] : c'est là que fut rédigé le « tombeau » de Marguerite de Navarre, sœur de François Ier, auteur de *L'Heptaméron*, tenue pour l'écrivain le plus raffiné de sa génération. L'hommage que lui rendra plus tard Montaigne dans son agenda (dit le « Beuther ») est si fervent qu'au-delà même des mérites reconnus à la conteuse de *L'Heptaméron*, protectrice des réformés persécutés, on peut mesurer la dévotion collective que la reine de Navarre avait suscitée dans ce salon prestigieux. Façon discrète de rappeler que lui, Montaigne, avait été de ces privilégiés ?

Michel put être conduit rue Pavée par son maître Turnèbe, qui en était un familier. Ou par Buchanan, qui dispensait son savoir aux filles de Jean de Morel, Camille, Lucrèce et Diane – la première étant l'inspiratrice de Joachim du Bellay, qui pour elle versa des pleurs harmonieux. Libre à nous d'imaginer l'étudiant du collège des « lecteurs royaux » appliqué à se frayer sa voie au cœur de ce monde où, vanté par Buchanan, son beau latin (quel homme avisé que mon père !) devait faire merveille. Les jeunes provinciaux en tout cas étaient fort bien accueillis chez les Morel – les accents étant aussi divers et contrastés que les orthographes : le vendômois de Ronsard sonnait-il mieux que le provençal du maître de maison, le gascon de Pierre de

11. L'actuelle rue Séguier, qu'habitera, quatre siècles plus tard, Henri Michaux.
12. Admirablement évoqué par Abel Lefranc dans *La Vie quotidienne au temps de la Renaissance*.

Bruès, l'italien du maréchal Strozzi, personnages en vue de cette société ?

Peut-être rue Pavée, peut-être ailleurs, le fils de Pierre Eyquem rencontra vite bon nombre de Gascons plus ou moins implantés à Paris, les uns en quête comme lui de sciences, de diplômes et ensuite de charges ou de pouvoir, les autres déjà largement pourvus : son cousin Jean de Villeneuve (Lopez de Villanueva), conseiller au parlement [13], Paul de Foix, Arnaud de Ferrier, Aimar de Ranconnet, eux aussi magistrats, et Guy du Faur de Pibrac, membre du Conseil du roi, qui deviendra son ami et qu'il louera chaudement dans les *Essais* [14].

De tous ces compatriotes alors découverts [15] ou retrouvés par un Michel de Montaigne en quête d'alliances et de relations, on retiendra surtout le nom de Guillaume de Lur-Longa. Non seulement parce que ce juriste porte un nom qui se confond à travers l'Histoire avec la dynastie du maître de Montravel, mais parce que c'est lui qui fit alors voir à Michel l'essai d'un jeune magistrat sarladais auquel il venait de céder son office au parlement de Bordeaux avant de « monter » à Paris : le manuscrit était celui du *Discours de la servitude volontaire* et le nom de l'auteur Étienne de La Boétie.

Mais quoi : Paris, ce n'est pas seulement l'université, tel salon littéraire et des manuscrits politiques : c'est aussi un art de vivre, une éducation de gentilhomme qui ne saurait briller ni se faire reconnaître sans artifices ni manières de haut goût. C'est en pensant à ses jeunes années parisiennes, sans doute, que l'auteur des *Essais* écrit : « [...] chaque cité a sa civilité particulière. [...] J'y ai été assez soigneusement dressé en mon enfance et ai vécu en assez bonne compagnie, pour n'ignorer pas les lois de la nôtre française ; et en tiendrais école » (I, 13).

Quand on sait que notre Montaigne ne se sentait français que du fait de Paris, on est bien contraint de rapporter à son séjour dans la capitale cette « civilité » dont il aurait pu « tenir école », aussi bien que cette « gaieté et liberté françaises » qu'il vante si fort, et que ce principe qu'il semble bien avoir appliqué : « En une monarchie, tout gentilhomme doit être dressé à la façon d'un courtisan » (I, 26). Quitte à ne pas se comporter comme tel...

---

13. Avec lequel il se brouillera pour les meilleures raisons (cf. *infra*, chap. XI).
14. Cf. notamment Livre III, chap. 8.
15. Cf. *infra*, chap. VIII.

Dressé ? Il fut, à sa manière, un jeune homme à la mode, avouant qu'il avait « [...] imité cette débauche qui se voit en notre jeunesse [...] : un manteau en écharpe, la cape sur une épaule, un bas mal tendu, qui représente une fierté dédaigneuse de ces parements étrangers, et nonchalante de l'art » (I, 26). Affectation commune à un âge où, selon le siècle, on se fait mignon, muscadin, « gilet rouge » ou zazou. Si l'on relève ce trait, c'est qu'il n'est pas sans conséquence sur l'avenir de notre jeune homme : le diplomate italien Lippomano signale que, dans le Paris d'alors, les fantaisies vestimentaires des jeunes gens « exigent des dépenses considérables [16] ». Et nous savons par lui que Montaigne dépensait alors « allégrement » et avec peu de soin, se fiant à la « témérité de la fortune ».

Comment ne pas lier cette « débauche » – on traitera ailleurs des autres... – à la crise qui éclatera un peu plus tard entre son père ou, mieux, entre ses parents et lui, aboutissant, semble-t-il, au rappel de l'enfant prodigue en ses foyers ? Et surtout au « choix », évidemment imposé, d'une carrière plus modeste et régulièrement rémunérée que celle, glorieuse et parisienne, impliquée par l'éducation première et le grand voyage à Paris ?

Les frais de garde-robe n'étaient évidemment pas les seuls que Pierre Eyquem fut contraint d'assumer. L'éducation d'un gentilhomme « à la française », au temps des Valois, impliquait des activités de tous ordres – et désordres. Que notre « Micheau » n'ait pas dilapidé ses écus à des leçons de danse, d'escrime ou de paume, tous exercices auxquels il n'a cessé de se proclamer inapte, on le croit volontiers, bien qu'un jeune homme puisse, pour les beaux yeux d'une demoiselle, s'opiniâtrer à la gigue ou au fleuret... Mais il y avait aussi cet art dont il était féru, pour lequel il se jugeait fort doué et qui dut absorber bien des heures de son séjour parisien : l'équitation.

L'art équestre n'avait pas encore atteint l'épanouissement qu'il connaîtrait au XVIIIe siècle, surtout à Vienne : le cheval est encore trop utilitaire, trop lié au simple usage, au voyage, au transport et surtout à la guerre, pour être déjà l'artiste qu'on va faire de lui. Mais c'est à la Cour de François Ier, si souvent portraituré lui-même en cavalier, que fut fondée la première académie équestre, appelée la Petite Écurie, à

16. Roger Trinquet, *La Jeunesse de Montaigne*, *op. cit.*, p. 566.

laquelle s'ajouta, sous Henri II, l'école de Tournelles, devenue « manège royal » un peu plus tard, sous Antoine de Pluvinel. Ronsard fut, à coup sûr, élève de la première. Montaigne, très vraisemblablement de la seconde – au moins si l'on se reporte à l'éloge enthousiaste qu'il fait de l'homme qui incarna d'abord cette institution, l'ayant fondée : le sieur de Carnavalet.

François de Kernevenoc'h ou de Kernevenoy, dit « Carnavalet[17] », gentilhomme breton, grand écuyer du roi Henri II, puis gouverneur du duc d'Anjou (le futur Henri III) et au demeurant sympathisant de la Réforme (reconnu pour tel par d'Aubigné), fut, aux dires de Montaigne et de bien d'autres, le plus grand cavalier de son temps : « Je n'estime point qu'en suffisance et en grâce à cheval, nulle nation nous emporte [...]. Le plus savant, le plus sûr et mieux avenant à mener un cheval à raison que j'ai connu, fut à mon gré le sieur de Carnavalet, qui en servait notre roi Henri second... » (I, 48)[18].

Ici, faisons confiance au fils de Pierre Eyquem : lui qui ne cesse de dénigrer ses aptitudes corporelles se reconnaît « très suffisant cavalier ». Sa passion pour tout ce qui touche à l'équitation n'est pas douteuse, et il n'est pas de cheval si « rebours » qu'il ne le tente. Peu de chapitres des *Essais* sont mieux portés par l'enthousiasme que celui qui à trait aux « destriers » (I, 48). Guerre, voyage, voltige, on le voit en toute occasion manifester, en ce domaine, l'intérêt le plus vif : à cheval, un pataud de province ne vaut-il pas un prince de sang haut sur pattes ?

Bref, en attendant de faire, plume en main, le « cheval échappé », Michel de Montaigne aura voué aux « destriers » cet « argent vif », ce « remuement » qui était en lui depuis l'enfance. Et d'entre tous les enchantements parisiens, ceux que lui procurèrent les leçons du grand Carnavalet au manège des Tournelles furent parmi les plus délicieux : trop glorieux en dépit de tout, notre Gascon, pour n'aimer pas briller en un tel exercice – faute du luth, de la danse ou de la lance.

---

17. Lors de son mariage avec Carnavalet, la ravissante Mme de Montrevel, dont les succès ne se comptaient plus, fut félicitée par Henri III d'avoir fait choix de l'homme qui l'avait « élevé dans toutes les vertus ». Éloge ambigu... L'écuyer disparu, elle refusa de se remarier avec le célèbre duc d'Épernon, favori du roi, se disant « saoulée de maris... », et se consacra à l'embellissement de l'hôtel qu'ils avaient racheté à leur ami commun le président de Ligneris, qui a établi leur gloire.

18. Brantôme, pour une fois d'accord avec Montaigne, précise qu'« il n'y avait cheval, tant rude fût-il, qui lui fît perdre l'étrier »...

De Jean de Morel à Carnavalet, nous le voyons pointer ses regards et ses pas vers la Cour, sur quoi se polarisent déjà tous les désirs – d'ambition, de beauté offerte et de pouvoir entrevu. Au temps où, François Ier ayant décidé de délaisser le val de Loire, puis le palais des Tournelles, Pierre Lescot s'affaire sous le regard de la reine à transformer la vieille citadelle du Louvre en temple de la gloire, la maison du roi fascine déjà presque autant que le fera Versailles un siècle plus tard.

Sur ce rayonnement à la fois poétique et politique, les premières pages de *La Princesse de Clèves* jettent un éclairage étonnamment suggestif, faisant surgir l'étrange quintette que forment le roi Henri, Catherine de Médicis sa femme, la très officielle favorite Diane de Poitiers (maîtresse du souverain comme elle l'avait été de François, son père, avant d'être « détrônée » par Anne de Pisseleu, duchesse d'Étampes, elle-même exilée depuis lors en ses terres), la « reine dauphine » Marie Stuart et le connétable de Montmorency :

« La magnificence et la galanterie n'ont jamais paru en France avec tant d'éclat que dans les dernières années du règne de Henri second. Ce prince était galant, bien fait et amoureux ; quoique sa passion pour Diane de Poitiers, duchesse de Valentinois, eût commencé il y avait plus de vingt ans, elle n'en était pas moins violente, et il n'en donnait pas des témoignages moins éclatants.

« Comme il réussissait admirablement dans tous les exercices du corps, il en faisait une de ses plus grandes occupations. C'étaient tous les jours des parties de chasse et de paume, des ballets, des courses de bagues ou de semblables divertissements ; les couleurs et les chiffres de Mme de Valentinois paraissaient partout. [...] La présence de la reine autorisait la sienne [19].

« Cette princesse était belle, quoiqu'elle eût passé la première jeunesse ; elle aimait la grandeur, la magnificence et les plaisirs [...]. L'humeur ambitieuse de la reine lui faisait trouver une grande douceur à régner ; il semblait qu'elle souffrît sans peine l'attachement du roi

---

19. Troublante formule...

pour la duchesse de Valentinois, et elle n'en témoignait aucune jalousie, mais elle avait une si profonde dissimulation qu'il était difficile de juger de ses sentiments, et la politique l'obligeait d'approcher cette duchesse de sa personne, afin d'en approcher aussi le roi [...].

« La reine, sa belle-mère, et Madame, sœur du roi, aimaient aussi les vers, la comédie et la musique. Le goût que le roi François Ier avait eu pour la poésie et pour les lettres régnait encore en France ; et le roi son fils, aimant les exercices du corps, tous les plaisirs étaient à la Cour ; mais ce qui rendait cette Cour belle et majestueuse était le nombre infini de princes et de grands seigneurs d'un mérite extraordinaire... »

Est-ce pour arracher le pouvoir à la mainmise de l'inépuisable Valentinois que tant d'hommes de mérite s'attachent alors à en pénétrer les arcanes ? Peut-être l'un ou l'autre se fût-il accommodé de l'ascendant de Diane, pour peu qu'il en tirât bénéfice. Mais il est vrai qu'un mouvement alors se produit, qui transfère de l'ordre militaire au politique une grande part des valeurs et vigueurs de la noblesse, conjuguant ses vertus avec celles, ascendantes, de la bourgeoisie la plus éclairée. Le tout pour accoucher, à travers des extravagances de la Cour, de ce qui déjà annonce l'État. Il faut lire, sur ce sujet, les lignes pénétrantes que Jean Jacquart consacre, dans son *François Ier*, à la mise en place conjuguée des structures de l'État sous les Valois, préparant la voie à Henri IV :

« La Cour [...] est avant tout un instrument du pouvoir royal. Elle soutient la noblesse, elle la domestique. Déjà, pour beaucoup de lignages mis en difficulté par la vie noble, le souci de paraître, le refus de compter, "faire sa cour" et obtenir du souverain les places, les bénéfices, les dons sont le seul moyen d'échapper à la ruine et à la déchéance sociale. On voit de plus en plus souvent se présenter au roi des hobereaux provinciaux qui comptent sur lui pour continuer à tenir leur rang [20]. »

Chez les Montaigne, nous le savons, le problème n'est pas tant de « continuer » que de s'élever, moins de ne pas déchoir que d'affirmer une ascension. Mais, dans l'esprit de Pierre Eyquem, la vocation de son ingénieux héritier est de s'inscrire dans ce mouvement qu'on pourrait décrire comme la nationalisation de la Cour, auquel la petite ou moyenne noblesse provinciale se prêterait volontiers.

20. Jean Jacquart, *François Ier*, Paris, Fayard, 1981, p. 384.

51

Nul ne peut savoir que cette phase prendra la forme d'une revanche de la reine florentine sur la favorite au long cours et de la substitution aux princes de sang maîtres du palais, des hommes d'État, les chanceliers Olivier et L'Hospital – pour un temps trop bref, mais prometteur. Tel est le temps où s'opère le transfert sociopolitique qui poussera bientôt le diplomate anglais Robert Dallington à s'étonner qu'un « État si plein de noblesse [soit] gouverné par... des gentilshommes de plume et d'encre ».

Comment le petit Montaigne que tout désigne pour s'intégrer à ce mouvement peut-il y parvenir ? Comment ce nobliau périgourdin dont « la plume et l'encre » n'ont pas encore fait la gloire saurait-il s'insinuer dans les rouages commandés par des règles et des réflexes féodaux et parisiens ? Peut-il fonder ses espérances sur les arguments de la culture littéraire et des arts de plus en plus considérés ?

Dans ces cas-là, il faut tabler sur les relations, sur un certain parti ou, mieux, une filière. Et dès le début de l'entreprise, avant même que son fils n'ait noué de son propre chef, on l'a vu, des liens avec quelques « compatriotes » familiers du salon de Morel, Pierre Eyquem avait misé sur le réseau gascon, plus précisément sur le prestige et l'influence de son puissant voisin et ami le marquis de Trans, membre du Conseil du roi, chef de l'illustre maison de Foix que l'on tient, au pays et à la Cour, pour « la première de Guyenne ».

Germain Gaston de Foix-Candale était, selon les traditions féodales, le suzerain des seigneurs de Montravel, dont la châtellenie était vassale de l'archevêque de Bordeaux, Jean de Foix. Au-delà même de ce lien, la puissante personnalité du marquis étendait sur toute la région son ombre – tutélaire ou non. En l'occurrence, elle fut bénéfique. Tout indique que c'est par l'entremise du seigneur du Fleix, homme de guerre respecté, homme de cour raffiné et cultivé (sa bibliothèque ne le cédait en rien à celle de son protégé) [21], diplomate apprécié du roi Henri II, qui, l'ayant introduit dans son Conseil, l'envoya en ambassade en Angleterre afin d'obtenir le retour de Calais à la couronne de France, que le jeune Michel de Montaigne dut ses entrées à la Cour des Valois.

Nous verrons plus tard s'aigrir les relations entre le suzerain et le

21. J. M. Compain, *in* colloque *Les Écrivains du Sud-Ouest, op. cit.*, p. 102-103.

vassal : devenu l'auteur des *Essais*, le maire de Bordeaux, l'intermédiaire entre les rois, Montaigne ressentira plus mal cette tutelle. Et le vieux gentilhomme sera traité par l'essayiste de « plus tempestatif maître de France ». Mais les services rendus ne seront pas oubliés...

Un second allié contribua vraisemblablement à cette ascension : Louis de Lansac, comte de Saint-Gelais, fils naturel de François Ier, auquel l'auteur des *Essais* dédicaça l'un des ouvrages de La Boétie, « en reconnaissance de l'obligation que je vous dois et de l'ancienne faveur et amitié que vous avez portée à notre maison[22] ». Mais les bons offices de Lansac sont plus hypothétiques que ceux du marquis de Trans.

Reste que le fils de Pierre Eyquem eut accès à cette Cour d'Henri II, que ce fût au palais des Tournelles – la Cour ne pouvait abandonner ce séjour tant que se prolongeaient les travaux du Louvre – ou à Fontainebleau, qui restait la résidence d'été. Un lecteur attentif des *Essais* a en mémoire la référence majeure au souverain : « J'ai vu le roi Henri second ne pouvoir jamais nommer à droit un gentilhomme de ce quartier de Gascogne » (I, 46).

On a fait observer que ce « j'ai vu » peut signifier, chez Montaigne, un vague « j'ai entendu dire » – assertion contre laquelle s'élève Géralde Nakam, qui rend toute sa force vive à la formule. Au surplus, le fréquentatif ici employé indique clairement ce que le jeune provincial veut faire entendre : c'est à diverses reprises qu'il a dû constater l'inaptitude du roi Henri II à « nommer à droit », c'est-à-dire correctement, les gentilshommes gascons.

Qu'il se fût agi de leurs titres, de la prononciation de leur nom, de l'accent affecté au patronyme de tel indigène de ces contrées éloignées du val de Loire ou de l'Ile-de-France, un Roffignac, un Pibrac ou un Longa, le souverain – que la renommée présente au demeurant comme « traitable » et accueillant –, le jeune visiteur fut visiblement piqué de l'entendre estropier les vocables « de chez nous ».

Est-ce à la Cour, est-ce dans le salon des Morel ou dans le cercle d'études présidé par le magistrat méridional Henri de Mesmes que Michel de Montaigne rencontra le futur chancelier Michel de L'Hospital – auquel il décernera dans les *Essais*, comme à son prédécesseur

---

22. Cité par Roger Trinquet, *La Jeunesse de Montaigne, op. cit.*, p. 570.

François Olivier, les plus vifs éloges et dédicacera les poèmes latins de son cher Étienne de La Boétie ? Il est curieux qu'entre tant de fervents montaignistes, si peu se soient attachés à retrouver les traces d'une amitié qui lia deux des hommes les plus sages et les plus braves de leur temps, les plus aptes en tout cas à prévenir les maux qui allaient s'abattre sur le pays – suscités par le fanatisme dont ils étaient les plus lucides ennemis.

Aura-t-on confondu, en cette évocation des « enfances » parisiennes de Michel de Montaigne, les expériences d'un ou de plusieurs séjours ? C'est poser divers problèmes à la fois – celui de l'unicité du foyer des études supérieures du fils de Pierre Eyquem, de l'hégémonie du littéraire dans ce cursus universitaire, de son comportement lors de ces études, du jugement que portaient sur lui ses proches – notamment sa mère – et enfin des faits et gestes du seigneur de Montaigne qui allait être élu maire de Bordeaux en 1554.

Trois ou quatre données sont certaines, en tout cas vérifiables. Durant la période considérée, celle du « vide » documentaire qui va de 1546 à 1555 et qu'avec de bons auteurs déjà cités nous tenons pour essentiellement occupé par un ou plusieurs longs séjours à Paris, voués aux études et aux approches du monde et de la Cour attestés par maints passages des *Essais* et nombre de documents latéraux, le jeune homme fréquenta d'autres villes, à commencer par Toulouse.

La cité de Raymond VI, qui était, on l'a dit, celle où sa famille maternelle avait fait souche, est mentionnée à diverses reprises dans les *Essais*. A propos notamment de l'histoire savoureuse d'une femme violée par un groupe de soudards, qui, évoquant cet épisode, le commentait ainsi : « Dieu soit loué […] qu'au moins une fois dans ma vie je m'en suis saoulée sans péché ! » Ou de celle du « vieillard pulmonique » auquel son médecin voulait présenter le jeune Montaigne, dont le frais visage pourrait procurer un soulagement à la santé du malade, à moins, objecte drôlement l'auteur des *Essais*, que « la mienne n'en puisse empirer… ». Ou encore du procès, à Toulouse, de Martin Guerre [23], commenté par le grand juriste Jean de Coras [24] : « Je

---

23. L'homme qui, rentrant de guerre, sut se faire prendre pour un autre avec la femme duquel il vécut, et fut pendu : sujet du beau film de Daniel Vigne et Nathalie Zemon Davis (1986).
24. Victime de la Saint-Barthélemy, nous l'avons vu.

vis en mon enfance un procès, que Corras, conseiller de Toulouse, fit imprimer […] » (III, 11).

Mais rien ne dit ni même ne suggère que le fils d'Antoinette de Louppes ait étudié le droit en cette ville – et le procès de Martin Guerre ne se déroula qu'en 1560, alors que Montaigne avait depuis longtemps passé l'âge des études. On peut juger plausible cependant qu'entre deux séjours à Paris et à Bordeaux il y acquit en quelques mois l'essentiel de ses connaissances juridiques, qu'au vu de ses « performances » de magistrat un spécialiste comme André Tournon juge estimables : on peut connaître le droit, ou du droit, sans avoir le moindre goût pour sa pratique et le maniement des textes juridiques – ce qui est, on le verra mieux, le cas de l'auteur des *Essais*.

Mais enfin, pourquoi voyons-nous surgir ce type d'études, à propos de Toulouse ou de toute autre ville ? Nous avons laissé le jeune Michel aller de ses maîtres du collège des « lecteurs royaux », Turnèbe ou Galland, aux salons fréquentés par les poètes de la Pléiade, et du manège du sieur de Carnavalet aux fastes et dédales de la Cour d'Henri II – en quête non d'un emploi ou d'une charge politique ou diplomatique, mais des voies qui y conduisent et de protecteurs pour l'y guider. Et voilà qu'il est question de droit, de robe, de magistrature ?

On ne sait si Pierre Eyquem surveillait de très près le comportement de son fils dans la capitale, s'il se faisait faire rapport sur ses fréquentations et liaisons, sur le commerce qu'il entretenait avec les dames – et sur lequel on reviendra. Il est certain en tout cas qu'Antoinette tenait les comptes, qu'elle enrageait de l'usage que l'enfant – prodige ? prodigue ? – faisait des écus si patiemment amassés depuis un quart de siècle entre Lidoire et Dordogne. Et, au regard de ce passif, quel actif pouvait alléguer son mari ? On ne sait d'ailleurs si Pierre était plus indulgent que son épouse. Au livre III des *Essais*, Montaigne rapporte que son père, parlant de lui en tant qu'héritier de sa maison, « pronostiquait que je la dusse ruiner […] » (III, 9).

La mise au clair de l'aventure parisienne fut-elle faite en 1554 ou 1555, quand, élu maire de Bordeaux, Pierre Eyquem de Montaigne fut envoyé en mission à la Cour pour en obtenir la levée des mesures de représailles prises au lendemain de l'émeute de la gabelle de 1548 et de la mise à sac de la cité par le connétable de Montmorency ? Mission si importante que les Bordelais avaient cru bon de faire précéder leur maire, auprès du roi, par l'envoi de vingt barriques de leur meilleur vin [25]…

Cette mission put être l'occasion pour Pierre Eyquem de faire un bilan du séjour de son héritier, et de constater que, décidément, le jeune homme s'était bien départi de ce naturel « poisant, mol et endormi », de cette « complexion lourde », de cet « esprit lent » qui avaient marqué, selon lui, ses très jeunes années, que désormais, formé comme il l'était, passé par les mains de Gouvea, de Buchanan, de Muret et de Turnèbe, il « voyait bien », avait des « imaginations hardies » et des « opinions au-dessus de son âge » : mais de tant de dons éveillés enfin que faisait-il ? Le pronostic ancien demeurait : non qu'il « fisse mal, mais qu'[il] ne fisse rien ». Non qu'il dût « devenir mauvais, mais qu'il fût inutile ».

De ce séjour parmi les humanistes, les chevaux et les dames, parmi les courtisans et les courtisanes, Michel sortait à coup sûr affiné, aiguisé, affûté. Mais aux yeux du très raisonnable sire de Montaigne et de sa plus raisonnable épouse, quel « fruit » avait-il fait ? Quel bénéfice engrangé ? Quelques relations acquises ? Quelques lumières ajoutées… Allons, mon fils, il est temps de revenir sur terre. A vingt-deux ou trois ans, on a une « position ». Puisque les voies politiques ou diplomatiques sont encore mal dégagées, et puisque celles de la guerre ne sauraient convenir à un sybarite tel que toi, reste la robe, la robe longue : tes oncles et tes cousins y font merveille – et maintenant que je suis maire de Bordeaux, l'épanouissement de notre nom est assuré, notre noblerie confirmée…

On s'est permis de faire parler Pierre Eyquem, en toute insolence, abusant de renseignements épars et de quelques supputations. Mais il y a fort à conjecturer : d'abord, que les prodigalités parisiennes de Michel pesèrent lourd sur la décision familiale ; ensuite que le bilan de ce séjour de formation fut jugé insuffisant, que l'élévation de Pierre Eyquem lui parut d'un suffisant éclat pour consolider l'appartenance de la famille au premier des « ordres » ; enfin que l'orientation vers la magistrature ne fut considérée que comme un pis-aller, sinon une sanction, par le père et plus encore par le fils… Qui le fera bien voir, tout au long des *Essais* !

---

25. Mais, à la différence de celle de Londres, la Cour de France préférait le bourgogne…

Des femmes honnêtes,
et de quelques autres...

On voit, au musée Carnavalet, un tableau intitulé *L'Enfant prodigue et les Courtisanes*, dû à un anonyme hollandais du XVIᵉ siècle. Si beau qu'on le trouve, on peut lui préférer l'œuvre homonyme et contemporaine de Louis de Caulery, moins raffinée, mais encore plus éloquente.

Le peintre venu des Pays-Bas montre un adolescent barbu, l'œil en amande, béret de velours noir, pourpoint grenat, guimpe de neige, qui fait de la musique avec des dames flûtistes et luthistes au corsage moins échancré que ceux des princesses de la Cour des Valois. L'enfant prodigue de son rival français, lui, monte gaillardement à l'assaut de sa courtisane qu'un voisin presse d'autre part.

Si l'on voulait reconnaître, ici ou là, l'« enfant » Montaigne en sa saison la plus dissolue, égaré en quelque « bourdeau » des quais de la Seine, c'est plutôt chez le peintre français qu'on le trouverait. Non sans noter que l'auteur des *Essais* exprimera son dédain pour les « accointances vénales » – parce qu'il en méprise le principe et parce qu'il en a reconnu les dangers. Mais il citera avec éloge le philosophe Aristippe (l'un de ses maîtres) rétorquant au passant étonné de le voir entrer dans un bordel : « Le vice est de n'en pas sortir, non pas d'y entrer » (III, 5).

Michelet, évoquant le temps des Valois qui fut aussi celui de Rabelais et de Clément Marot, le décrit comme le « siècle de la braguette ». Moins, semble-t-il, parce que fut alors inventée cette pièce de tissu triangulaire boutonnée sur le devant du haut-de-chausse, devenue en quelque sorte autonome, qu'en raison du très libéral usage qui en fut alors fait – par le jeune Michel entre bien d'autres.

« Jamais homme n'eut ses approches plus impertinemment génitales » (III, 5), nous confie-t-il, sans modestie excessive. Historien spontané des mœurs, Michel oppose volontiers la licence qui marque son époque à la chasteté qui régnait – s'est-il laissé dire – « au temps de nos pères », de ce Pierre Eyquem qui « jurait saintement être venu vierge à son mariage ». Ce qui ne laisse pas de surprendre, s'agissant d'un homme « avenant par art et par nature à l'usage des dames », qui exerçait par ailleurs un corps vigoureux, avait combattu dix ans en Italie où les troupes du roi François ne pratiquaient pas l'abstinence et qui ne convola que passé la trentaine !

Il s'en faut qu'en ce domaine, comme en celui de l'économie domestique, « Micheau » fût le disciple fidèle de Pierre A l'en croire, ce n'est pas au temps du mariage que le petit latiniste de Dordogne perdit son pucelage, mais plutôt à celui de la première communion. Il donne l'événement pour si ancien qu'à l'instar de telle courtisane romaine il en a perdu jusqu'au souvenir : « Il y a du malheur certes, et du miracle [!], à confesser en quelle faiblesse d'ans je me rencontrai premièrement en sa sujétion. Ce fut [...] longtemps avant l'âge de choix et de connaissance. Il ne me souvient point de moi de si loin » (III, 13). Était-il seulement sevré ? Ces Gascons...

Dès lors, il s'en donne à corps joie. On a évoqué les bords de la Lidoire, les moulins des coteaux du pays de Gurson. Il faut penser aussi aux loisirs de l'écolier du collège de Guyenne, puis des Arts, à Bordeaux, où il étudia de six à quinze ans environ, collèges auprès desquels prospérait, accolée à la rôtisserie, une maison de filles (disait-on, ici aussi, un « bourdeau » ?) qui préoccupait fort les régents. Ce coquin de Marc-Antoine Muret, fort éclectique, était bien capable d'y conduire le garçon, faute de pouvoir jouer son propre jeu.

> Que ce jeune bachelier
> Laissât ces jeunes bachelettes,
> Il n'y faut point compter...,

écrit Villon, que dut lire, citer et imiter sur ce point notre Montaigne au temps où il pouvait se prévaloir d'une « beauté puérile et imberbe », comme en cette Cour du Grand Turc d'où, assure-t-il, les amants des deux sexes étaient chassés, tenus pour forclos « à vingt et deux ans ».

Mais c'est surtout à Paris, où il s'élance avant cet âge, qu'il convient de situer ses plus vraisemblables exploits. C'est là probablement que l'enfant prodigue connut sa « saison la plus licencieuse », courtisanes musiciennes ou pas. Dans le bilan négatif dressé par Pierre Eyquem vers 1554, ces débordements-là ont à coup sûr compté.

Si assidu que l'on fût au cours de Turnèbe, les leçons de ce maître et des autres « lecteurs royaux » laissaient bien des loisirs – d'autant plus attrayants que l'enseignement était dispensé au cœur du « quartier chaud », au collège du Cardinal-Lemoine, tout proche de la place Maubert. Dans un rapport publié en 1562, l'illustre Ramus, rival de Turnèbe, s'indignait de la « démesurée liberté » dont jouissaient ces jeunes gens.

On ne sait si Michel put frayer déjà avec « Margo la Maquerelle », dont la gloire s'affirmera plus tard, avec « Catin Bon-Bec », qui officiait plutôt sur la rive droite, ou si, se glissant chez « Frédoc », il y passait des dés et des cartes à d'autres jeux. En tout cas, maints passages des *Essais* ou du *Journal de voyage* témoignent d'une grande familiarité avec les lieux les plus propices aux joyeusetés diverses.

Est-ce Michel qui a écrit :

> Que Paris est coquin ! Tant plus on y demeure
> Englué de plaisir, moins on en peut vuider :
> Si faut-il déloger, va, garçon, va brider,
> Tire hors les chevaux, partons à la bonne heure.

Non, ce n'est pas lui, c'est son exact contemporain Jean Passerat[1], poète champenois qui fut l'un des auteurs de la *Satire Ménippée* et devait succéder à l'austère Ramus au Collège de France. Mais comme on sent bien là notre fringant « Micheau », prompt à « déloger » pour courir la gueuse, et à cheval encore !

On connaît (on imagine) les risques que court alors le cavalier, qu'il démonte devant un « bourdeau » ou dans l'arrière-cour d'une commère

---

1. Cité par Roger Trinquet, *La Jeunesse de Montaigne*, *op. cit.*, p. 572.

assez malavisée pour accueillir les galants sans trop de précautions. Écoutons-le :

> [...] c'est un commerce où il se faut tenir un peu sur ses gardes, et notamment ceux en qui le corps peut beaucoup, comme en moi. Je m'y échaudai en mon enfance et y souffris toutes les rages que les poètes disent advenir à ceux qui s'y laissent aller sans ordre et sans jugement. Il est vrai que ce coup de fouet m'a servi depuis d'instruction [...] (III, 3).

Ouais. Mais ce « coup »-là risque de mordre plus longtemps que celui d'un fouet de cocher. Montaigne nous dit ailleurs que, avant même d'écouter la leçon d'Aristote sur les risques impliqués par l'amour, beaucoup d'écoliers ont attrapé la vérole. « Toutes les rages » ? Il tient à préciser qu'il n'a souffert que de « deux atteintes, légères toutefois et préambulaires [...] » (III, 3).

S'agit-il de syphilis ou de blennorragie ? Alors que tant d'éminents montaignistes sont issus du corps médical, on s'étonne que si peu d'entre eux se soient préoccupés de cette question, qui n'est pas sans conséquences. Les meilleurs observateurs des « enfances » et des amours de Montaigne (Nicolaï, Trinquet, Leschemelle) se refusent à trancher entre les deux hypothèses. Le second s'en rapporte à un expert pour suggérer qu'en retenant la plus pessimiste on expliquerait peut-être pourquoi cinq de ses six enfants sont morts en bas âge. (Mais, au XVIe siècle, est-ce pour cette raison seule que tant de nouveau-nés ne vivaient pas trois mois ?)

Un autre biographe met sur le compte de ces atteintes vénériennes la très précoce calvitie qui affectera le châtelain de Montaigne, voire l'impuissance dont il se plaindra, nous le verrons, dès avant la cinquantaine – encore que sa dernière fille soit née en 1583. Ce que l'on ne peut imputer à ces fredaines juvéniles, en tout cas, c'est la gravelle qui le torturera au même âge.

Le fait est que, chèrement payée ou non, la volupté fut la grande affaire de la jeunesse du fils de Pierre Eyquem le chaste, non seulement au temps des études et de la gourme, mais plus encore peut-être après la perte de son ami le plus intime (il a alors trente ans) et encore après un mariage auquel il se résigna deux ans plus tard, cédant à une sorte de chantage paternel (et maternel) à la mise en tutelle : faute qu'il se « range » à l'ordre matrimonial, la condition qui sied à un maître du domaine, pas d'héritage. Épouse ou passe ton chemin...

Mais, en attendant, quelle fougue, quelle voracité ! Écoutons, au chapitre « Des senteurs », ces souvenirs d'un fameux luron qui engageait en l'affaire tous ses atouts, et les poils, et le reste : « [...] les moustaches, que j'ai pleines, m'en servent. [...] Elles accusent le lieu d'où je viens. Les étroits baisers de la jeunesse, savoureux, gloutons et gluants, s'y collaient autrefois, et s'y tenaient plusieurs heures après » (I, 55).

Autrefois ? Est-ce à dire qu'au temps où il écrit le premier livre des *Essais*, vers la quarantaine, il ne porte plus les moustaches « pleines » ? Il en parle au présent – mais les portraits de l'époque n'en témoignent pas tous. Ou faut-il croire que chez lui les baisers de l'âge mûr ont perdu de leur étroitesse, de leur gloutonnerie ? Nous y reviendrons.

A vingt ans en tout cas, et assez longtemps pour que le vertueux La Boétie l'en gourmandât vers 1560, Montaigne fut à coup sûr ce qu'on appelle un « chaud lapin » – périgourdin, bordelais, toulousain, parisien... A croire que pour ce philosophe spontané, qui, comme ses maîtres grecs, tenait que la vocation de l'homme est de penser, le protagoniste de son aventure humaine était, mieux que tout autre, celui qu'il appelait si drôlement « monsieur ma partie ».

Témoin, encore, cette confidence : « Et me suis, jeune, [...] prêté autant licencieusement et inconsidérément qu'autre au désir qui me tenait saisi. » C'est à Horace qu'il emprunte la suite : « Et j'ai combattu, non sans gloire. » Et d'Ovide qu'il tire le trait final : « Je me souviens à peine d'être allé jusqu'à six fois » (III, 13).

L'excellent éditeur des *Essais* qu'est Maurice Rat, bon latiniste, fait observer que, citant ainsi Ovide (son premier bréviaire amoureux), Montaigne minore la performance gaillardement alléguée par l'auteur de *L'Art d'aimer* – neuf... Il est gascon, pourtant, lui. Mais en ce domaine il dut penser que la licence poétique l'emportait sur celle que pouvait s'accorder un petit prosateur périgourdin. Il savait au surplus qu'il serait lu par tel ou telle de ses proches, destinataires originels du livre, à même de rectifier...

Anecdotes et disputes abusivement, inutilement graveleuses ? Qu'il soit bien entendu d'abord que le ton d'époque est celui-là : il suffit de passer de Montaigne à Brantôme pour s'en convaincre, sans parler de religieux notoires. Mieux encore : l'auteur des *Essais* affiche en ce domaine une liberté très concertée, non par licence ou bravade mais par principe, condamnant plus que tout la honte que nous faisons paraître à propos de « l'opération qui nous fait [...] ». Et d'insister : « Quel monstrueux animal qui se fait horreur à soi-même [...] ; qui se tient à malheur ! » (III, 5).

Aimant la « modestie », Montaigne n'en a pas moins adopté « cette sorte de parler scandaleux » parce que « nature l'a choisi pour moi », vu qu'il importe de « déniaiser l'homme » d'une si « scrupuleuse superstition verbale ». Et d'alléguer, pour se couvrir, si l'on peut dire, les exemples de « deux des ecclésiastiques les plus crêtés en ce siècle », Théodore de Bèze, l'intraitable lieutenant de Calvin, et Mellin de Saint-Gelais, le confesseur de François Ier...

Du premier : « Si ta fente n'est pas une simple ligne, que je meure [2] ! »

Et du second : « Un vit d'ami la contente et bien traite [3]... »

Bon. En attendant d'aborder les expériences et les épreuves qui la remodèleront – surgissement et disparition du seul être qui aura éveillé, dans sa plénitude, son affectivité, tension avec le père, rupture avec la mère, perte précoce de sa virilité –, il convient de mettre en lumière quelques traits d'une personnalité érotique riche et contrastée.

Montaigne amoureux, c'est d'abord la tranquille affirmation d'une philosophie du plaisir dégagée de tous les principes chrétiens (sinon antiques) qui corsetaient une société dans laquelle il vivait en notable, pratiquant les sacrements de l'Église. C'est aussi la pratique d'une dichotomie radicale entre la sexualité et les sentiments. C'est enfin la coexistence flegmatique entre une misogynie d'époque, très banale et donc surprenante chez un personnage aussi apte à se libérer de tous les autres préjugés ambiants, et un féminisme de principe aussi hardi que son mépris du racisme ou sa haine des châtiments corporels. Autant d'attitudes qui le situent en avance de plusieurs siècles sur son temps.

---

2. *Juvenilia*, traduit du latin.
3. Extrait du « Rondeau des vits ».

S'agissant de ses relations avec les choses de l'amour – on prend le mot dans son acception la plus large, bien sûr –, on est tenté de qualifier Montaigne d'hédoniste : « [...] le dernier but de notre visée, c'est la volupté (I, 20). [...] nature [en a fait] la plus noble, utile et plaisante de toutes ses opérations » (III, 5).

On a rarement proclamé sur un ton aussi calme la finalité du plaisir, et mobilisé si hardiment pour cette cause les maîtres de sagesse : « La philosophie n'estrive point contre les voluptés naturelles, pourvu que la mesure y soit jointe [...] » (III, 5). Il n'est pas jusqu'aux pères de l'Église qu'il n'allègue, le sacripant, citant saint Jérôme – *« amor ordinem nescit »* (« l'amour ne connaît point de règle ») – propos où l'on peut voir d'ailleurs un constat plutôt qu'un précepte...

En conclusion d'une analyse très dense intitulée « Montaigne et le plaisir [4] », Marcel Conche se refuse à voir en l'auteur des *Essais* un épicurien, comme le voudrait la commune renommée. Non, Montaigne n'est pas un disciple du philosophe de Samos (et moins encore de Platon) parce qu'il refuse de fonder sa sagesse, en ce domaine, sur la contention du désir, notamment sexuel. Parce qu'il donne un rôle profondément positif au plaisir charnel (« les autres voluptés dorment auprès... »), le maître des *Essais* est, mieux qu'un épicurien, et même qu'un hédoniste, un dyonisiaque.

« Je n'ai jamais reçu nuisance d'action qui m'eût été bien plaisante », rappelle-t-il, se refusant à condamner la « lascivité », dût-elle s'accompagner de quelque « vice » ou « débauche ». La volupté charnelle, selon lui, est non seulement « intense », ce dont conviennent Platon et Épicure, mais « vraie ». S'il recommande que l'on use de la volupté « avec mesure », il lui arrive de suggérer qu'il ne faut pas abuser de la mesure et que la jeunesse ne saurait s'interdire tous les « excès ». Du bon usage de la folie : voilà décidément qui éloigne notre Gascon de ses maîtres grecs – à l'exception d'Aristippe de Cyrène, l'ami des bordels déjà cité... Comment séparer, selon ce philosophe (et Montaigne), l'amour du plaisir, le plaisir du désir, le désir de la jeunesse ?

4. *BSAM*, nᵒˢ 29-30, 1979.

Hédoniste de l'espèce dionysiaque, oui. Mais aussi maître d'érotisme. Montaigne met l'accent non seulement sur la salubrité du plaisir, mais sur le désir du plaisir, le désir du désir, l'agencement du temps qu'il faut lui consacrer pour en jouir pleinement : « Qui me demanderait la première partie en l'amour, je répondrais que c'est savoir prendre le temps ; la seconde de même, & encore la tierce : c'est un point qui peut tout [5]. »

En cet art, Montaigne s'affirme en précurseur des maîtres du XVIIIe siècle, et, au-delà, de Stendhal. Pour avoir décrit l'amour comme une « agitation éveillée, vive et gaie », on peut bien faire de lui un « maître du plaisir » ou de la « volupté contrôlée » : à tel point que Nietzsche y a vu l'essentiel de son enseignement.

Méditation du vieil écrivain calfeutré en sa tour au soir de sa vie ? Non. Ces principes amoureux, cette philosophie du plaisir comme « fin de notre visée » sont ancrés dès l'origine dans la conscience de Michel. Ce que font paraître, dans leur diversité d'origine et d'époque, les références des *Essais*. Il n'y a pas eu chez lui, comme en d'autres domaines, transformation de l'adolescent fougueux en vieillard cyniquement cantonné dans l'élaboration des recettes érotiques, tel un Chinois chenu. Approfondissement, évolution, involution plutôt, de l'écolier égaré dans le Paris d'Henri II au philosophe revenu du long voyage en Italie, c'est bien le même cavalier en cavale.

Aussi remarquable que cette exaltation de la volupté est, chez Montaigne, l'exigence du partage du plaisir – qui ne va de soi ni chez les Anciens qu'il vénère, ni chez ses contemporains. Qu'est-ce qu'un plaisir arraché à un corps non désirant ou non désiré ? « Le plaisir que je fais chatouille plus doucement mon imagination que celui que je sens », confie-t-il. Et, passant du « chatouillis » à la morale : « [...] celui-là n'a rien de généreux qui peut recevoir plaisir où il n'en donne point [...] » (III, 5).

Cet amant cynique en apparence, ce jouisseur déclaré qui dénonce

5. Commentant ce précepte, le diligent exégète qu'est Jacques de Feytaud a l'ingéniosité de se référer à saint Matthieu. Je lorgnerais plutôt du côté de l'Arétin ou de Vivant Denon.

celles qui « n'y vont que d'une fesse », n'en proclame pas moins qu'un galant homme ne saurait recevoir du plaisir sans en donner de même, la volupté étant faite pour part égale de celle que ressent l'autre : d'où la folie de cet Égyptien qui « prit son plaisir de la charogne qu'il embaumait », de Périandre jouissant de sa femme trépassée... L'observation vaut bien sûr pour les deux sexes : et de se gausser de l'« humeur lunatique de la Lune [6], ne pouvant autrement jouir d'Endymion, son mignon, l'aller endormir pour plusieurs mois, et se paître de la jouissance d'un garçon qui ne se remuait qu'en songe » (III, 5).

Élégance ? Expérience ? Charité bien ordonnée ? Le fait est que notre Montaigne semble bien montrer la voie en ce domaine comme en tant d'autres, mettant aussi l'accent sur l'échange verbal, la communication érotique, tenant la parole pour un des ingrédients de la volupté partagée. Au-delà de Stendhal, déjà Aragon, Bataille ?

Mais c'est ici que le « cas » Montaigne déconcerte le plus fort. Cet homme si attentif à partager le plaisir, pour qui l'échange est l'essence même du plaisir, n'aura probablement vécu dans sa carrière amoureuse aucune passion, aucune liaison durable, aucun de ses accouplements qui exaltent et subliment le plaisir. Cet amoureux de l'échange en amour n'aura connu cet état de réciprocité vibrante qu'en compagnie d'un être avec lequel il semble peu vraisemblable qu'il ait pratiqué l'échange sexuel, Étienne de La Boétie [7]. Cet amoureux des femmes n'aurait-il, en fin de compte, aimé qu'un homme ?

On ne saurait pousser plus loin le paradoxe. S'il est loisible d'admettre qu'après l'expérience de l'amour idéal avec Étienne tout échange lui ait paru grossier, lourdement compensatoire – notamment la « débauche » dans laquelle il se jette alors, y mettant, dit-il, « art et application » –, il reste qu'une grande partie de sa vie amoureuse, commencée très tôt, se situe avant la rencontre de Bordeaux – il a alors vingt-cinq ans. Ainsi cet homme si ardemment adonné au commerce des « femmes belles et honnêtes », et de quelques autres, n'aurait connu aucune de ces passions qui ont échauffé ou inspiré la vie de la plupart des grands écrivains d'Occident ?

Biographes et spécialistes se sont acharnés à découvrir, auprès de

6. La déesse Séléné.
7. Cf. *infra*, chap. IV.

lui, une Laure ou une Hélène. En vain, semble-t-il. Alexandre Nicolaï lui-même [8], le plus minutieux de ces chasseurs de (belles) têtes, a échoué à « localiser » ou nommer la moindre des « garces » (c'est le mot, non péjoratif alors, qu'emploient les mémorialistes du temps) engagées avec le petit châtelain de Dordogne dans cet « échange lascif » en comparaison duquel il mettait « en sommeil » toutes les voluptés. Il faut vraiment que l'auteur des *Essais* et du *Journal de voyage*, si candide au sujet de ses propres comportements amoureux, ait mis son point d'honneur de gentilhomme à préserver la réputation de ses partenaires (qui eussent peut-être, elles, mis leur gloire à avoir pris une part signalée à ces jeux…).

Remarquable camouflage, réservé à ce seul domaine. Si discret à propos des personnes vivantes que soit l'essayiste, les bons montaignistes n'ont pas de mal en effet à déceler, sous les périphrases, le duc de Guise, le roi de Navarre, la reine Catherine ou le marquis de Trans. Les lecteurs de Brantôme (que l'on ne saurait donner pour modèle à Montaigne…) sont, en ce sens, mieux traités, découvrant à livre ouvert Marguerite de Valois, ou Anne d'Este, ou « les plus insignes putains de Guyenne toujours prêtes à allumer leur mèche au premier tison venu », et, jetés à tous vents, les noms de Mlles de Rouart ou de Châteauneuf, ou d'une Diane voilée d'un linge transparent.

On n'en demande pas autant à notre gentilhomme à cheval. Mais quelques silhouettes, ombres discrètes, profils perdus ? Alexandre Nicolaï n'a pu établir qu'une sorte d'académie des belles « montaigneuses », qui, du fait de l'âge ou du rang, ne purent vraisemblablement entretenir avec lui qu'un commerce relevant de l'« art de conférer » – qu'il mettait si haut en ses goûts. Ici se détachent les noms des dames auxquelles il dédia tel ou tel chapitre des *Essais* – Diane de Foix, Louise d'Estissac, Marguerite de Duras ou « cette grande Corisande », Diane d'Andoins, comtesse de Guiche et de Gramont, châtelaine d'Hagetmau, noms illustres, dont l'énumération révèle à la fois le naïf « snobisme » de Montaigne et l'ambition latente qui n'a cessé de le tarauder. Quelles relations, quels patronages ou patronnesses…

Que Corisande d'Andoins n'ait entretenu avec Montaigne que des

---

8. Auteur, notamment, d'un *Montaigne intime* et des *Belles Amies de Montaigne*.

relations amicales, très vite accommodées à sa notoire liaison avec Henri de Navarre, voilà qui paraît une évidence – et de même pour Diane de Foix, l'épouse de son ami Louis. Mais pour ce qui est de Mme d'Estissac ou Mme de Duras ? L'une et l'autre avaient mené à la cour des Valois une vie assez mouvementée pour qu'une aventure avec le petit seigneur de Montravel leur parût innocente ou complémentaire.

Avant d'être Mme d'Estissac, Louise de la Béraudière, fille du seigneur de Rouet et de Madeleine de Fou, avait, sous le sobriquet de « la belle Rouet », fait partie de l'« escadron » des beautés recrutées par Catherine de Médicis pour apprivoiser les seigneurs huguenots. (Plût au ciel – catholique – que la reine mère s'en fût tenue à cette aimable stratégie !) Le mot d'ordre fondamental donné à ces élues était de « se garder de l'enflure du ventre ». A part quoi...

Sa beauté avait valu à « la Rouet » d'être affectée, si l'on peut dire, à Antoine de Navarre, père d'Henri, lequel avait de qui tenir. Ledit Antoine, sans se faire prier, fit à sa cavalière un garçon qui finit archevêque – avant qu'une arquebusade reçue au siège de Rouen mît fin à ses multiples amours et à sa vie, couronnant du coup son fils Henri, qui ferait parler de lui. Celle que l'ambassadeur d'Espagne appelle en ses dépêches « la Ruetta » fut alors priée par « Mme Catherine » de déniaiser le dernier de ses fils, l'ambigu duc d'Alençon – avant d'être mariée, par la même, au sexagénaire Louis d'Estissac, lieutenant général du roi de Navarre, qui, l'ayant installée à Coulonges-les-Royaux, trouva le moyen de lui faire deux autres enfants (dont Charles, que l'on retrouvera).

Le passé vous colle à la peau, si âpre que se soit faite votre vertu. Quand elle se remaria avec un M. de Combaud, qui lui apportait en douaire quelques espérances relatives à l'évêché de Cornouailles, on brocarda le « cornu de Cornouailles » et, dans son journal, L'Estoile ne manque pas de railler le « rouet du cocuage ».

Retirée en Guyenne, veuve à moins de trente ans, « la divine Rouet », que l'on appelait la « relicte », ne manquait pas d'admirateurs. Son cousin Brantôme consacra quelques vers à

> Rouet que saintement j'adore [...],

non sans se plaindre de sa froideur

> [...] car n'ai jamais, Rouet, souffert douleur pareille [...]

Était-elle aussi cruelle à tous ? A son presque voisin de Montaigne, qui, non content de prendre plaisir au commerce des belles femmes, raffolait des histoires de cour : et Dieu sait si « la divine » en avait vécu et entendu, de la reine mère et de bien d'autres !

La haine vigilante que devait nourrir Brantôme à l'encontre de Montaigne ne trouve-t-elle pas sa source dans les privautés que Mme d'Estissac, puis de Combaud, aurait accordées à son voisin, au grand dam du cousin éconduit ?

Quant à Marguerite de Duras, on ne l'avait embrigadée dans aucun « escadron » d'amour : mais, mieux encore si l'on peut dire, elle avait été la plus proche confidente, la complice et à l'occasion la sage-femme improvisée de Marguerite de Valois, « la reine Margot » – de fameuse mémoire. Une référence. Et de telle façon qu'Henri III jugea bon, lui (!), de la faire expulser de la Cour, en compagnie de la reine et de Mlle de Béthune, pour « scandale ».

Quelles que fussent les implications politiques de l'affaire – le roi en voulait moins aux mœurs de ces dames qu'à leurs intrigues avec son frère le duc d'Anjou, chef des « malcontents »[9] –, c'était frapper où le bât blesse. Retirée à Bordeaux auprès de son mari le comte de Durfort, Marguerite traînait avec elle un parfum d'aventure, dont le seigneur de Montaigne ne put manquer d'être entêté. Pour de bon ?

Mais qui s'acharne à découvrir, dans la dédicace à Mme de Duras située à l'extrême fin du livre II, donc de la première édition des *Essais*, comme une sorte d'envoi à une personne très chère, les traces ou les aveux d'une relation plus ou moins intime, n'y parvient guère. Il s'agit d'un réquisitoire contre la médecine et ses travers, qui aurait pu être adressé à un évêque aussi bien qu'à une luronne...

Pour le reste, ne fabulons pas. Ou, au contraire, contentons-nous de fabuler – mais dans le vide, ou le brouillard qui règne, en septembre, au bord de la Dordogne, à l'heure d'aube où l'on s'en va « aux cèpes », et où d'autres rentrent, les yeux battus, au logis...

9. Cf. *infra*, chap. XI.

Le paradoxe de Montaigne n'est pas qu'il soit pris en tenaille entre un vibrant amour de l'amour et un attachement lucide à une prudence que certains nomment sagesse : c'est qu'une conception aussi égalitaire de l'amour physique n'ait pas trouvé de traduction dans l'ordre affectif.

Bien loin de tenir ce « commerce » pour vil – dût-il le situer moins haut, dans le troisième chapitre du livre III, que l'incomparable amitié, et que celui qu'il entretient avec les livres –, il tient non seulement à rappeler qu'il n'y a « point autre passion qui [le] tienne en haleine », qu'il n'en est point de « plus noble et utile », mais il assure même qu'aucune autre n'est de nature à lui rendre « la vigilance, la sobriété, la grâce, le soin de [sa] personne », à lui donner le goût des « études saines et sages, par où [il se] pusse rendre plus estimé et plus aimé [...] » (III, 5). Eh bien !

Mais écoutons la contrepartie : « [...] en ce marché, je ne me laissais pas tout aller ; je m'y plaisais, mais je ne m'y oubliais pas ; je réservais en son entier ce peu de sens et de discrétion que nature m'a donné, pour leur service et pour le mien ; un peu d'émotion, mais point de rêverie » (III, 5).

Résout-il ces contradictions par une formule commode : « Pas de Vénus sans Cupidon » ? Peut-être : à condition de tenir ledit Cupidon pour un génie paisible, à l'arc pourvu de fléchettes inoffensives – un angelot des coteaux modérés d'entre Dordogne et Lidoire, qui n'eût fréquenté ou inspiré ni Médée ni Didon.

Quel ton paisible, flegmatique, pour parler de ces choses brûlantes ! Pierre Leschemelle, analyste attentif de sa « passion des femmes [10] », s'étonne, s'indigne presque de l'absence de « tendresse » chez cet ami, ce dévot de l'univers féminin. Il parle même de « sécheresse » – à l'exemple de Montaigne lui-même, qui, toujours impatient de s'accuser, la dénonce en lui. Cet homme qui ne se contente pas de goûter et de louer la beauté des femmes, qui réclame qu'on les traite avec « respect », qui les tient pour personnes à « révérer et craindre », avec lesquelles il est bon de faire « l'enfant et le craintif », qui tient pour d'autant plus admirable leur vertu que leur sexe est plus exigeant, et qui réclamera pour elles un traitement égalitaire en tous points,

10. Pierre Leschemelle, *Montaigne ou le Mal à l'âme*, Paris, Auzas, 1992.

comment peut-il évoquer des relations amoureuses sur le ton d'un stratège suisse décrivant ses batailles, un diplomate ses négociations ?

Cette apparente insensibilité se manifeste notamment par le peu de cas que cet « amoureux » fait de la jalousie, qui n'épargne point les plus heureux amants, et les plus triomphants. Montaigne s'en tient à une condamnation banale : « la plus vaine et tempétueuse maladie qui afflige l'âme humaine ». Soit. Mais n'est-ce pas avouer que son cœur ne s'est guère engagé dans l'une ou l'autre de ces entreprises ? Il parle des « piperies » des femmes avec un intérêt nonchalant d'entomologiste. Tenir la jalousie pour « vaine », n'est-ce pas faire peu de cas de l'amour ?

Cœur aride, a-t-on dit. C'est à lui pourtant que l'on doit ce cri superbe : « C'est contre la nature de l'amour s'il n'est violent, et contre la nature de la violence s'il n'est constant. » Et cette confidence : « [...] j'ai [...] barbouillé pour les dames [beaucoup de papier], lorsque ma main était véritablement emportée par ma passion, il s'en trouverait à l'aventure quelque page digne d'être communiquée à la jeunesse oisive, embabouinée de cette fureur » (I, 40). Mais lui, l'épistolier, ne se laisse-t-il jamais « embabouiner » ?

Adolescent folâtre, l'auteur des *Essais* ne sera pas un mari exemplaire : nous le vérifierons en temps utile, relevant alors l'extravagante idée (alors banale) qu'il se fait, la mettant en pratique, de l'incompatibilité entre le mariage et l'amour... Mais c'est un homme qui, faute de s'émouvoir sans réserve auprès des femmes, aura su rester exempt de la muflerie seigneuriale qui était de règle en son temps, l'« amour courtois » ayant fait place depuis plus d'un siècle à la rage conquérante et au savoir-faire expéditif, ce que Montaigne appelle avec mépris, la comparant aux procédures italiennes, l'« impétuosité française ».

La référence à Brantôme, pour éloquente qu'elle soit, n'est peut-être pas la meilleure, et les gentilshommes de *La Princesse de Clèves* en usent autrement. Mais, entre guerres d'Italie et guerres de religion, au temps de la reine Marguerite (qui suggérait qu'à trente ans une femme changeât le titre de « belle » pour celui de « bonne », mais, devenue obèse, ne s'appliqua pas la règle...), l'assaut et le sac faisaient loi, en un champ comme dans l'autre.

Le seigneur de Montravel, qui ne cherche pas, nous le savons, à bonifier son image – pas même dans le domaine tabou de la virilité –, tient à marquer que s'il fut inégalement fidèle à ses amies de corps, il tenait à honneur de les traiter avec mieux que de l'équité, n'attendant pas d'elles ce qu'il ne pouvait leur promettre. Faisons-lui confiance quand il assure :

> Elles [...] ont trouvé [en ce marché] de la fidélité jusqu'au service de leur inconstance : je dis inconstance avouée et parfois multipliée. [...] telles privautés [...] m'obligent [...] à quelque bienveillance. [...] Si je leur ai laissé à se plaindre de moi, c'est plutôt d'y avoir trouvé un amour, au prix de l'usage moderne, sottement consciencieux. [...] J'ai fait caler, sous l'intérêt de leur honneur, le plaisir en son plus grand effort plus d'une fois [...] (III, 5).

Sans toujours être, en cette réserve, bien compris... Bien sûr, sous cette virilité puérile et honnête, on peut déceler une stratégie voluptueuse : ce coquin de Dordogne a plus d'un tour dans son sac :

> [J']ai dressé nos parties toujours par le plus âpre et inopiné, pour être moins en soupçon, et en outre, par mon avis, plus accessible. Ils sont ouverts principalement par les endroits qu'ils tiennent de soi couverts. Les choses moins craintes sont moins défendues et observées : on peut oser plus aisément ce que personne ne pense que vous oserez, qui devient facile par sa difficulté (III, 5).

Amour courtois, amour sournois ? Le style, en tout cas, du stratège. On penserait à Laclos – mi-Valmont, mi-Danceny – si le champ de bataille où opère Montaigne n'était encombré de beaucoup moins de victimes que celui où s'illustra le général épistolier.

Cet amant assidu, bienveillant, « consciencieux » jusqu'en ses ruses un peu naïves, ce Montaigne au déduit ne se prétend pas plus triomphant qu'il ne fut – nous l'avons vu attentif à ne pas gonfler les chiffres de ses performances. On lit même de lui des aveux qui ne se rapportent pas tous aux effets de l'âge où il rédigea le tome III des *Essais* et notamment le célèbre chapitre « Sur des vers de Virgile ». Certaines de ces confidences ont trait à une complexion qui, dès l'« enfance », lui causa quelque ennui.

Que l'exiguïté de celui qu'il traite, on l'a dit, de « monsieur ma partie », ce membre « inobédient et contestataire » qui lui tient lieu (plus modestement) de ce qu'est à Rabelais « maître Jean Chouart qui demande logis », se soit fait plus désagréablement sentir l'âge venu, c'est très vraisemblable. Mais écoutons-le nous confier son épreuve originelle :

> Quand j'en ai vu quelqu'une s'ennuyer de moi, je n'en ai point incontinent accusé sa légèreté ; j'ai mis en doute si je n'avais pas raison de m'en prendre à nature plutôt. Certes, elle m'a traité illégitimement et incivilement,

>> *Si non longa satis, si non bene mentula crassa :*
>> *Nimirun sapiunt, videntque parvam*
>> *Matronae quoque mentulam illibenter,*

> [Si mon vit n'est pas bien long, ni bien gros :
> Bien sûr que les matrones l'ont vu,
> Et elles voient d'un mauvais œil un petit vit] (III, 5).

Est-il bien inspiré de citer ainsi, à propos de son sexe, *Les Priapées* ? « Chacune de mes pièces [réplique-t-il] me fait également moi que toute autre. Et nulle autre ne me fait plus proprement homme que celle-ci » (III, 5). Pour l'amour de la vérité...

Ainsi pourvu d'entrée de jeu d'une arme un peu brève au regard des matrones, notre Michel ne peut dissimuler davantage que ses élans n'étaient pas aussi prolongés que l'eussent espéré ses partenaires. Quand il évoque, au livre III, son « pouce de chétive vigueur... vrai feu d'étoupe... en un moment congelé... », il parle à coup sûr en barbon dont l'âge a aggravé les défaillances.

Mais ce n'est pas à cette époque tardive qu'il faut rapporter une réflexion de ce type : « [...] je suis, de ma complexion, sujet à des émotions brusques qui nuisent souvent à mes marchés, quoiqu'elles soient légères et courtes » (III, 5). Et c'est lui aussi qui parle d'un gourmet regrettant de n'avoir « le gosier allongé comme le col d'une grue pour goûter plus longtemps ce qu'il avalait ». Notre Michel ainsi équipé eût été plongé « mieux à propos en cette volupté vite & précipiteuse, même à telles natures comme est la mienne, qui suis vicieux en soudaineté » (III, 5).

Michel était donc bref aussi en acte, sujet à cette « éjaculation précoce » qui en a affligé plus d'un – et plus d'une. A force d'entendre Michel énumérer ses disgrâces, on croit écouter M. Beyle évoquant sa carrière amoureuse, son embonpoint et ses fiascos. Mais s'il fallait démontrer que les « femmes belles et honnêtes » ne sont pas si sottes, il suffirait de rappeler que ni le châtelain de Dordogne au petit membre, ni le diplomate dauphinois au gros bedon n'ont reçu d'elles que des rebuffades... « De l'art de conférer » !

D'où la beauté du chant d'amour que l'un et l'autre entonnent, à l'adresse des femmes – et Montaigne en un siècle où la misogynie faisait loi. On l'a décrit souvent comme un « macho » méprisant, un précurseur de Chrysale, pour qui une femme est assez savante qui sait « distinguer un pourpoint d'avec un haut-de-chausse » : il est bon de rappeler que ce misogyne d'habitude fut un féministe de réflexion.

On relève bien sûr vingt traits où éclate l'autosatisfaction des mâles de son temps, la conviction que les femmes sont quasiment incapables de s'évader de la prison de chair, dominées par leur sexe et leurs « désirs cuisants », et que la seule issue qui leur reste, hors l'ornement des cours et l'animation des alcôves, est la diligence ménagère.

Montaigne, si haut qu'il pousse ses branches et déploie ses fleurs, est enraciné dans son siècle de reîtres, de pédants, de matrones et de confesseurs. Mais ainsi corseté, il est aussi celui qui, dans le chapitre 5 du livre III, « Sur des vers de Virgile », son *De l'amour* (écrit pourtant à un âge où il ne sent plus que « de tièdes restes de son ardeur passée », où il déclare prendre « l'extrême congé des jeux du monde », en étant venu aux « extrêmes accolades »), retrouve une équité magistrale pour ridiculiser une fois pour toutes les thèses relatives à l'infériorité des femmes.

Deux formules dans le style populaire, choisies pour conclure son *Essai*, lui suffisent à renvoyer à leurs fantasmes dérisoires les misogynes et « machistes » de tout poil : « [...] je dis que les mâles et femelles sont jetés en même moule [...] ». « Il est bien plus aisé d'accuser l'un sexe, que d'excuser l'autre. C'est ce qu'on dit : le fourgon[11] se moque de la poêle » (III, 5).

11. « Tisonnier ».

CHAPITRE IV

L'amour enfin,
« cette sainte couture »

• « En une grande fête et compagnie de ville » • Laid comme Socrate • « Parce que c'était lui » • Une amitié où « les corps eussent part à l'alliance » • Le magistrat modèle • La « servitude volontaire » : Marat ou Faguet • Un désaccord politique ? • Mort à l'antique.

Voici donc, à vingt-cinq ans, un homme sans amour, et qui fait mine de s'en accommoder. Jovial, avant que l'envahisse la mélancolie qui marquera sa maturité, « plein de verdeur et de fête », vif et caracolant, à peine empêtré dans une robe de magistrat dont on reparlera, Michel n'a pas à se plaindre des « dames de Bordeaux qui donnent à boire aux matelots ». Ce gaillard d'humeur folâtre a toutes les apparences d'un homme heureux.

Pierre Eyquem, qui vient de remplir avec honneur son mandat (deux ans) de maire de Bordeaux, s'est résigné à voir les talents de son fils ajustés à une modeste charge judiciaire, qu'il fera d'ailleurs de son mieux pour agrémenter, ou ennoblir, de missions flatteuses à Paris : mais la nonchalance, la prodigalité et les frasques de son sybarite de fils l'agacent d'autant plus qu'Antoinette, la querelleuse, met du sel sur les plaies.

Si les dames égaient Michel sans parvenir à le captiver tout à fait, entre ses parents et lui s'est installée une aigreur chronique : était-ce bien la peine de faire baragouiner le latin par tout un canton périgourdin, puis de financer l'expédition vers la Cour de France d'un petit génie de Gascogne pour qu'il finisse en robin ? « Idiot de la famille » ? Non, certes. Mais décevant dauphin d'une lignée et d'une seigneurie que ses parents craignent de le voir mener à la ruine.

La rencontre soudaine qui illumine alors sa vie pendant quatre ou cinq ans – et son personnage, à jamais –, nous ne parvenons guère à la situer mieux que son premier voyage à Paris. Étienne de La Boétie[1] face à Michel de Montaigne... L'événement est fameux, les *Essais* l'exaltent, mais ne le datent point. La période du « vide documentaire » semble achevée. Nous savons que le fils de Pierre Eyquem est entré dans la magistrature depuis deux ou trois ans[2], le personnage est de nouveau repérable, mais nous ne pouvons fixer une date à l'événement majeur de sa vie.

L'évocation qui en est faite dans les *Essais* est d'autant plus poignante que brève, presque allusive... Mais elle donne impulsion et éclairage à l'un des chapitres, « De l'amitié » (I, 28), les mieux travaillés, les plus aboutis – évidemment traité comme une clé de voûte de l'œuvre, sinon comme sa raison d'être. Et si Montaigne n'a pas daté la scène, c'est comme pour lui donner une force intemporelle, essentielle :

> Et à notre première rencontre, qui fut par hasard en une grande fête et compagnie de ville, nous nous trouvâmes si pris, si connus, si obligés entre nous, que rien dès lors ne nous fut si proche que l'un à l'autre [...] [d'où] la précipitation de notre intelligence, si promptement parvenue à sa perfection. Ayant si peu à durer, et ayant si tard commencé, car nous étions tous deux hommes faits [...], elle n'avait point à perdre de temps [...] ayant saisi toute ma volonté, [elle] l'amena se plonger et se perdre dans la sienne [...] (I, 28).

Phrases fameuses, dont on voudrait tout citer : elles donnent d'emblée le ton, qui est bien, haletant, syncopé, celui de la passion. Aveugle ? Certes, non (c'est Montaigne qui écrit...), mais hyperbolique, ou tendant à l'hyperbole. Quand Michel nous dit d'Étienne qu'il n'en a point rencontré qui « lui soit comparable », qu'il était « le plus grand [homme] que j'aie connu au vif » (II, 17) (avant d'écrire à Henri de Mesmes que La Boétie fut « le plus grand homme, à mon avis, de notre siècle[3] »), quand il dépeint l'amitié entre eux comme « si entière

---

1 Orthographe et prononciation problématiques. L'intéressé ne mettait pas l'accent sur le *e* et prononçait, semble-t-il, « Boity ». L'accent et la sifflante se sont imposés au cours des siècles.

2. Le sujet est traité au chap. V.

3. Lettre dédicatoire à Henri de Mesmes.

et si parfaite que certainement il ne s'en lit guère de pareilles [...]. Il faut tant de rencontres à la bâtir que c'est beaucoup si la fortune y arrive une fois en trois siècles », on peut sourire. On a tort. Ce qui importe ici n'est pas de savoir si le jeune magistrat périgourdin fut plus grand qu'Érasme ou L'Hospital, si l'amitié en question l'emporta sur celle qu'allaient vivre, jusqu'au supplice, don Carlos et le comte de Posa, mais si l'homme Montaigne, l'hédoniste amoureux d'Ovide, fut soudain transporté, sublimé, réinventé par l'amour.

Montaigne aimait les femmes, goulûment; un homme lui fait découvrir la passion. Il aimait, comme un dévot, la beauté; cet homme auquel il lie brusquement sa vie est laid – c'est en tout cas lui qui nous le dit : « [...] nous appelons laideur aussi une mésavenance au premier regard, qui loge principalement au visage [...]. La laideur qui revêtait une âme très belle en La Boétie était de ce prédicament. [...] laideur superficielle [...] pourtant très impérieuse [...] » (III, 12). Confidence d'autant plus frappante qu'elle s'insère dans un hymne à la beauté où Phryné est choisie pour exemple, mais où est rappelée, mise en parallèle avec celle de l'ami, la légendaire laideur de Socrate.

Si Michel met l'accent sur la disgrâce physique de celui qu'il a tant aimé et dont il reçut l'« amoureuse » offrande de sa bibliothèque et de ses livres faite « la mort entre les dents », croyons-le. Mais observons tout de même que le seul « portrait » d'Étienne qui nous soit donné pour tel (si problématique qu'il soit) fait paraître un gentilhomme moustachu au teint sombre, au regard mélancolique, plus séduisant – dans le style huguenot rembruni – que son cadet court sur pattes et rondouillard comme un chanoine gascon. Et que, plus approximative encore, sa statue (qui, à Périgueux, fait face à celle de Michel) donne elle aussi d'Étienne une image avenante.

Bref, la première pique de passion qui fait broncher la monture du gai cavalier féru de jolies femmes est le fait d'un homme tenu pour laid. Comment se retenir alors d'évoquer cette « fatalité » qui jette Pasiphaé sur le taureau? Et comment d'autre part ne pas ouvrir le dossier de l'homosexualité, que bien peu des montaignistes les plus fervents osent aborder – y compris ceux qui auraient pu y trouver sans déplaisir quelque argument au plaidoyer pour Corydon? Nous allons nous y hasarder, quelques textes en main.

Fatum romain, *anankê* grecque, force du destin? Une sentence célèbre des *Essais* résume, pour beaucoup, cette relation : « Si on me presse de dire pourquoi je l'aimais, je sens que cela ne se peut exprimer qu'en répondant : "Parce que c'était lui ; parce que c'était moi" » – mots admirables, il est vrai, qui pourraient avoir été prononcés par Bérénice et inscrivent cet amour dans la tradition tragique la plus classique : deux mortels, les dieux, le destin...

Montaigniste éclairé s'il en fut, André Gide regimbe : qu'y eut-il là de si « fatal » et de si mystérieux ? Comment qualifier ainsi la rencontre de deux jeunes hommes de commune origine, également sensibles et cultivés, exerçant le même métier, tous deux admirateurs des héros antiques ? L'étonnant eût été qu'au parlement de Bordeaux, si vaste et riche en dédales que fût le palais de l'Ombrière, ils ne se liassent point...

Bonne objection. Mais c'est Montaigne lui-même qui contredit son illustre épigone, dénonçant, à l'origine de la « couture » qui joignit Étienne et lui-même, « je ne sais quelle force inexplicable et fatale [...] je ne sais quelle ordonnance du ciel [...] ». Voilà qui ne peut être formulé que par un précurseur des personnages de notre tragédie classique que le destin pousse, soit au crime, soit à quelque forme d'héroïsme.

On ne saurait pourtant accorder tout son juste crédit à la sentence fameuse sans préciser les conditions de son apparition et de son énonciation au chapitre 28 des *Essais*. La première édition porte simplement : « Si on me presse de dire pourquoi je l'aimais, je sens que cela ne se peut exprimer [...]. » C'est dans l'édition posthume dite « de Bordeaux » (1595) qu'on lit en marge d'abord le « parce que c'était lui ». Puis, d'une autre encre, plus pâle, mais non certes d'une autre main, le « parce que c'était moi » qui nous comble – après avoir comblé, espérons-le, l'écrivain, refrénant ses larmes dans la joie de la trouvaille...

Bref, si nous admettons, avant plus ample enquête, que les *Essais* sont le « tombeau » de La Boétie [4], à la fois hommage compensatoire et intime entretien avec le disparu, commerce et témoignage, pavane et lente eucharistie, le surgissement de la formule magique – en deux temps... – apparaît comme une sorte de point culminant de cette opé-

---

4. Ce qu'a soutenu notamment Michel Butor.

ration de réanimation de l'autre : quelle douleur d'écrivain a résisté à l'invention de la juste sentence ? Ce n'est pas Gide qui nous contredirait ici.

Mais il ne serait pas loyal de retenir la thèse proprement montaignienne de la « fatalité » si l'on ne rappelait que la rencontre avec les deux jeunes gens fut préparée par un truchement, ce que l'auteur des *Essais* appelle un « moyen » : le manuscrit du *Discours de la servitude volontaire* de La Boétie, dont, selon toute vraisemblance, le fils de Pierre Eyquem eut connaissance quelques années auparavant et qui le mit en état d'admirer l'auteur d'un si beau réquisitoire contre la tyrannie. *La Servitude*, écrit-il, « [...] me fut montrée longue pièce [5] avant que je l'eusse vu, et me donna la première connaissance de son nom […] » (I, 28).

Elle « me fut montrée »... En attendant d'examiner les circonstances de la rédaction et de la diffusion du *Discours* de La Boétie, quelques mots sur cette communication. Tout indique – notamment l'enquête de Roger Trinquet – qu'au cours de son séjour du début des années cinquante à Paris Michel a rencontré, peut-être chez Jean de Morel, parmi les Gascons qui y avaient leurs habitudes, Guillaume de Lur-Longa, nommé conseiller clerc au parlement de Paris après avoir cédé sa charge bordelaise à Étienne de La Boétie. A son prédécesseur partant pour la capitale, le jeune magistrat-écrivain avait dédié son *Discours* quelque peu explosif, lui en confiant un exemplaire, peut-être afin qu'il soit publié. C'est ce texte que Lur-Longa avait « montré » au jeune Montaigne.

On ne sait trop ce que « montré » veut dire ici. Michel lut-il vraiment le *Discours* de l'inconnu ? S'entendit-il seulement résumer le propos ? Le fait est qu'il en conçut une vive admiration pour l'auteur. Quand, admis au parlement de Bordeaux, il apprit que ce talentueux jeune homme en colère y était son collègue, il n'eut évidemment de cesse qu'il ne fît sa connaissance ; et la réciproque était vraie (« Nous nous cherchions avant que de nous être vus, et par des rapports que nous entendions l'un de l'autre […] »). Mais il est clair que la hiérarchie qui, à l'origine, s'établit entre eux n'est pas celle qu'a établie la postérité : c'est Michel qui recherche Étienne.

5. « Longtemps ».

Quant à la date de l'« accointance », qui se fit en « grande fête et compagnie de ville », on la situe entre octobre 1557 – date où Michel est transféré de la cour de Périgueux à celle de Bordeaux, et 1559. Cette deuxième date correspond aux indications éparses des *Essais*, Montaigne fixant à quatre ans la durée d'une amitié brisée par la mort de son ami, en août 1563 ; mais peut-être retrancha-t-il de cette liaison les longues périodes de séparations provoquées par les missions qui leur furent confiées, pour l'un à Paris, pour l'autre en Agenais. Il est exclu en tout cas que ces deux jeunes gens impatients aient pu vivre des mois au parlement de Bordeaux sans se connaître : au palais de l'Ombrière, ils n'étaient que quelques dizaines de conseillers, les fonctions qu'ils exerçaient se recoupaient souvent, des alliances familiales les rapprochaient.

Ce n'est pas la rencontre qui étonne, c'est, sur ce canevas banal, le caractère foudroyant de l'« ardente affection [qui les unit] jusqu'au fin fond des entrailles [...] nourrice de cette sainte couture », de cette « divine liaison » qui conduit l'auteur des *Essais* à évoquer comme en rêve, vingt (ou trente) ans plus tard et avec une sorte de nostalgie poignante, « [...] une telle accointance, libre et volontaire, où non seulement les âmes eussent cette entière jouissance, mais encore où les corps eussent part à l'alliance, où l'homme fût engagé tout entier, il est certain que l'amitié en serait plus pleine et plus comble » (I, 28).

Que ces mots saisissants fussent suivis d'une sorte de constat de rejet de la relation entrevue, car « ce sexe par nul exemple n'y est encore arrivé » (affirmation surprenante de la part d'un familier des Anciens, d'un dévot de Socrate...), n'enlève rien à l'audace du propos : si ce n'est pas l'homosexualité pédérastique prônée par l'auteur de *Corydon*, c'est plutôt le couronnement physique et exaltant de l'amitié qui est ainsi présenté comme un idéal plus ou moins inaccessible.

Les longs paragraphes du chapitre « De l'amitié » consacrés à sa forme homosexuelle sont d'autant plus saisissants qu'ils sont précédés de deux développements où l'auteur proclame la supériorité manifeste de la relation « amicale » sur celle que l'on peut qualifier de « naturelle, sociale, hospitalière [ou] vénérienne », s'en prenant à la « naturelle » d'une part et à la « vénérienne » d'autre part.

« Des enfants aux pères, c'est plutôt respect [...] » – dès lors, soutient-il qu'il faut exclure, de ceux-là à ceux-ci, « les avertissements et corrections, qui sont un des premiers offices d'amitié […] ». Et Montaigne va beaucoup plus loin, raillant le caractère sacré attribué à la procréation et citant Aristippe, qui, pressé d'avouer son affection pour ses enfants, attendu qu'ils étaient sortis de lui, crachait en disant que cela aussi était sorti de lui… Bigre !

Quant à « l'affection envers les femmes », notre essayiste confesse que le « feu » en est « plus cuisant et plus âpre » mais « téméraire […] ondoyant et divers [...] [et] ne nous tient qu'à un coin ». La comparer à l'amitié ? Celle-ci « maintient sa route d'un vol hautain et superbe […] regardant dédaigneusement celle-ci passer ses pointes bien loin au-dessous d'elle » (I, 28).

Ce qui nous intéresse n'est pas tant que ce rêve d'une « amitié [où] les corps eussent part à l'alliance » ait été ou non vécu (sur ce point, le rideau sèchement tiré par Michel ne coupe évidemment pas court à l'interrogation, l'accomplissement étant suggéré comme indicible plutôt que comme exécrable), c'est qu'en ce « livre de bonne foi » destiné d'abord à des familiers il ait été esquissé.

Cet auteur qui a choisi de se montrer « nu » juge bon d'écrire que « cette licence grecque est justement abhorrée par nos mœurs », non sans offrir l'un des premiers exemplaires de son livre au roi Henri III… Mais ayant ainsi sacrifié aux convenances, ou à ce qui était jugé tel dans son milieu provincial, il consacre une grande partie du chapitre dont il veut faire le « tombeau » d'Étienne de La Boétie à un retour sur les pratiques homosexuelles dans l'Antiquité : époque si chère aux deux amis qu'ils y puisaient leurs modèles – l'aîné[6] chez les stoïciens et les Latins de haute époque, le cadet de préférence chez les Grecs, qui, de Socrate à Alexandre, n'« abhorraient » point cette sorte d'amour.

Le bref historique qui suit la dénonciation de la « licence grecque » nuance habilement le verdict initial. Ce que critique le Montaigne vieillissant des *Essais*, ce n'est pas ce que de tels échanges auraient de contraire à la « nature », c'est la « nécessaire disparité d'âges et différence d'offices entre les amants, [qui ne répond pas] assez à la parfaite union et convenance qu'ici nous demandons » (I, 28). Et si Socrate

---

6. Étienne est de trois ans plus âgé que Michel.

n'est pas l'amant du très jeune Alcibiade, mais d'un contemporain ? Si un magistrat gascon dans la force de l'âge aime un juriste d'origine et d'âge analogues – l'alliance des corps ne fait-elle pas cette amitié « plus pleine et plus comblée » ?

On lit un peu plus loin que les républiques grecques, défendant « l'équité et la liberté », encouragèrent entre autres les « salutaires amours d'Harmodius et d'Aristogiton » (I, 28). Si ce n'est pas là un plaidoyer pour les amours viriles entre égaux et pour la bonne cause, semblables à celles qui joignirent les deux jeunes magistrats bordelais, qu'est-ce donc ? Ce qui est réprouvé ici n'est pas l'homosexualité, mais la pédérastie.

Tous les signaux ne viennent d'ailleurs pas de l'hédoniste. Dans les « satires » adressées à son ami, le stoïcien se plaint des débordements de ce dernier sur un ton où la morale n'a peut-être pas la seule part. Il ose même comparer Michel à Alcibiade...

Les arguments se pressent en faveur de l'hypothèse homosexuelle. Pourquoi n'incline-t-on pas à la retenir – et préfère-t-on parler, comme Jean Starobinski, de « commerce spirituel homosexuel », ou avec William John Beck, auteur de l'enquête la plus minutieuse sur le sujet[7], d'« amitié homosexuelle » ? Peut-être en raison du mode dichotomique sur lequel Michel vécut, du point de vue affectif. Serait-il excessif de soutenir que c'est l'exubérance même de son amour pour Étienne qui assura la chasteté de cette « sainte couture » ?

Étienne de La Boétie a vingt-huit ans. Il est marié à une jeune veuve, mère de deux filles, qui ne lui donnera pas d'autre enfant. Si Montaigne est pris dans une spirale d'ascension sociale et financière, son ami, originaire de Sarlat, belle petite cité du Périgord noir, est un produit typique de la vieille noblesse de robe. Orphelin de bonne heure, il a été élevé par son oncle, le sire de Bouillhonas, quelque peu tonsuré, lié à la fois à la robe et au clergé.

Mais c'est hors ce cercle familial que s'anime Étienne – à l'université où on l'a envoyé faire ses études de droit, celle d'Orléans, presque

---

7. Qu'aborde hardiment Michel Chaillou dans *Domestique chez Montaigne, op. cit.*

aussi prestigieuse que la parisienne. Les étudiants y écoutent notamment les leçons d'un maître éminent et qui va jouer dans la vie du jeune homme un rôle plus décisif que celui de Turnèbe dans l'épanouissement de Montaigne : il s'appelle Anne du Bourg.

Voilà, pour le coup, un grand homme. Ce maître juriste avait adhéré, au moins en son for intérieur, à la Réforme. Devant ses étudiants, en soutenait-il les thèses ? Il défendait en tout cas le droit de les formuler, sur un ton qui a incité certains à voir en lui un précurseur de l'esprit démocratique. On peut imaginer qu'il haranguait ses auditeurs dans l'esprit qui anime le pamphlet qu'il rédigea plus tard en prison, *Oraison au Sénat de Paris pour la cause des chrétiens et la consolation d'iceux*. (« Qui a fait roi notre prince ? […] Vous, rois de maintenant, pensez-vous échapper à la fureur de Dieu en ne révérant pas sa parole ? »)

Appelé, en raison de ses exceptionnels talents juridiques, au parlement de Paris, fort peu tolérant, du Bourg ne modéra point ses propos. Bien au contraire. Il osa même protester, en présence du roi Henri II, contre les excès de la répression infligée à ses coreligionnaires. Moins sensible au courage ainsi manifesté qu'à l'outrage subi, le roi le fit arrêter. Jugé, condamné, le maître de La Boétie fut pendu, puis brûlé en place de Grève. Infamie qui n'était pas faite pour pousser à la docilité un jeune homme de caractère et qui, selon certains, fut à l'origine de son propre *Discours*.

Étienne de La Boétie est déjà l'auteur de ce pamphlet quand il est nommé, à vingt-trois ans, au parlement de Bordeaux, succédant à Lur-Longa. Sa réputation de juriste et d'orateur est faite. Comme sa position dans la société bordelaise, assurée par la renommée de son grand-père maternel, le président de Calvimont, affermie par son mariage avec Marguerite de Carle, sœur de l'évêque de Riez, Lancelot, érudit notoire.

Au moment où il fait face à son jeune collègue venu, comme lui, de la Dordogne, Étienne de La Boétie est auréolé d'une sorte de gloire locale – fondée sur ses compétences juridiques, un désintéressement qui, en ce domaine et à cette époque, faisait sensation et une culture notoire, bien que ses œuvres, sonnets latins, traductions grecques, correspondance avec le célèbre linguiste agenais Jules-César Scaliger, fussent encore inédites.

Qui sait alors qu'il est l'auteur de ce *Discours de la servitude volontaire* dont le manuscrit a été montré à Michel de Montaigne par son dédicataire, à Paris, au début des années cinquante ? Tant l'origine de l'ouvrage que la date de sa rédaction, et sa crédibilité, ont donné lieu à mille supputations et controverses, que l'on se gardera de juger vaines.

Première référence, les *Essais*, bien sûr. Nous savons déjà que c'est le *Discours* qui a d'abord attiré sur son auteur encore inconnu de lui l'attention, l'attente admirative de Montaigne. Mais sitôt rendu hommage à cet ouvrage « gentil » – ce qui signifie, sous sa plume, généreux [8] –, l'auteur vieillissant des *Essais* ne semble avoir qu'un souci : celui de minimiser l'importance du pamphlet, d'en faire une dissertation de jeunesse. (Après avoir indiqué, dans la première édition de l'ouvrage, que le *Discours* avait été rédigé par un Étienne de moins de dix-huit ans, Montaigne abaisse encore, dans sa dernière rédaction, l'âge de l'auteur, qui n'a plus que seize ans et n'a voulu en faire qu'une « manière d'exercitation »…)

Il est clair que l'essayiste tient alors compte des fièvres et violences du temps où il vit. Quant il lit, ou voit, ou parcourt le *Discours* de l'inconnu, entre 1550 et 1555, le climat politico-religieux est relativement serein – bien que l'on brûlât, nous l'avons vu, les « mauvais maîtres »… Le jeune étudiant parisien, encore pris dans une ambiance purement intellectuelle, admire la vibrante éloquence du propos : voici un chef-d'œuvre d'art oratoire et de morale civique.

Mais quand il rédige, ou plutôt quand il s'apprête à publier les *Essais*, la guerre civile a éclaté, la Saint-Barthélemy a porté l'incendie à son comble, et la protestation plus ou moins théorique de La Boétie ne peut plus être lue comme un audacieux exercice d'école, un pastiche de Juvénal, un brillant manifeste de jeunesse. Il s'inscrit dans un débat polémique dont la sanction est de plus en plus souvent l'assassinat ou le bûcher. La Boétie, hélas, ne risque plus rien : mais Michel, qui met tous ses soins à lui élever un mausolée digne de lui, ne souhaite pas faire l'apologie d'un rebelle, et par là se vouer, lui, au martyre.

D'autant que sans prétendre explicitement que l'auteur du *Discours* s'est rallié à leur cause, les protestants l'ont utilisé pour leur défense. Comment le manuscrit de ce notable catholique est-il venu entre leurs

8. « Gentilhomme ».

mains ? On a beaucoup glosé sur cette affaire aussi. Elle semble moins lourde de mystère que les autres questions relatives au pamphlet de La Boétie, à ses origines, à sa signification.

Lur-Longa, bon catholique, ne saurait être soupçonné d'avoir trahi la confiance de son jeune ami ; et moins encore Montaigne lui-même d'avoir élargi l'audience des « initiés ». Mais à cette époque, au milieu du siècle (et d'ailleurs jusqu'au cœur des guerres civiles), les deux camps étaient étroitement imbriqués, surtout les milieux intellectuels. Tel qui professait aujourd'hui son catholicisme glissait demain dans la Réforme. Tel réformé revenait au service du roi. Les universités étaient « noyautées » par les religionnaires, dont pouvait se détacher demain un militant attiré par le devoir d'État. Bref, un tel manuscrit avait pour vocation de circuler et, circulant, d'enflammer les passions.

C'est tout naturellement, nous semble-t-il, qu'il vint entre les mains de deux polémistes huguenots, François Hotman (que Montaigne rencontrerait plus tard en Suisse, lors de son voyage de 1581) et Simon Goulart. Le premier en tira quelques pages jointes à un pamphlet de son cru, *Le Réveil' matin des Français*, diffusé sous couvert de l'anonymat, peu de temps après la Saint-Barthélemy (1572) ; le second l'inséra, plus largement, dans son *Mémoire sur l'état de la France sous Charles-le-neuvième*, de quelques années postérieur, mais dont le manuscrit fut en tout cas brûlé par la main du bourreau, à Bordeaux, en 1579 [9].

On comprend pourquoi notre avisé Montaigne, qui a déjà, publiant en 1570 quelques ouvrages de son ami, gardé par-devers lui ce discours, jugé impropre à être « abandonné au grossier et pesant air d'une si malplaisante saison », se retient de l'incorporer dans son propre ouvrage et fait mine de n'y voir qu'un exercice d'école à propos des relations entre César et le peuple romain...

Mais enfin, qu'y a-t-il de si terrible dans ce *Discours* pour que Michel mît tant de soin à en affadir le soufre ? Et comment peut-on successivement en faire, comme Marat, un grand texte révolutionnaire

9. Voir à ce sujet la préface de Françoise Bayard à Étienne de La Boétie, *Discours de la servitude volontaire*, Paris, Imprimerie nationale, 1992.

et, comme Faguet, un simple exercice scolaire ? Marat ou Faguet ? S'il faut choisir, prenons le parti du premier – que l'on garde au *Discours* son titre originel ou qu'on le rebaptise le *Contr'un*, ainsi que le firent ses utilisateurs protestants, impatients d'en accentuer le caractère polémique contre le roi de la Saint-Barthélemy. (Curieusement, Montaigne, déplorant l'usage ainsi fait « par ceux qui cherchent à troubler et changer l'état de nos polices », ne voit pas malice au second titre...)

De quelque façon qu'on l'intitule (et le premier titre est le plus explicite, donc le meilleur) l'œuvre du jeune homme de Sarlat nous paraît un grand morceau d'éloquence politique ; et, tout déclamatoire et pédantesque qu'il paraisse en certaines de ses parties, une très profonde et très neuve approche des rapports entre le pouvoir et la liberté.

Parce que La Boétie ne prend pas la question sous l'angle où elle est d'ordinaire posée (de haut en bas), celle de la naturelle exacerbation de l'autorité et de sa corruption en tyrannie par hypertrophie naturelle de la volonté de puissance, mais (de bas en haut) en dénonçant la soumission cherchée, la quête de tyrannie chez les gouvernés – ce que, plus d'un siècle plus tard, le Racine de *Britannicus* résumera d'un trait génial : « Ils se ruent à la servitude. »

Que cet adolescent périgourdin n'ait pas su seulement, avant Rousseau, s'étonner de l'extraordinaire facilité avec laquelle le tyran manipule des masses évidemment plus « fortes » que lui ; mais, beaucoup mieux, qu'il en ait donné la raison : la veulerie, sinon la volupté avec laquelle ces foules se donnent au despote – voilà qui est vraiment digne d'admiration. Si le garçon qui a écrit cela était vraiment âgé de seize ans, on peut bien voir en lui un Rimbaud de la sociologie politique !

Que tout, dans le pamphlet de La Boétie, ne soit pas aussi neuf, et que l'on y entende souvent des échos de Démosthène, de Sénèque ou de Tacite (inspirateur, ensuite, de Racine) ne suffit pas à invalider la portée de ce texte étonnant. Faut-il, ici contre l'argumentation spécifique de Montaigne, admirer d'autant plus la justesse de son admiration globale pour l'auteur ?

Pour faire sentir, sous l'ordonnancement ancien de la harangue, sa force un peu rêche, un peu rustique, on citera quelques fragments de ces *Mémoires de discours de la servitude volontaire* (tel est le titre originel), ceux qui durent alerter et émouvoir Michel de Montaigne et le mettre en condition de faire alliance avec l'auteur.

Dès la première page, le ton est donné, à la fois audacieux et « responsable » :

« ... Je ne veux pas pour cette heure débattre cette question [...] à savoir si les autres façons de Républiques[10] sont meilleurs que la monarchie [...] question réservée pour un autre temps [car elle] amènerait [...] toutes les disputes politiques [...]

« [...] La liberté est [...] un bien si grand et si plaisant qu'elle perdue, tous les maux viennent à la file, et les biens même qui demeurent après elle perdent leur goût et leur saveur, corrompus par la servitude...

« Souffrir les pilleries, les paillardises, les cruautés, non pas d'une armée [...] mais d'un seul, non pas d'un Hercule ou d'un Samson, mais [...] le plus souvent du plus lâche et féminin de la nation [...] dirons-nous que ceux-là qui servent soient couards.

« Il y a trois sortes de tyrans [...] les uns ont le royaume par élection du peuple, les autres par la force des armées, les autres par la succession de leur race... Ceux qui naissent roi... tirent avec le lait la nature du tyran... Celui auquel le peuple a donné l'État devrait être [ce me semble] plus supportable [mais] toujours la façon de régner est quasi semblable... »

Observons ici que le bouillant Étienne sait au passage ménager le trône de France en écrivant : « Encore qu'ils naissent rois [les nôtres] n'ont pas été faits comme les autres par la nature, que choisis par le Dieu tout-puissant... pour la garde de ce royaume. » Voilà bien d'un Gascon, fût-il formé par les Romains...

« La première raison de la servitude volontaire, c'est la coutume... Les assujettis [...] ont le cœur bas et mol (surtout si le tyran) se met la religion devant pour garde corps...

« ... Ce sont toujours quatre ou cinq qui maintiennent le tyran, qui lui tiennent le pays tout en servage... Six cents profitent sous eux et font de leurs six cents ceux que les six font au tyran. Les six cents tiennent sous eux six mille qu'ils ont élevés en état... et qui voudra s'amuser à dévider ce filet verra que non par les six mille, mais les cent mille, les millions, par cette corde, se tiennent au tyran...

---

10. Pris ici dans le sens d'« institutions », mais qui n'est pas innocemment confronté à « monarchie » ! Dans les *Essais*, Montaigne affirme que son ami eût préféré « être né à Venise qu'à Sarlat » (c'est-à-dire en république plutôt qu'en monarchie).

« C'est le peuple qui s'asservit, qui se coupe la gorge, qui ayant le choix d'être sujet ou d'être libre, quitte sa franchise et prend le joug, qui consent à son mal ou plutôt le pourchasse…

« Celui qui nous maîtrise tant n'a que deux yeux, n'a que deux mains, n'a qu'un corps… Comment a-t-il tant de mains pour vous frapper s'il ne les prend de vous ?…

« … Pour avoir la liberté, il ne […] faut que la désirer […] Soyez résolus de ne servir plus, et vous voilà libres… »

Commentant ces phrases de silex, Françoise Bayard souligne que La Boétie n'en appelle pas à la violence contre le tyran – toujours un despote succède au despote égorgé, Brutus, tuant César, a achevé la République –, mais à la résistance passive : « La désobéissance civile – extraordinaire arme politique – naît avec lui », écrit-elle [11]. Parti de Tacite, voici notre pamphlétaire tendant la main à Gandhi…

On voit bien pourquoi Montaigne, rédigeant les *Essais* au temps et « dans le moyeu » des guerres civiles, averti de l'usage que le parti protestant faisait d'un tel texte, et bien qu'il en eût annoncé la publication au début de son chapitre « De l'amitié », y renonce soudain et, non content de le garder par-devers lui, s'efforce de convaincre son lecteur qu'il ne s'agit que de la dissertation de collège d'un adolescent de seize ans.

Cette assertion mérite examen. Car elle est liée à une question beaucoup plus sérieuse : celle de l'origine, des sources historiques de ce texte révolutionnaire – dont on imagine l'usage que pourrait en faire, à la tribune de la Convention, un enragé comme Marat. Et, plus tard, bien des contempteurs de l'ordre social, de Proudhon à Élisée Reclus.

Qu'est-ce donc qui poussa ce jeune homme rangé, juriste de bonne famille, bon catholique, à jeter un tel défi à la tyrannie – qui, en France, et en ce mitan du siècle, prenait pour forme la monarchie très chrétienne, une monarchie que l'évolution collective des pouvoirs en Europe, les tendances centralisatrices de l'État français et le défi des « religionnaires » conduisaient chaque jour davantage à se coaguler en autoritarisme ?

Dès le XVIᵉ siècle, l'excellent historien Jacques-Auguste de Thou

---

11. Préface à une nouvelle édition du *Discours de la servitude volontaire*, Paris, Imprimerie nationale, 1994.

proposait une explication : l'indignation de La Boétie contre les abus du pouvoir aurait pour origine la répression déchaînée contre Bordeaux et les Bordelais, d'ordre du roi, par le connétable de Montmorency après les troubles de la gabelle de 1548. Suggestion discutable : s'il est certain que Montaigne fut le témoin (plus ou moins proche) de ces horreurs [12], on en est moins assuré s'agissant de l'auteur de la *Servitude volontaire*.

Le plus plausible des mobiles qui ont pu pousser Étienne de La Boétie à crier son mépris de la tyrannie est le supplice infligé à son professeur d'Orléans, Anne du Bourg, montant sur le bûcher, on l'a vu, pour avoir lui-même dénoncé les traitements infligés aux réformés par Henri II. Que ce maître très admiré, avocat des libertés d'opinion, ait subi ce sort atroce pour avoir admonesté le roi, voilà bien de quoi inspirer à son disciple périgourdin une sainte et éloquente indignation, au moins le temps d'un beau et grand *Discours*.

Discours auquel La Boétie attache assez d'importance (bien au-delà des années du collège ou de l'université où Montaigne veut en cantonner l'usage et la signification) pour que, nommé magistrat, il en fasse hommage à celui dont il prend la succession à Bordeaux, Guillaume de Lur-Longa. S'il ne le charge pas d'en assurer la publication, il lui donne latitude de le faire lire autour de lui, à Paris, aux abords de la Cour. Pour une simple dissertation de collège, c'est une diffusion bien orgueilleuse et bien risquée...

Décidément attentif à corriger le caractère sulfureux du texte de son ami, l'auteur des *Essais* veut bien admettre dix ans après sa mort qu'Étienne « crût ce qu'il écrivait, car il était assez consciencieux pour ne mentir pas même en se jouant », mais rappelle – d'ailleurs à bon droit – qu'il avait aussi pour maxime « d'obéir et de se soumettre très religieusement aux lois sous lesquelles il était né », car « il ne fut jamais un meilleur citoyen, ni plus affectionné au repos de son pays, ni plus ennemi des remuements et nouvelletés de son temps » (I, 28).

Ici Montaigne doit être écouté. Si nous nous croyons en droit d'attacher à la *Servitude volontaire* beaucoup plus d'importance qu'il ne fait mine de lui en attribuer, compte tenu des circonstances, nous qui

---

12. Cf. *supra*, chap. I.

n'écrivons pas entre deux feux, sous la menace de la *hart*[13], du bûcher ou de l'embuscade, nous en savons assez pour admettre que l'enfant indigné contre la tyrannie et dont le défi retentit encore à travers les siècles fut un loyal serviteur (à l'occasion critique) de la monarchie des Valois – tyrans ou pas. Ce qui manifeste à nos yeux la vertu de cet homme, sinon « ondoyant », en tout cas « divers », et nous fait comprendre la fascination qu'il exerce sur Michel de Montaigne.

Dans une lettre dédicatoire adressée en avril 1570 au chancelier Michel de L'Hospital, auquel il fait l'hommage de quelques poèmes latins de La Boétie (dont les fort beaux *Sonnets*), Montaigne, tout à sa passion admiratrice, en vient à admonester le grand homme d'État pour n'avoir pas su mettre dignement au service du royaume les éminentes vertus publiques de l'ami disparu :

> [...] Étienne de La Boétie, l'un des plus propres et nécessaires hommes aux premières charges de la France [a] tout au long de sa vie croupi, méprisé ès cendres de son foyer domestique [...]. Élevé aux dignités de son quartier [...] jamais homme n'y apporta plus de suffisance [...] ce n'est pas raison [...] d'employer aux charges moyennes ceux qui feraient bien encore les premières[14].

Rappelons que cette volée de bois vert – à propos d'un homme mort à trente-trois ans... – s'adresse au premier personnage de France après le roi... Elle témoigne d'ailleurs de quelque exagération : au début de 1561, Étienne de La Boétie, conseiller au parlement de Bordeaux depuis sept ans, jusqu'alors doté en effet de missions secondaires – on l'a notamment chargé de censurer les textes destinés aux représentations théâtrales des étudiants bordelais... –, est soudain appelé à des responsabilités beaucoup plus politiques. Le roi François II vient de mourir ; le magistrat périgourdin fait partie d'une délégation envoyée à Paris par la ville de Bordeaux pour faire allégeance au nouveau souverain, Charles IX (onze ans), derrière lequel se profilent

---

13. « Pendaison ».
14. Montaigne, *Œuvres complètes*, Paris, Éd. du Seuil, 1967, p. 552.

la régente Catherine et le chancelier de L'Hospital – c'est-à-dire les « politiques », partisans de la tolérance envers les réformés.

Cette politique a été, dès l'origine, critiquée par les parlements, dont celui de Bordeaux. Elle l'est plus encore depuis le récent échec du colloque de Poissy, qui groupait les porte-parole catholiques et protestants et qui a abouti en juillet 1561 à la rupture, due en grande partie à l'intransigeance de Théodore de Bèze, lieutenant de Jean Calvin. Mais la tolérance reste la ligne officielle du nouveau règne : c'est la « recommandation » que le chancelier de L'Hospital charge Étienne de La Boétie [15] de transmettre au parlement de Bordeaux.

Devant ses collègues défavorables à de tels mots d'ordre, le jeune émissaire plaide prudemment le dossier qui lui a été confié par le chancelier, soutenant qu'il ne faut « ni irriter le mal par la rigueur, ni l'augmenter par la licence ». Il y gagne la réputation d'un modéré et d'un diplomate avisé – et se voit confier une nouvelle mission, plus délicate, sur le terrain.

En Agenais, la tension ne cesse alors de monter, les huguenots s'y emparant d'églises et de couvents, dont celui des dominicains, brisant statues et reliques. La Cour ne peut laisser passer l'offense ; mais, fidèle à sa politique d'apaisement, elle choisit de dépêcher aux lieux des troubles un chef militaire réputé pour sa modération, le Charentais Charles de Coucy, seigneur de Burie, lieutenant du roi pour la Guyenne depuis 1558. Poste périlleux, dont le détenteur est pris en tenaille entre la Cour et le couple royal de Navarre – Antoine de Bourbon et Jeanne d'Albret qui viennent de se convertir à la Réforme –, entre intrigues espagnoles pro-catholiques et pressions anglaises du côté protestant, et houspillé par le maréchal de Monluc, qui voudrait bien remplacer Burie et faire sentir sa poigne aux huguenots... Compte tenu de ces handicaps et de l'esprit de sa mission, Burie décide de s'adjoindre le jeune magistrat sarladais dont on vante la pondération et le courage.

Burie et La Boétie mènent leur mission (septembre-novembre 1561) de telle façon que l'apaisement se fait sur les bords de la Garonne, dû surtout à l'initiative audacieuse qu'ils ont prise : dans les localités où il y a deux églises, la plus petite sera réservée aux réformés ; là où il

---

15. Dont la famille fait partie de ce courant catholique modéré.

n'y en avait qu'une, elle sera mise tour à tour à la disposition des deux cultes – décision quasiment révolutionnaire, qui va servir quelques mois plus tard d'exemple ou de précédent au fameux édit de janvier 1562, marquant l'apogée de l'esprit de tolérance ou de cohabitation entre catholiques et protestants préconisé par L'Hospital, chancelier depuis 1560, et la régente Catherine, qui a décidé d'arracher le pouvoir au clan des Guise en s'appuyant sur les Bourbon.

Voici La Boétie à la pointe d'une audacieuse tentative politique. Il peut se croire alors promis à l'immense avenir qu'entrevoit pour lui son ami Michel, en tant que porte-parole et exécutant en Guyenne, après avoir été l'inspirateur de cette coexistence pacifique rêvée par ce chancelier qui, abhorrant « ces mots diaboliques, luthériens, huguenots, papistes », en appelle à la conciliation « sous le nom de chrétiens ».

On peut avoir raison trop tôt : un tiers de siècle avant l'édit de Nantes, l'heure de l'apaisement n'est pas venue. Le texte de janvier 1562 n'est pas plus tôt enregistré – en dépit de l'hostilité de la plupart des parlements, celui de Bordeaux notamment – que les « ultras » du parti catholique provoquent la rupture : après la tentative d'enlèvement du petit roi Charles IX à Amboise, organisée par les chefs protestants pour le soustraire à l'influence des Guise, à Wassy, en mars 1562, une centaine de huguenots sont massacrés par des gens appartenant aux mêmes Guise. L'Hospital a échoué : pendant trente ans, huit guerres civiles, dites « de religion » (et qui sont aussi féodales et dynastiques), vont plonger la France dans les troubles à travers lesquels Michel de Montaigne fera sa vie et bâtira son œuvre.

La riposte des huguenots prend un peu partout, notamment en Guyenne, des formes militaires : tandis que Bordeaux est assailli (en vain) par les troupes de Duras, Bergerac est capturé par celles de Clermont. Le parlement de Bordeaux se voit acculé à lever des milices pour contenir ces assauts, et choisit quelques-uns de ses membres pour les encadrer ou brider leurs débordements. Parmi eux, le pacificateur de la veille mué en chef de guerre, Étienne de La Boétie.

Ce changement de rôle, classique en période de troubles, provoquat-il chez l'ami de Montaigne un bouleversement de nature à lui faire regretter ses démarches de 1561 et son rôle d'avocat de la tolérance, de précurseur de la coexistence ? L'espoir brisé, comme il arrive parfois aux pacifistes, fit-il de lui un enragé, pressé de condamner une démarche avortée ?

Dans l'hommage rendu à son ami tout au long du chapitre 28 des *Essais*, Montaigne signale, parmi ses œuvres, « quelques mémoires sur cet édit de Janvier, fameux par nos guerres civiles ». Ce texte fut long-temps tenu pour introuvable. En 1917, l'un des meilleurs spécialistes de La Boétie (et de Montaigne) Paul Bonnefon, ayant découvert à Aix-en-Provence un *Mémoire sur la pacification des troubles*, qu'il identi-fia comme celui dont parle l'auteur des *Essais*, le publia incontinent. Moyennant quoi, les meilleurs experts (certains d'entre eux émettant quelques doutes sur cette attribution) ont glosé sur la volte-face de La Boétie [16], apôtre de la coexistence en 1561 mué en pourfendeur du pluralisme un an plus tard.

Le texte découvert par Paul Bonnefon est une remarquable critique – digne de l'intelligence politique de l'ami de Montaigne – de la stra-tégie tolérante de L'Hospital. Non qu'il appelât à la répression, comme le faisaient nombre de ses collègues parlementaires : « Point par le fer et par le feu ! » Mais il soutenait qu'en une même nation ne pouvaient se pratiquer deux religions différentes et que, faute de pouvoir imposer la nouvelle doctrine aux Français – qui la récusaient dans leur grande majorité –, il fallait faire appel à l'arbitrage du parlement, qui, au nom du roi, serait chargé de proposer une synthèse. La religion catholique ne pouvait-elle être, en France, réformée sans violence ni rébellion, tel sacrement amendé, telles pratiques proscrites ? Substituer à l'affronte-ment, ou à la cohabitation compétitive, une réforme amiable, négociée – non sous l'égide de Rome, exécrable aux protestants, mais du parle-ment et du roi qu'ils servaient ?

Belle idée, à coup sûr. Mais il se trouve qu'une tentative de cet ordre avait été amorcée lors du colloque de Poissy, et que cet effort de syn-thèse avait échoué [17] ; que le parlement, souhaité comme médiateur ou arbitre, était en majorité hostile à la conciliation ; et que le concile de Trente, alors réuni, était en train de doter l'Église romaine d'une arma-

---

16. En 1983, le montaigniste américain Malcolm Smith a cru résoudre ou atténuer la contradiction en datant la rédaction du texte d'avant l'édit de janvier, retenant pour titre *Mémoire sur la pacification des troubles*. Si l'aspect de « rupture » avec L'Hospital est atténué, le problème de fond reste le même.

17. Mais peut-être parce qu'elle avait été conduite par des théologiens et non par des politiques, en principe plus accommodants.

ture doctrinale qui n'allait pas faciliter la convergence proposée sagement par l'auteur du mémoire...

L'auteur ? Il y a peu, on aurait simplement écrit Étienne de La Boétie, non sans quelques points d'interrogation. La thèse défendue dans ce texte n'est point du tout indigne, ni dans le fond ni dans la forme, de l'ami de Montaigne – fût-elle différente de celle qu'il avait professée lui-même un an plus tôt. Tirer la leçon d'un échec n'est pas déshonorant, et la stratégie de la synthèse sous l'arbitrage royal (en un temps où la Cour restait modérée) n'était certes pas plus rétrograde, par essence, que celle de la cohabitation des contraires.

Mais que penser de l'attribution à La Boétie du fameux *Mémoire* ? Discrètement mise en doute par Madeleine Lazard dans son *Montaigne* de 1992, elle semble exclue au terme de l'enquête menée par Anne-Marie Cocula, auteur de l'excellente biographie d'Étienne de La Boétie publiée à la fin de 1995 [18]. Cette historienne bordelaise, sans s'arrêter au fait que le manuscrit n'est pas de la main d'Étienne – à ce compte, il faudrait porter le doute très loin et très haut ! –, met l'accent sur quelques anomalies significatives : l'auteur du *Mémoire* se réfère à Luther et non à Calvin, maître à penser des protestants du Midi ; il ne cite pratiquement pas Burie, que La Boétie ne pouvait pas manquer de tenir pour son chef ; il n'évoque que les drames de Cahors (1561) et de la Gascogne, pas ceux de Bordeaux ; il est vide de références humanistes, si chères à l'auteur du *Contr'un*. Et tout indique par ailleurs, souligne Mme Cocula, que La Boétie restait fidèle à la « ligne » de L'Hospital. Bref, cette spécialiste éclairée n'y voit pas la « main » de La Boétie. L'œuvre serait d'un homme de cabinet (ecclésiastique ?) plutôt que de l'homme de « terrain » qu'était devenu, en 1562, Étienne de La Boétie.

Cette réattribution du *Mémoire* renouvelle l'un des innombrables problèmes posés par l'amitié-passion des deux jeunes magistrats gascons : celui de leur convergence politique. Qu'on le veuille ou non, c'est là une question essentielle. Le fils de Pierre Eyquem a été destiné, dès l'enfance, à ce type de responsabilités. Qu'il ait bifurqué vers le droit ne l'a pas détourné de ces préoccupations et de la fascination qu'elles exercent. Bien au contraire : nous allons voir que le parlement

18. Anne-Marie Cocula, *Étienne de La Boétie*, Bordeaux, Sud-Ouest, 1995.

de Bordeaux était un chaudron politique. Quant à La Boétie, plus spontanément juriste – par tradition familiale et par tempérament –, homme par excellence de la loi, sa carrière, on l'a vu, ne cessait de le pousser vers l'interprétation politique du droit.

Si Montaigne est un politique contraint de pratiquer le droit, La Boétie est un juriste happé par la politique. Mais ce n'est pas là – du fait des circonstances – que gît entre eux la contradiction, qui est d'ordre philosophique et moral. Le jeune homme de Sarlat est, par excellence, un stoïcien et, d'autre part, un moraliste puritain. Tout le *Discours de la servitude* le crie, et ce n'est pas seulement la dictature qu'il maudit, mais la débauche qui, « sucrant la servitude », devient une manière de gouverner.

Son tempérament rigoriste, son moralisme militant faisaient de La Boétie un protestant par destination. Vivant plus longtemps, eût-il rejoint les « religionnaires », Coligny, La Noue, Duplessis-Mornay ? Peut-être. Mais, après tout, il y avait des papistes vertueux et des huguenots paillards…

Son ami de Bordeaux put bien s'efforcer de le suivre sur cette voie escarpée, louer le monde stoïque et se raidir à sa semblance. Mais tout en Michel appelait l'épicurisme ou plutôt, nous l'avons vu, l'hédonisme. Les quatre ou cinq années qu'il vécut dans l'ombre – ou la lumière – de La Boétie furent sa saison stoïcienne, celle où il lut Zénon et Sénèque. Mais pas si bien qu'il ne s'attirât les remontrances de l'ami inflexible. Les satires et sonnets latins qu'a adressés son aîné « *ad Michaelum Montanum* » nous le montrent bien en peine d'ajuster sa nature folâtre aux prescriptions stoïciennes, aux rudes remontrances de l'ami choqué par sa dissipation.

On ne saurait douter que Michel ait écouté ces avis et fait de son mieux pour mériter l'estime du bien-aimé, lui-même sagement marié à une veuve, mère de deux enfants, Marguerite de Carle, qu'il semble avoir sincèrement aimée. Mais la nature de Michel n'était pas puritaine. En matière non seulement de mœurs, mais aussi – et c'est là ce qui nous intéresse surtout ici – de vie publique, de politique.

Autant l'auteur stoïcien du *Discours de la servitude* semble avoir été destiné à se voir « récupéré » par les protestants puritains ennemis du papisme et du césarisme, autant le fils du maire de Bordeaux, ballotté entre « guelfes et gibelins », en butte aux remontrances des premiers ligueurs catholiques aussi bien qu'aux pressions des huguenots venus des pays de Garonne et de Navarre, était voué au relativisme, à une pratique opportuniste et multipartisane du catholicisme de pouvoir.

Si le premier maître de Montaigne, en politique, fut son vertueux ami imprégné des leçons de Sénèque, le second, moins avoué mais très évident, sera Machiavel[19]. Fais ce que tu dois ! martèle le premier. Fais ce que tu peux ! recommande le second – ce que tu peux pour la sauvegarde de l'État, qui seul protège le peuple et les tiens. On reviendra sur cette stratégie, en temps utile, quand nous trouverons Montaigne confronté aux périls extrêmes et chargé des plus graves missions – qu'il accomplira dans un esprit réaliste très proche de celui du secrétaire florentin.

En ce domaine, l'amitié-passion pour La Boétie n'aura été qu'une parenthèse. Qu'ils aient mis en accord – sous l'influence déterminante de l'aîné – leurs conceptions relatives à la tolérance, à la coexistence, au passage de l'une à l'autre, à propos du débat sur l'édit de janvier ou de tel autre épisode capital de la période qui voit s'évanouir les espérances de Michel de L'Hospital et éclater les « troubles », c'est fort probable.

Que ce soit sous le regard intraitable de l'aîné ou sous celui, mobile, du cadet, la guerre civile apparaissait également odieuse. Passion pour la justice ou goût de la tolérance s'alliaient aussi bien que leurs cœurs différents. Faut-il pour autant supposer – comme le fait aigrement ce mauvais coucheur de Pierre Barrière[20] – que les dissensions politiques eussent tôt ou tard miné l'harmonie du couple fameux ?

Le sort ne permit pas que le développement de la guerre, à partir de 1562, la mît à l'épreuve : moins d'un an plus tard, Étienne de La Boétie était enlevé, par la peste, à son ami. Cette épreuve majeure inspira à Michel de Montaigne un texte ainsi intitulé lors de la publication en 1570 – peu avant qu'il entreprenne la rédaction des *Essais* : *Extrait d'une lettre que Monsieur le Conseiller de Montaigne écrit à Mon-*

19. Cf. *infra*, chap. VII.
20. Pierre Barrière, *Montaigne, gentilhomme français*, Bordeaux, Delmas, 1948.

seigneur de Montaigne son père concernant quelques particularités qu'il remarque en la maladie et la mort de feu Monsieur de La Boétie.

C'est le premier texte de Montaigne destiné à la publication. De toute évidence, il s'agit d'une version très retouchée de la lettre qu'il n'avait pas manqué d'adresser à Pierre Eyquem au lendemain de la mort de son ami, sept ans auparavant. Cette réécriture est pour beaucoup dans le dédain que certains affectent à l'endroit de ce « Montaigne avant Montaigne » qui serait, comme le *Discours de la servitude*, une sorte de pastiche de l'antique.

Le poète Bernard Manciet, pour qui Montaigne n'est lui-même que gasconnant, y voit une harangue « comme on en tricotait alors en France et en Italie, en latin ou en français, sur le thème usé de l'ami défunt ». France Quéré, ardente préfacière de la dernière édition de la *Lettre*[21], voit là une « bourrade un peu rude ». Riposte trop mesurée…

Par la vibrante finesse de l'observation, la lettre de Michel fait éclater l'apprêt *all'antica*, admirablement fidèle d'ailleurs à ce que dut être le style, le climat « romain » dans lequel s'épanouissait la « divine liaison ». On peut écrire qu'ici « La Boétie meurt comme un livre », comme le fait, avec une ironie un peu appuyée, Jean Starobinski. Mais il est des livres qui bouleversent, jusque dans leur artifice : c'est le cas de ce grand texte, où le Mourir, avec ses spasmes et ses déchirures saignantes, fait exploser la Mort en majuscules marmoréennes. Mais il est temps de juger sur pièces, comme nous l'avons fait pour le *Discours de la servitude* également vilipendé.

La lettre de Montaigne s'ouvre par le rappel de quelques faits. Le lundi 9 août 1563, Michel a invité son ami à dîner. Étienne lui a fait répondre que se trouvant « un peu mal » et s'apprêtant à partir pour le Médoc, il préférait recevoir sa visite : il a pris froid en jouant à la paume[22] et souffre de « tranchées », c'est-à-dire de douleurs abdominales, et d'un « flux de ventre »[23]. Cet indice provoque l'inquiétude de Montaigne : son ami revient de l'Agenais qui est « tout empesté ». N'est-ce pas une dysenterie, première manifestation de la peste ? Il suggère à La Boétie de s'arrêter à Germignan[24], sur la route du Médoc,

---

21. « Sur la mort d'un ami », *Carnets DDB*, 1995.
22. Avec François d'Escars, que nous retrouverons…
23. Les citations sont extraites de l'édition DDB.
24. Contigu au Taillan actuel.

chez sa sœur, Mme de Lestonnac [25] ; ce que fait le malade, accompagné de sa femme et de son oncle et père adoptif, M. de Bouillhonas.

Le lendemain, on le prévient que la dysenterie empire, que le malade l'attend. Michel accourt et se voit prié de rester, le « flux de sang » s'aggravant. Il va et vient entre Bordeaux et Germignan, de plus en plus inquiet. Étienne lui signifiant que sa maladie est « un peu contagieuse, [...] malplaisante et mélancolique », et qu'il vaudrait donc mieux qu'il ne le visite que « par boutées », Michel décide de ne plus quitter son ami. Le dimanche, il comprend que le malade commence à « désespérer [...] de sa guérison » et l'incite à ne pas laisser « ses affaires domestiques décousues ». Moyennant quoi, La Boétie fait appeler son oncle et sa femme, partage entre eux ses biens et se tourne vers son « frère d'alliance » :

« Mon frère [...] que j'avais choisi parmi tant d'hommes pour renouveler [...] cette vertueuse et sincère amitié [telle] qu'il n'en reste que quelques vieilles traces en la mémoire de l'Antiquité, je vous supplie [...] vouloir être successeur de ma bibliothèque et de mes livres [...] présent [...] qui vous est convenable pour l'affection que vous avez aux lettres [...]. » Puis, rappelant sa fidélité au catholicisme, il demande que l'on mande un prêtre.

Le malade a souhaité faire ses adieux, à tous les siens et à sa « garnison » (ainsi appelle-t-il les filles qui le servent). Survient le frère de Michel, Thomas, sire de Beauregard, converti au protestantisme, qu'il apostrophe ainsi :

« De tous ceux qui se sont mis à la réformation de l'Église, je n'ai jamais pensé qu'il y en ait eu un seul qui s'y soit mis avec meilleur zèle [...]. Et crois certainement que les seuls vices de nos prélats, qui ont sans doute besoin d'une grande correction, et quelques imperfections que le cours du temps a apportées à notre Église, vous ont incité à cela : je ne vous en veux pour cette heure démouvoir [26] [...]. Mais [...] ayant respect à la volonté de votre père [...] ne soyez point si âpre et si violent [...]. Joignez-vous ensemble. Vous voyez combien de ruines ces dissensions ont apportées en ce royaume [...]. Comme vous êtes sage et bon, gardez de mettre ces inconvénients parmi votre famille, de

25. Convertie à la Réforme.
26. « Détourner ».

peur de lui faire perdre la gloire et le bonheur duquel elle a joui jusques à cette heure [...]. »

Lundi, tout espoir a quitté le malade : « Mon frère, n'avez-vous pas compassion de tant de tourments que je souffre ? » Il s'évanouit. On le ranime « à force de vinaigre ». Il demande du vin, en boit, le déclare « la meilleure liqueur du monde ». (A quoi Montaigne lui objecte que c'est l'eau...) Il se confesse et reçoit les derniers sacrements, déclarant non sans audace au prêtre qu'il veut « mourir sous la foi et religion que Moïse planta premièrement en Égypte, que les pères reçurent depuis en Judée, et qui, de main en main [...] a été apportée en France [...] ». Il jette à la mort qu'il l'attend « gaillard et de pied coi », et confie à son ami qu'il est visité d'« imaginations [...] grandes, grandes [...] admirables, infinies et indicibles ».

Il fait mander encore une fois son épouse, qu'il appelle joliment « ma semblance », lui confie qu'il souffre de son mal à elle plus que du sien et murmure : « Je m'en vais dormir, bonsoir, ma femme, allez-vous-en » : tel est le congé qu'il prend d'elle, pour rester seul avec son ami. Étonnant privilège accordé à la « divine passion »...

Et, « donnant des tours dans son lit avec tout plein de violence », le voici qui interpelle Michel : « Mon frère ! mon frère ! me refusez-vous donc une place ? [...] J'en ai, mais ce n'est pas celui qu'il me faut ; et puis, quand tout est dit, je n'ai plus d'être [...]. Il y a trois jours que j'ahanne pour partir [...]. »

Partir ? C'est le moment : « Une heure après ou environ, me nommant une fois ou deux, et puis tirant à soi un grand soupir, il rendit l'âme [...] après avoir vécu trente-deux ans, neuf mois et dix-sept jours. »

Libre à certains de ne voir là qu'un « tricot » de lieux communs à l'antique. Libre à d'autres, dont je suis, d'admirer le terrible réalisme des notations et même des propos (« j'ahanne pour partir »), l'implacable rappel de la solitude du moribond, en dépit de tous (« Mon frère ! me refusez-vous donc une place ? ») le caractère plus conventuel que socratique de ces échanges où l'on sent passer, entre deux sentences héroïques, des linges et des brocs, de la sueur et des sanies, où Vincent de Paul est plus présent que Platon... Une odeur d'hospice.

Montaigne peut lorgner vers Sénèque. Il écrit en amoureux et en grand observateur. « Le charme insolite de cet écrit, selon France

Quéré, tient à l'échec des intentions proclamées […]. Les événements échappent au narrateur […], perturbent le cérémonial de la "bonne mort" […]. En résulte un chef-d'œuvre, tout ruisselant de vérité. »

Mais qu'est-ce qui fit donc la substance de cette amitié emblématique, si l'on tient compte des très longues séparations provoquées par les missions accomplies par l'un et l'autre entre 1558 et 1563 ?

Centrant la question sur Montaigne, objet de cette étude, on serait tenté de voir dans le « parce que c'était moi » le manifeste d'un assoiffé : c'est, on l'a dit, dans un « désert de l'amour » que vit le Montaigne du temps de la rencontre à Bordeaux – fût-il environné de « houris » et de « filles-fleurs »… Un être aussi sensible, aussi ouvert aux autres, ne saurait survivre dans l'isolement affectif : c'est également une époque où ses rapports familiers se sont aigris, avec le père probablement et avec la mère certainement, et où il exerce un métier qu'il n'aime pas. A vingt-cinq ans, Michel de Montaigne est mûr pour une grande passion. Qu'elle lui soit inspirée par un homme sied à un disciple des Anciens, modèles où il lui est loisible de trouver, de Socrate à Virgile, les plus nobles inspirations.

N'oublions pas au surplus que cette amitié ne nous est connue qu'à travers un prisme ou un filtre de mémoire, qui l'ennoblit et l'épure à l'extrême. La lettre testamentaire de Michel à son père elle-même n'est rédigée que des années après la tragédie. Pas de correspondance pour refléter déceptions ou ressentiments. Pas de journal pour faire écho à quelque crise. Le seul Michel de Montaigne évoque pour nous, avec un recul de dix ou quinze ans, ce vert paradis des amours juvéniles. Le temps perdu ne revit qu'en nostalgie créatrice.

S'il est vrai que l'œuvre de Montaigne, tout entière postérieure à la mort du bien-aimé, n'est que le « tombeau » de La Boétie, tenons cette amitié pour une sorte de quintessence dramatisée et idéalisée des relations humaines, vues par l'auteur des *Trois Commerces*. La part de simple lumière, on ose à peine écrire artificielle, de ce grand poème de la vérité en clair-obscur que sont les *Essais*.

Étienne disparu, c'est dans une autre vie qu'est entré Michel de Montaigne. Comme un amputé. Il écrira dix ans plus tard : « [...] ce n'est que fumée, ce n'est qu'une nuit obscure et ennuyeuse. Depuis le jour que je le perdis, [...] je ne fais que traîner languissant [...]. J'étais déjà si fait et accoutumé à être deuxième partout, qu'il me semble n'être plus qu'à demi » (I, 28).

A demi ? C'est en cette mi-vie pourtant, en cette « nuit obscure » de délaissé (et du fait même de ce délaissement) que va s'épanouir son scintillant génie.

Une robe trop longue...

Michel de Montaigne passe pour un conservateur. Éclairé, certes,
mais conservateur. Le fin mot de sa philosophie politique n'est-il pas
le refus des « nouvelletés » qui menacent l'ordre garant de la sécurité
des faibles et des pacifiques ? Dans l'exercice des charges publiques
et au cours de ses missions politiques et diplomatiques, il ne cessera
pas de se comporter comme un modéré, tentant de faire prévaloir les
solutions médianes et de museler les extrêmes.

Mais le Montaigne que nous allons voir revêtu, plus ou moins
malgré lui, de la longue robe de magistrat au parlement de Bordeaux
fait curieusement figure de rebelle. A double titre : dans l'ordre du
droit privé, il ne semble occupé qu'à rassembler l'argumentation du
formidable réquisitoire contre les lois et leur mode d'application qui
est l'un des thèmes majeurs du chapitre 13, livre III, des *Essais* ; sur le
terrain du droit public, il participe, pour un temps, à une véritable
fronde contre les directives de l'autorité royale.

Que Michel de Montaigne fût, au contraire de sa légende de reclus
dolent et sceptique, un homme d'action fort mêlé au « siècle », fort
avancé en ses affaires publiques, fort attentif au fonctionnement de la
société de son temps, on a compris que c'est ce que ce récit s'efforce,

après d'autres, de mettre en lumière – à partir de cet axiome décisif du châtelain de Montravel : « Je suis d'avis que la plus noble vacation, et la plus juste, est de servir au public et d'être utile à beaucoup. »

Montaigne est tenu pour l'inventeur de l'introspection, d'une philosophie de l'intime, d'une éthique fondée sur la connaissance de soi, de l'être en sa mouvante diversité. Mais pour si admirable et neuf qu'il fût en cette entreprise « farouche », il ne le fut guère moins en tant que citoyen d'un siècle où il n'était d'entreprise qui ne fût périlleuse et d'entremise qui ne promît quelques déboires.

Cet égotiste qui, à trente-huit ans, prétendit faire retraite en sa tour écrivait encore ceci : « J'aime la vie privée [...] non par disconvenance à la vie publique, qui est, à l'aventure, autant selon ma complexion. » Si fort qu'il aimât sa chambre, sa bibliothèque, son manuscrit et ses plaisirs, on le vit constamment s'en laisser arracher, déployant ici et là un « âpre » dévouement au service public. Ce que faisait valoir Colette Fleuret dans l'un des articles les plus savoureux jamais consacrés à l'auteur des *Essais,* « Montaigne et la société civile » :

« Montaigne n'est pas ce fantôme impressionniste et labyrinthique du Verbe en train de se dire que tend à présenter certaine critique contemporaine, cet Écrivain écrivant, à tous les degrés possibles d'écriture, le néant de l'Être et le chatoiement des apparences. Il est un philosophe, amant de la vérité, qui cherche obstinément comment penser pour savoir comment agir. Car chez lui la pensée ne se sépare pas de l'action, de la pratique concrète et efficace ; née de l'expérience, elle retourne à celle-ci... "Composer nos mœurs est notre office, et non pas composer des livres", déclare-t-il nettement. Et pas seulement nos mœurs, mais celles du "public", ce public pour qui on écrit, après tout[1]... »

S'engager dans le débat, écrire pour le bien public, ces thèmes sont récurrents dans les *Essais* : « [...] tenir son affection immobile et sans inclination aux troubles de son pays et en une division publique, je ne le trouve ni beau ni honnête » (III, 1). « Quant de fois, étant marri de quelque action que la civilité et la raison me prohibaient de reprendre à découvert, m'en suis-je ici dégorgé, non sans dessein de publique instruction ! » (II, 18).

---

1. Colette Fleuret, « Montaigne et la société civile », *Europe*, janvier-février 1972.

Et si Montaigne n'est point engagé comme Marot, qui a mis son génie au service de la Réforme et en a pâti, il ne cite pas en vain (II, 18) l'appel au combat public du poète chéri de Marguerite de Navarre :

> *Zon dessus l'œil, zon sur le groin,*
> *Zon sur le dos du Sagoin !*

Nous savons que, « plongé jusqu'aux oreilles » par son père dans une « ambition » qu'il se sentait « fumer en l'âme », non sans « se bander » contre, il n'a pas su saisir les chances que lui offraient en son « enfance » Paris et de puissantes amitiés et que, vers sa vingt et unième année, il se retrouva quinaud, en dépendance des siens et contraint d'entendre la sentence qui, des siècles durant, sonnera aux oreilles de maints fils de famille nonchalants : « Faute de mieux, fais ton droit ! »

Comment le jeune Michel fut-il formé à cette discipline, si tant est qu'il l'ait été, on ne le sait guère. Entre mille sarcasmes décochés par lui contre ceux que Rabelais traitait de « glossateurs, ramoneurs de cheminée, gros veaux de dîme », il écrira plus tard que du droit il n'a rien su, sinon qu'il y a une médecine et une jurisprudence, et grossièrement à quoi elles tendent... Ne le prenons pas ici trop au sérieux : car il est patent que le fils de Pierre Eyquem acquit, ici ou là, mieux qu'une teinture du droit, en assimila le langage (« puants vocables », selon d'Aubigné) et en porta la robe, dût-il la trouver trop longue et encombrante. Treize années durant, l'agilité de son esprit qui avait cessé d'être « mousse », sa naturelle sagacité et son ample information, livresque et vécue, à propos du commerce des hommes, firent le reste – sans parler des conseils d'amis juristes comme La Boétie et Arnaud de Ferron.

N'insistons pas davantage sur l'éloignement de Michel pour ce qu'il appelle non sans dédain [2] le « quatrième état » – bien inférieur dans son esprit au militaire, à l'ecclésiastique et à l'agricole. La robe ? Un corps « à part de celui de la noblesse », ose-t-il dire, lui si féru de noblerie, dénonçant parmi les pratiques de cet « état » la vénalité des charges et semblant oublier qu'en matière de titres nobiliaires cet

---

2. Madeleine Lazard (*Montaigne*, Paris, Fayard, 1992) parle même de « mépris ».

argument-là ne laissait pas de jouer son rôle : les ascendants de Michel Eyquem en savaient quelque chose…

Pour un admirateur comme lui des héros antiques, des hommes de cheval et d'épée, ce n'étaient là que façons et pratiques de « chats fourrés », fiers de la seule longueur de leur robe et de l'hermine qui la doublait. Qu'il y ait connu son cher Étienne, retrouvé maints personnages de sa parenté, apprécié de grands professionnels comme Ferron ne lui rendit pas plus aimable cette corporation solennelle.

Jacques-Auguste de Thou peut bien saluer en lui (de loin) un magistrat « assidu », l'histoire de Montaigne en robe n'en est pas moins une suite d'esquives, de départs en mission, de prises de congés exceptionnels. Il est bien significatif que la première mention faite de son nom aux archives de Guyenne soit relative à une absence… Et que la principale des affaires traitées par lui, au regard des archives municipales, eût trait à l'application de l'impôt dit « taillon » aux animaux à « pied fourchu » – bœufs, vaches et moutons…

Mais il serait absurde de ne pas distinguer d'emblée les deux fonctions, de natures si différentes, auxquelles était appelé un « parlementaire » de ce temps-là : l'une purement judiciaire – procès civils, contentieux fiscal, affaires criminelles –, l'autre politique, relevant en tout cas de la chose publique et notamment des rapports entre le pouvoir royal et les provinces.

Le parlement de Guyenne était en effet l'une des huit grandes assemblées (dont sept provinciales) qui constituaient le seul organisme de contrôle par la nation du pouvoir royal – alors en marche vers l'absolutisme. Dotées du droit de refuser l'enregistrement des édits royaux, les assemblées disposaient ainsi d'un frein à l'exercice de l'autorité monarchique – obstacle que le souverain pouvait d'ailleurs surmonter par l'envoi de « lettres de jussion » censées couper court à la résistance des notables : et si les magistrats persistaient, le souverain convoquait un « lit de justice » qui lui permettait de clore, à son avantage, le débat. Mais non sans délai ni dommage.

Cet aspect politique de la charge parlementaire ne cessa jamais de passionner le fils de Pierre Eyquem, si bon royaliste qu'il fût. Mais il ne put jamais cacher sa répugnance à l'endroit de la procédure proprement judiciaire, au fiscal, au civil et surtout au criminel : il dénonce « la jurisprudence [comme une] science d'altercation et de division ».

106

Cette rébellion contre la jurisprudence se manifeste aussi à propos de la romanisation systématique du droit coutumier aquitain. Très intéressant, ce régionalisme judiciaire de l'auteur des *Essais*, tout fier de rappeler que « [...] ce fut un gentilhomme gascon et de mon pays, qui le premier s'opposa à Charlemagne nous voulant donner les lois latines et impériales » (I, 23). Plus intéressant encore, la défense qu'il entreprit desdites coutumes : André Tournon, louable défenseur des vertus juridiques de Montaigne, signale que la bibliothèque de droit de l'université de Bordeaux conserve une « *Estude de messire de Montaigne, autheur des* Essais, *recueil de* Las coutumas de Bourdeú », mais ce texte témoigne de son attachement à la Gascogne et de son intérêt pour la sociologie mieux peut-être que de son sens juridique.

Ce particularisme gascon, chez le conseiller Montaigne, n'est qu'une forme de son « mauvais esprit ». Écoutons ce magistrat parler, beaucoup plus profondément, de la loi en général, des lois françaises en particulier et du respect qui leur est dû – ou refusé... – par un homme qui est chargé sinon de les faire, au moins de les appliquer. C'est, dans les *Essais*, un véritable jeu de massacre : et n'oublions pas que c'est un magistrat du roi, à peine libéré de sa charge, qui s'exprime en ces mots de feu :

> [...] les lois se maintiennent en crédit, non parce qu'elles sont justes, mais parce qu'elles sont lois. [...] Quiconque leur obéit parce qu'elles sont justes, ne leur obéit justement par où il doit. Les nôtres françaises prêtent aucunement[3] la main, par leur dérèglement et déformité, au désordre et corruption qui se voit en leur dispensation et exécution. [...] c'est un vrai témoignage de l'humaine imbécillité [...] (III, 13). [...] lorsque l'occasion m'a convié aux condamnations criminelles, j'ai plutôt manqué à la justice (III, 12).

Montaigne ou l'ennemi des lois ! L'étrange, le scandaleux magistrat que voilà, assuré d'une seule chose : du caractère à la fois arbitraire, imbécile et pervers de l'appareil légal qu'il lui est donné d'appliquer. « Nous obscurcissons l'intelligence... », écrit-il ailleurs. Plus virulent, s'il est possible, que son ami La Boétie à l'encontre de la tyrannie, plus radical que Proudhon ! Imaginons ce qu'eût été son *Esprit des lois*

---

3. « Particulièrement ».

à lui… On comprend que, après treize années d'un tel exercice, ce juge rebelle ait souhaité prendre le large !

Mais si assuré qu'il soit de l'infirmité des textes, au point d'oser affirmer, en un livre destiné à être offert au roi, qu'en situation de prononcer des « condamnations criminelles » il a préféré « manquer à la justice », ayant vu maintes « condamnations, plus crimineuses que le crime », il est un des aspects de ce métier qui lui paraît plus répugnant encore que la sottise des lois ou la bêtise des juges : les moyens employés par les tribunaux pour arracher leurs aveux aux prévenus ou simples suspects. Là, notre essayiste passe du sarcasme à l'indignation :

> C'est une dangereuse invention que celle des géhennes, et semble que ce soit plutôt un essai de patience que de vérité. Et celui qui les peut souffrir cache la vérité, et celui qui ne les peut souffrir. Car pourquoi la douleur me fera-t-elle plutôt confesser ce qui en est, qu'elle ne me forcera de dire ce qui n'est pas ? Et, au rebours, si celui qui n'a pas fait ce de quoi on l'accuse, est assez patient pour supporter ces tourments, pourquoi ne le sera celui qui l'a fait […] ? Je pense que le fondement de cette invention est appuyé sur la considération de l'effort de la conscience. Car, au coupable, il semble qu'elle aide à la torture pour lui faire confesser sa faute, et qu'elle l'affaiblisse ; et, de l'autre part, qu'elle fortifie l'innocent contre la torture. Pour dire vrai, c'est un moyen plein d'incertitude et de danger.
> Que ne dirait-on, que ne ferait-on pour fuir à si grièves douleurs ? […]
> D'où il advient que celui que le juge a géhenné pour ne le faire mourir innocent, il le fasse mourir et innocent et géhenné (II, 5).

Superbe. En ce siècle où un grand juriste comme Jean Bodin soutenait qu'il fallait jeter au feu sorcières, sorciers et autres interlocuteurs du démon, c'était prendre là autant de risques qu'en dénonçant les tyrans ou l'injustice des lois. Il se trouve que le conseiller Montaigne – qui ne s'exprimait peut-être pas aussi crûment sur le terrain – n'eut pas à pâtir de ces idées révolutionnaires. Ces dénonciations de la loi et de la torture indignèrent les confrères du conseiller Montaigne, qui tentèrent, on le verra, d'en tirer vengeance ; mais le livre n'en était pas moins acclamé, et assuré de l'admiration des grands.

Ainsi découvrons-nous, en ce magistrat catholique, un perpétuel « protestant ». Dans l'ordre proprement judiciaire, nous le voyons condamner en bloc tout le système, aussi bien la vénalité des charges que les lois de son pays et les conditions de leur application – gloses et « entregloses », recours à la torture. Et dans l'ordre politique, ce conseiller royaliste n'est guère plus conformiste à l'égard de l'autorité monarchique. Pendant des années, nous allons le voir s'agiter contre un président fidèle à la couronne, et dans la mouvance d'une faction peu respectueuse des volontés royales.

La robe longue sied si mal au fils de Pierre Eyquem qu'elle fait de ce conservateur éclairé un « frondeur » avant la lettre. Il pense comme le fera Mazarin, mais agit pour un temps comme Retz. De cette agitation ne surnagera, dans la suite de sa vie, et dans les *Essais*, qu'une lumineuse vision de la liberté, des personnes et des sociétés. Mais son expérience de « magistrat », privé et public, aura été mouvementée...

En Montaigne magistrat, comme en Michel amoureux, tout est contradiction. Celle d'abord de son entrée dans cette carrière en un premier temps dédaignée, ensuite dénoncée : on admet en général qu'il revêtit sa première robe à Périgueux, où avait été créée en 1554 une cour des aides (c'est-à-dire de la fiscalité), son oncle Pierre de Gaujac, frère cadet de son père, lui ayant cédé en 1556 la charge dont il était titulaire. Michel ne siégea pas longtemps à Périgueux – si tant est qu'il l'ait fait –, la cour des aides ayant été transférée et incorporée au parlement de Bordeaux, dès 1557, sur les instances des magistrats de cette ville. Michel y fit vraisemblablement son entrée en octobre 1557, en même temps que treize autres Périgourdins.

Les conditions dans lesquelles les nouveaux venus furent accueillis au palais de l'Ombrière contribuèrent, n'en doutons pas, à aigrir les préventions du fils de Pierre Eyquem contre cette corporation : reçus en intrus, allégés d'un tiers de leur annuité [4], ils furent les cibles de toutes sortes de brimades protocolaires – qui donnèrent au jeune Montaigne l'occasion de manifester son caractère et son éloquence protestataire.

Mais c'est dans le champ de la politique, en tout cas des rapports entre ce parlement et l'autorité royale, que le jeune magistrat manifeste

---

4. Ramenée au niveau de celle des Bordelais, de 500 à 350 livres.

surtout son activité et sa personnalité alors « survoltées », si l'on peut dire, par sa rencontre avec Étienne de La Boétie, maître en morale publique. Sa robe n'est pas si longue, alors, qu'elle ne lui permette d'audacieuses gesticulations !

Quand Michel de Montaigne y est admis comme conseiller à la cour des requêtes, au mois de novembre 1557, le parlement de Guyenne est le siège d'un grand débat politique, ou politico-religieux, opposant les tenants fidèles de la politique royale, inspirée par une volonté de conciliation avec le protestantisme – nous sommes douze ans avant la Saint-Barthélemy –, aux partisans d'une stratégie répressive contre les huguenots. Derrière cette opposition se dessinent d'autres débats, entre autorité royale et parlement, tous deux plus ou moins jaloux de leurs prérogatives, entre État central et personnalité provinciale. Mais c'est la « question protestante » qui est d'ores et déjà au cœur des conflits.

Si on emploie ce dernier mot, c'est que la situation était, alentour, très tendue. Non celle qui prévalut cinq ans plus tard, après le massacre de Wassy et l'assassinat de François de Guise. Mais la Guyenne vivait sous la pression qu'exerçaient les militants armés de la Réforme, en pleine expansion le long de la vallée de la Garonne, en Charente et dans les domaines relevant de la Cour des Navarre : Jeanne d'Albret se convertit au calvinisme en 1560. Les notables catholiques, dans leur majorité, s'affolaient d'autant plus de cette croissance huguenote qu'elle se manifestait surtout dans leur propre milieu nobiliaire, parmi leurs proches.

Au parlement de Bordeaux s'affrontaient donc ouvertement « ultras » et « modérés », partisans de la liquidation de la Réforme (qui avaient leur homme de main, le très « âpre » maréchal de Monluc) et tenants de la conciliation (dont le bras armé était le lieutenant général Burie [5]). Nous avons vu qu'en 1562 c'est ce dernier parti qui prit l'ascendant et faillit faire prévaloir, avec le concours d'Étienne de La Boétie, la plus intelligente tolérance. Mais, au moment où Michel de Montaigne pénétra au palais de l'Ombrière, le débat restait très ouvert – et nous avons la surprise de ne pas trouver notre homme dans le parti où sa culture et son tempérament l'appelaient.

Les modérés ont un chef, qui n'est autre que le président du parle-

5. Cf. *supra*, chap. IV.

ment lui-même, Jacques de Lagebaston, fidèle interprète de la politique royale dessinée par son ami le chancelier de L'Hospital. (On assure que, sosie de François Ier, ce magistrat en avait été le bâtard préféré.) C'est en tout cas un chef de file de grande envergure, flanqué qu'il est du lieutenant général Burie et soutenu par l'un des meilleurs juristes du parlement, Arnaud de Ferron.

Mais le parti ultra n'a pas moins de répondants. Trois hommes lui prêtent leur prestige et lui insufflent leur énergie : l'archevêque de Bordeaux, Prévôt de Sansac ; le président de Roffignac, qui a assuré quelque temps l'intérim de Lagebaston et brigue son poste ; et surtout le marquis de Trans, chef de la maison de Foix-Candale, la première de la province. Or il se trouve que, pour des raisons de vasselage, de voisinage et de clientèle, les Eyquem de Montaigne sont dans la dépendance de l'archevêque de Sansac, suzerain de Montravel, et du marquis de Trans, leur puissant voisin, qui a naguère fait jouer ses relations à la Cour en faveur de Michel.

Comment s'étonner après cela que le jeune magistrat se soit trouvé aspiré par le « parti » des violents, lui, le modéré, le pacifique – et l'ami, déjà, de La Boétie qui se trouvait tiré vers l'autre bord, remplissant la mission que l'on sait aux côtés de Burie ? Montaigne fit-il jamais partie du « syndicat », la première Ligue, bien antérieure à celle qui, dans les années quatre-vingt, manqua porter sur le trône le duc de Guise au détriment d'Henri de Navarre ? On n'en a pas la preuve. Mais il est clair que dans les débats houleux qui agitent alors le parlement de Bordeaux, le jeune conseiller de Montaigne ne se retrouve pas du côté le plus conforme à son génie et où se range bientôt son cher La Boétie – sans que l'on puisse trouver la moindre trace d'une faille creusée, dans leur amitié, par ces cheminements divergents.

On se perdrait d'ailleurs à essayer de tracer des lignes de démarcation entre ces « partis » où affinités personnelles, allégeances nobiliaires, réflexes corporatistes, sensibilités religieuses et intérêts familiaux – sans compter les manœuvres des agents anglais et espagnols – brouillaient constamment les pistes. Si Montaigne et La Boétie ne se trouvent pas toujours dans le même « camp », on observe que l'auteur du *Discours de la servitude* est lui-même l'ami de l'un des chefs de l'intégrisme catholique, François d'Escars, et ce à l'époque même (1559) où est supplicié son propre maître, Anne du Bourg...

Ainsi, en conformité avec la philosophie des *Essais*, on considérera ces agitations cas par cas, coup par coup, en ayant bien à l'esprit que le Montaigne du parlement de Guyenne est un homme qui se cherche, tâtonne, butine, tiraillé entre clientèles et amitiés, partagé entre sa modération naturelle, qu'encourage La Boétie, et l'activisme de ses puissants protecteurs – un homme éminemment « ondoyant et divers ».

Au plus fort de ces tensions et débats, l'édit de janvier 1562, manifeste par excellence du modérantisme de la Cour de France, fut reçu par les « ultras » catholiques comme une provocation – à Bordeaux comme dans les autres parlements. Les éléments les plus dynamiques de cette faction ripostèrent en faisant voter un texte exigeant de tous les parlementaires qu'ils prononcent une profession de foi romaine, provoquant ainsi l'exclusion automatique de leurs collègues ralliés, secrètement ou non, à la Réforme. A cette époque, Montaigne était (comme il lui arriva souvent) en mission à Paris. Les huit parlements formant, dans l'esprit des institutions, un corps unique, ce serment pouvait être prêté devant l'une ou l'autre de ces juridictions.

Dès le 12 juin, devançant l'appel, si l'on peut dire, et alors que l'obligation, pour les Bordelais, ne prenait force de loi qu'en juillet, le jeune conseiller se précipita chez ses collègues parisiens ; d'où cette pièce des archives du parlement de Paris citée par Nicolaï : « [...] maître Michel de Montaigne, conseiller au Parlement de Bordeaux, a fait la révérence à la Cour et l'a suppliée, pour avoir voix délibérative à l'audience d'icelle, être reçu à faire profession de foi, suivant ce qu'il avait été averti avoir été ordonné par arrêt d'icelle Cour du sixième de ce mois ; ce qu'il a fait ès mains de Monsieur le Premier Président et a signé au rang des conseillers de la dite Cour. »

Cette hâte à se plier aux injonctions des intolérants n'est pas, en apparence, à l'honneur de maître Michel. De bons montaignistes allèguent qu'il y avait « obligation ». Certes. Mais il y a des « serments » obligatoires qu'il n'est pas très digne de se hâter de prêter [6]. Le zèle de

---

6. Est-il inconvenant de rappeler qu'en 1940, aussi, un serment fut imposé aux hauts fonctionnaires ? Autres temps, bien sûr...

Montaigne témoigne-t-il d'un engagement (provisoire) du côté des affidés de Sansac et des Candale ? Plus simplement, du souci de leur complaire – minuscule trait de « servitude volontaire » ? Ou enfin d'un assez grand mépris pour ces choses, qui le conduisit à sacrifier au rituel pour être plus libre sur l'essentiel ?

Dix-huit mois plus tard se produira un incident qui fera monter la tension au parlement de Bordeaux et donnera un argument à ceux qui privilégient la première de nos trois hypothèses : Montaigne, enserré qu'il est dans le réseau de ses suzerains et protecteurs, et privé des avis de son cher Étienne qui vient de mourir, va se conduire – ou s'exprimer – comme un hussard de l'activisme catholique.

Le 12 novembre 1563, le parlement de Bordeaux est le théâtre d'une manifestation scandaleuse. François d'Escars, grand sénéchal de Guyenne, tente d'intimider le président Lagebaston en faisant pénétrer ses hallebardiers dans la grand-salle du palais de l'Ombrière, exigeant que ce haut magistrat catholique fût déclaré inapte à statuer en des causes où étaient impliqués des protestants, ses amis... Indigné, le président réussit à faire expulser le trublion et ses gens, non sans mettre en cause ceux des magistrats qui, selon lui, avaient partie liée avec le sénéchal, le conseillaient en ses démarches, « allant boire et manger avec le sieur d'Escars », ce qui les rendait à ses yeux « méprisables ». Moyennant quoi, lui, Lagebaston, demandait qu'ils fussent récusés...

« Méprisables » ? Et de ce fait « récusables » ? Oh, oh ! Qui visait donc, de façon aussi grave, le président ? On le somma de « donner » les noms, selon une vieille tradition des assemblées. Lagebaston ne se fit pas prier. On peut être modéré sans être modérément intrépide. La liste qu'il livra au parlement avait de quoi secouer les colonnes du temple. Les complices de l'homme qui avait prétendu le réduire au silence à force de hallebardes, ces bénéficiaires des largesses du sénéchal qui le payaient en l'incitant à violer la loi, c'étaient l'archevêque de Bordeaux, le président Roffignac et son assesseur, La Chassaigne [7], les conseillers d'Aymar, La Guyonie, Belot... et Montaigne !

La chronique ne dit pas si la foudre tomba sur le palais de l'Ombrière. Mais ceux qui étaient accusés là de forfaiture, ou tout comme, par la plus haute autorité du parlement étaient ce qu'on pourrait appeler le

7. Le grand-père de Françoise, la future femme de Michel.

« gratin » de la noblesse de robe (et du clergé) de Bordeaux. On imagine le ton des ripostes, la violence des plaidoyers répondant à celles des hallebardes et de l'accusation. Montaigne était le plus jeune. Il parla le dernier, mais non le plus timidement :

« [...] Michel de Montaigne s'exprima avec toute la vivacité de son caractère, et dit qu'il n'y avait lieu qu'ils sortissent, et que le premier président n'était recevable de proposer de récuser aucun par forme de remontrance ou autrement, lorsque lui-même était récusé ; puis il sortit en disant qu'il *nommait toute la Cour*. Il est rappelé. La Cour lui ordonne de dire ce qu'il entend par ces mots, qu'il *nommait toute la Cour* [...]

« [...] Sur quoi ledit Eyquem a dit qu'il n'avait aucune affection [passion] en la présente matière ni inimité aucune contre le premier président, son ami [après l'avoir été] de tous ceux de la maison dudit Eyquem ; mais voyant l'ouverture mauvaise que l'on faisait à la justice, que *jacta erat alea*, et que l'on recevait les accusés contre les arrêts de la Cour, à récuser d'autres juges qui n'y avaient nul intérêt non plus que lui ; il avait dit que si cela était permis, il pourrait aussi récuser toute la Cour, mais n'entendait pour cela nommer aucun, et se départait de son dire en ce qu'il avait nommé toute la Cour [8]. »

Bref, l'affaire fut chaude. On nous dit et nous répète que Michel de Montaigne fut un *assessor dignissimus*, un magistrat consciencieux, et, par ailleurs, au sein du parlement, un conseiller catholique d'une constante modération. Mais nous voyons agir un jeune homme turbulent, qui ne compense ses absences que par des interventions outre-cuidantes, qui prétend récuser son président en défense d'un personnage qui n'a rien tenté de moins qu'un coup de force contre l'un des principaux représentants du roi et de sa politique dans la province.

Deux des premiers historiographes de l'auteur des *Essais,* dom Devienne et Alphonse Grün, le montrent associé (de mauvais gré ? rien ne le prouve) aux initiatives militantes de la première Ligue catholique, qui, incitée par le terrible Monluc, usurpe les attributions municipales, sinon royales, levant des milices bourgeoises pour la défense de Bordeaux contre les réformés, les encadrant de personnalités de tout poil. Le conseiller Montaigne fut-il appelé, deux mois durant,

8. Cité par le Dr Jean-François Payen, *Recherches sur Montaigne*, n° 4, 1856, p. 20.

à un service de « garde nationale » pour défendre Bordeaux contre une colonne de huguenots commandée par Armand de Clermont ? On y reviendra.

Selon dom Devienne, les registres du parlement attestent que « Prévôt de Sansac, archevêque de Bordeaux, entrait presque tous les jours au palais pour seconder, autant qu'il était en lui, les bonnes intentions et les démarches de cette compagnie dans des temps si critiques ». Un prélat botté, des fanatiques alarmés, des bourgeois surexcités. Mélange classique et détonant...

En attendant de se faire, dans les *Essais*, le contempteur des lois de son pays, Montaigne s'affiche ici en franc-tireur et tête brûlée. Chacun sait qu'on ne fait de vrais sages qu'avec d'anciens fous. On peut dire qu'en ce temps-là, en dépit de sa longue robe, le futur auteur des *Essais*, pour mieux devenir sage, aura payé un large tribut à la folie.

Tous ces défis et affrontements ne résument-ils pas les activités de Michel de Montaigne, conseiller au parlement ? Il lui restait à préciser, à l'intention du roi et de son chancelier, qu'il était bon royaliste, admirateur de Michel de L'Hospital, et que c'était moins à la politique de la couronne qu'il en avait qu'aux mœurs et pratiques de ses collègues. L'occasion de cette manifestation d'audace lui fut offerte quinze mois après le « scandale d'Escars », auquel il avait pris la part que l'on a vue.

Au début de l'année 1565, Bordeaux s'apprêtait à accueillir Charles IX, sa mère, Catherine de Médicis, le chancelier de L'Hospital et quelques personnages illustres de leur suite, parmi lesquels Ronsard. La régente et le chancelier avaient eu l'idée de faire accomplir cette « virevolte du royaume » au jeune souverain âgé de quatorze ans : pensée profonde que cette « connaissance » symbolique de la personne du souverain par la masse du peuple, occasion (ultime ?) de prévenir l'extension de la guerre civile par l'alliance de tous autour du corps du petit roi.

Le parlement de Bordeaux n'avait pas accueilli sans inquiétude l'annonce de cette visite. Il avait à se faire pardonner beaucoup d'incartades, tant par rapport à la politique royale d'apaisement qu'en matière d'éthique professionnelle. L'arrivée du roi fut précédée, au palais de l'Ombrière, de diverses séances de mise au point, chacun étant invité par Lagebaston à s'expliquer.

Quand vint son tour, le 24 janvier, le conseiller Montaigne se garda de se hasarder sur le terrain le plus périlleux pour lui, celui des agissements des ligueurs ultra-catholiques. Il préféra d'abord faire l'éloge de l'initiative royale, puis condamner, non sans courage, les abus les plus criants de la pratique judiciaire à Bordeaux : « [...] ledit Eyquem a dit qu'en parlant au Roi, il lui faut imprimer en l'opinion combien il sied à un bon Roi de visiter souvent les terres de ses sujets et combien cela apporte de commodités aux affaires de son État... »

S'étant ainsi couvert du côté du pouvoir, il fustigea le corps dont il était l'un des membres déjà notoires : « [...] Tout le désordre de l'injustice vient de l'infini nombre d'officiers qu'on y met [...] de ce que toutes les choses sont vénales... du mauvais ordre qu'on a à les choisir [et] qu'il ne faut faire nulle requête qui tende à augmenter le gain que nous faisons en nos états[9]. » (On croirait déjà lire une page des *Essais*...)

On imagine que cette semonce, formulée par ce collègue tard venu, ne dut pas faire que des amis au fils de Pierre Eyquem. Mais les messieurs du parlement n'étaient pas au bout de leurs peines. La mercuriale qu'ils allaient devoir écouter de la bouche du chancelier de L'Hospital lui-même, le 11 avril, dut faire passer un frisson dans leurs rangs : le pouvoir royal plaçait ainsi ces parlementaires frondeurs ou fanatiques qui se qualifiaient eux-mêmes de « sénateurs » (s'attirant pour cela les railleries de Montaigne) dans ce qu'on n'appelait pas encore le « collimateur »...

Ce jour-là donc, le roi Charles IX tint au palais de l'Ombrière ce qu'on nommait un « lit de justice », l'instance la plus haute, d'où pouvait se manifester sa suprématie sur tous les corps de « contrôle ». Prenant la parole devant ces magistrats si souvent rétifs à ses édits, cet enfant de quatorze ans flanqué de la régente et du chancelier rappela avec insistance que la politique royale, à l'égard des réformés, était et restait fondée sur la modération. Qu'on se le tînt pour dit...

Ainsi admonestés sur le fond, les parlementaires bordelais allaient écouter Michel de L'Hospital juger leur comportement. Quel provi-

---

9. F. Hauchecorne, « Une intervention ignorée de Montaigne », cité *in* Donald Frame, *Montaigne. Une vie, une œuvre, 1533-1592*, Paris, Honoré Champion, 1994, p. 66.

seur, quel recteur de collège a jamais tancé si vertement ses potaches ?

« Le roi est venu en ce pays [...] pour faire comme un bon père de famille, pour savoir comme l'on vit chez soi, et s'informer avec ses serviteurs comme tout se porte. [...] Il a trouvé beaucoup de fautes en ce parlement, lequel, comme étant fraîchement et dernièrement institué (car il y a cent et deux ans), vous avez moindre excuse d'avoir oublié sitôt les anciennes ordonnances [...] et toutefois vous êtes aussi débauchés ou plus que les vieux [...] Voici une maison mal réglée, c'est vous autres qui en devez rendre compte.

« La première faute, c'est la désobéissance que vous portez à votre roi [...] Si vous avez des remontrances à lui faire, faites-les-y au plus tôt, et il vous oira. Vous lui ôtez sa puissance royale quand vous ne voulez obéir à ses ordonnances, qui est pis que de lui ôter son domaine. Ne vous estimez pas plus sage que le roi, la reine et son conseil. Il a acquis la paix, et à présent il a la guerre entre lui et sa cour de parlement [...] Ne faites point que le roi rue contre vous. Je sais bien qu'il y en a d'entre vous qui disent : Ce n'est pas le roi qui fait cela ; et parlent assez librement de moi et d'autres. Et encore qu'il soit défendu de révéler les secrets, si ce n'est pas pourtant trop mal fait de rapporter cela : Vous méprisez la reine et le conseil du roi [10]. »

Encore ne cite-t-on là qu'une petite partie de ce qui, dans cette implacable remontrance, a trait à l'obéissance due au roi et à l'esprit de rébellion des parlementaires – et non les virulentes dénonciations formulées par le chancelier contre les complicités de crime, la concussion, la rapacité de ces magistrats, dont beaucoup « devraient laisser là une robe et se faire marchands », ou ceux qui « se font capitaines », bien à tort car « il n'appartient à aucun de tuer ».

Michel de Montaigne pouvait bien alléguer que sur le terrain de l'éthique judiciaire il avait su précéder le chancelier de France et se trouvait en parfaite harmonie avec lui ; mais pour ce qui était de l'obéissance à l'édit de janvier, de la tolérance envers les « religionnaires », le jeune Montaigne était-il alors plus proche de L'Hospital et de Lagebaston que du sieur d'Escars et de ses affidés, Roffignac, Sansac ou Candale ?

10. Cité par Alphonse Grün, *La Vie publique de Michel de Montaigne*, Paris, Amyot, 1855 ; rééd. Slatkine, 1970, p. 110, 111.

Quand, cinq ans plus tard, Michel de Montaigne résignera sa charge de conseiller au parlement, on peut penser qu'il entendra résonner encore à ses oreilles la formidable remontrance d'un homme qu'il admirait comme l'admirait La Boétie – mais qu'il n'avait pas su servir aussi bien que son ami, faute peut-être d'en avoir l'occasion. De ses foucades du côté du parti des ligueurs, de l'archevêque de Sansac et de la maison de Trans, se jugeait-il alors absous ?

Les dérapages qui ont marqué les débuts de la carrière parlementaire de Montaigne, on est en droit de ne pas les tenir simplement pour des concessions opportunistes faites par un vassal à son suzerain ou comme des traits du folklore bordelais : car notre magistrat put à diverses reprises s'évader de ce climat et de ses contraintes et prendre du champ par rapport aux querelles locales – qu'exacerbaient les progrès du protestantisme en Guyenne.

On a déjà signalé que Montaigne fut souvent porté « absent » sur les registres du parlement bordelais pour « mission à Paris » ou « à la Cour ». Ce « fumet » d'ambition qu'il reniflait si bien en lui et les bons offices de son père et de quelques amis le remirent à diverses reprises sur ce chemin de Paris que nous lui avons vu emprunter dès avant sa vingtième année.

Première absence notifiée dans le registre du parlement de Guyenne : « pour le service du roi et par le congé de la Cour[11] ». Le jeune magistrat est intégré – évidemment sur les instances de l'ancien maire de Bordeaux, son père – à la suite du roi François II, époux de Marie Stuart, qui conduit à Bar-le-Duc sa sœur Claude, mariée au duc de Lorraine[12].

Les *Essais* portent une trace de ce voyage, et de première importance : « Je vis un jour, à Bar-le-Duc, qu'on présentait au roi François second, pour la recommandation de la mémoire de René [d'Anjou], roi de Sicile, un portrait qu'il avait lui-même fait de soi. Pourquoi n'est-il loisible de même à un chacun de se peindre de la plume, comme il

---

11. La cour, ici, est le parlement bordelais.
12. Lequel voit du coup restitué à son apanage des territoires qu'avait légués à sa famille le roi René d'Anjou et que Louis XI avait rattachés à la France.

se peignait d'un crayon ? » (II, 17). Le « sot projet qu'il eut de se peindre », comme devait l'écrire plus sottement Pascal, est-il né à Bar-le-Duc ? Les *Essais* nous viennent peut-être de cette escapade lorraine.

« S'en allant en Cour pour d'autres affaires », est-il indiqué, notre « conseiller aux champs » est, pendant l'été 1562, à Rouen, dans l'entourage du roi Charles IX, dont les troupes viennent de reprendre la ville aux réformés, et en l'honneur duquel se déroulent quelques fêtes et cérémonies.

Là encore, là surtout, il faut nous arrêter un instant. Car la promenade de notre magistrat-courtisan va prendre un sens profond : c'est à cette occasion qu'il rencontre les fameux « sauvages », indigènes brésiliens qui serviront de thème à l'un des *Essais* les plus justement célèbres : celui qu'il a consacré aux « cannibales » (I, 31), et qui est au cœur même de sa philosophie « mobiliste » et universaliste.

Comment, ici, ne pas tout citer ? Le turbulent conseiller bordelais n'enfourche jamais pour rien son cheval. Lui qui perd son temps, au palais de l'Ombrière, entre son belliqueux archevêque et ses insolents voisins enfermés dans le fixisme le plus hautain, le voici qui, face à ces hommes venus d'au-delà des océans, ouvre la voie à l'humanisme occidental.

Évoquant la visite royale, et une longue conversation entre un Charles IX de douze ans et trois indigènes venus de la « France antarctique [13] » auxquels avaient été montrées « notre façon, notre pompe, la forme d'une belle ville » et à qui l'on demandait « ce qu'ils avaient trouvé de plus admirable », il rapporte cette savoureuse réponse :

> Ils dirent qu'ils trouvaient en premier lieu fort étrange que tant de grands hommes, portant barbe, forts et armés, qui étaient autour du roi [il est vraisemblable qu'ils parlaient des Suisses de sa garde], se soumissent à obéir à un enfant, et qu'on ne choisissait plutôt quelqu'un d'entre eux pour commander ; secondement [...] qu'ils avaient aperçu qu'il y avait parmi nous des hommes pleins et gorgés de toutes sortes de commodités, et que leurs moitiés étaient mendiants à leurs portes, décharnés de faim et de pauvreté ; et trouvaient étrange comme ces moitiés-ci nécessiteuses pouvaient souffrir une telle injustice, qu'ils ne prissent les autres à la gorge, ou missent le feu à leurs maisons (I, 31).

---

13. Ainsi nommait-on les terres conquises par Villegaignon sur la côte du Brésil.

Ce qui était poser d'un coup, à leur racine même, les deux problèmes qui allaient faire la trame de l'Histoire européenne au cours de quatre siècles suivants : celui de l'origine dynastique du pouvoir et celui de la justice sociale. Rapportés par Montaigne, les propos de nos « barbares » sont bien propres à lui faire poser, avant Diderot et Rousseau, la question fameuse de savoir qui sont, d'eux ou de nous, les sauvages…

Et, d'un long entretien avec celui des Brésiliens que les autres appellent « le roi », il obtient une assez judicieuse définition de l'autorité. Quel avantage, lui demande notre magistrat, retire-t-il de sa royauté ? « [...] il me dit que c'était marcher le premier à la guerre [...] ». De combien d'hommes était-il suivi ? « Il me montra un espace de lieu, pour signifier que c'était autant qu'il en pourrait [rassembler] en un tel espace, ce pouvait être quatre ou cinq mille hommes. » Hors la guerre, toute son autorité était-elle expirée ? « [...] il dit qu'il lui en restait cela que, quand il visitait les villages qui dépendaient de lui, on lui dressait des sentiers au travers des haies de leurs bois, par où il pût passer bien à l'aise ».

Vient alors la chute merveilleuse, où tiennent déjà toutes les *Lettres persanes* : « Tout cela ne va pas trop mal : mais quoi, ils ne portent pas de hauts-de-chausses ! » (I, 31).

Il y a des gens à qui l'esprit vient sitôt qu'ils quittent leur ménage, leurs entourage et pâturage. Ainsi ce conseiller de Guyenne empaqueté dans des querelles de clocher et sacristie gasconnes et qui s'en va, en Normandie, découvrir les fondements de la sagesse universelle. Voilà enfin un terrain où sa robe trop longue n'aura entravé ni sa marche ni son entendement. Les « Antarctiques » auraient-ils plus de sens que les Gascons ? Une chevauchée de la Garonne à la Seine serait-elle plus propre à éveiller l'esprit d'un magistrat-malgré-lui que les disputes parlementaires ?

L'illumination de Rouen, qui ne prend sa forme que lors de la rédaction des *Essais*, dix ans après les faits, ne met pas un terme à la carrière judiciaire de Michel de Montaigne. Huit années encore, il continue à se vêtir en magistrat – passé de la chambre des requêtes à la plus noble chambre des enquêtes – après son mariage en 1565 avec Françoise de La Chassaigne, fille et petite-fille de collègues considérables, et encore après la mort de son père, qui fait de lui, en 1568, le seigneur de Montaigne. Libre (compte tenu du pacte de non-agression avec Antoinette, sa mère) de disposer de ses biens et de sa charge, il transmettra celle-ci, en 1570, à son ami Florimond de Raymond[14]. Non sans soulagement.

On a soutenu que cette retraite était motivée par le dépit de n'avoir pas été accueilli par ses collègues de la plus haute instance, la grand-chambre. Est-ce bien sûr ? Le conseiller de Montaigne dut juger qu'il avait fait son temps, et au-delà. Parce qu'il n'aimait pas la pratique du droit ? Certes, mais plus encore, peut-on penser, parce que les querelles politico-religieuses autour de Lagebaston et Roffignac et la position où l'avaient entraîné amitiés et clientèles ne pouvaient manquer de l'exaspérer. Il sentait que le « système » le détournait de lui-même : ayant quitté la robe, il retrouverait la raison.

Montaigne en robe longue ? Deux formules paraissent résumer l'inconfort où il vécut en cet apparat, pendant ces treize longues années. La première est due à son ami le grand juriste et historien Étienne Pasquier : « Il n'y avait homme moins chicaneur et praticien que lui : car aussi sa profession était tout autre[15]. » Et la seconde à l'auteur des *Essais* lui-même, assurant que son style était « non plaide-resque, mais plutôt soldatesque » (I, 26).

Soldatesque, vraiment ? C'est ce que nous allons voir.

---

14. Alors considéré, politiquement, comme un « ultra », quitte à s'amender plus tard.
15. Donald Frame, *Montaigne...*, *op. cit.*, p. 68.

CHAPITRE VI

Une épée trop courte...
ou la guerre des poulaillers

• Où l'on quitte la robe « pour suivre les armes » ? • Le sarcasme
de Brantôme • Un pacifiste fasciné par la guerre • Les *Essais*,
traité d'art militaire • Soldat pour son compte • Contre les armes
à feu • Ne pas se « coniller » !

Au roi Henri III, qui, selon le chroniqueur La Croix-du-Maine[1], lui
fait compliment des *Essais*, Montaigne réplique que s'il aime le livre,
il doit aimer l'auteur aussi, car c'est, dit-il, « le discours de ma vie et
de mes actions ».

A quelles fins ? Il ne prétend pas « former » l'homme, précise-t-il,
mais seulement le « réciter ». A travers son propre personnage, il
propose, de chevauchées en confidences, « à sauts et à gambades », par
plongées, confessions et ruades, l'esquisse d'un comportement humain.

Encore un peu embarbouillé du négoce de ses aïeux, longtemps
empêtré lui-même dans la robe longue des « chats-fourrés », le châtelain de Dordogne poursuit, en son dévoilement intrépide, la quête d'un
individu fidèle aux valeurs du « temps de nos pères » mais riche aussi
du savoir dont on l'a comblé – un homme dont la vaillance nobiliaire
s'éclairerait enfin de la connaissance humaniste si longtemps dédaignée par l'aristocratie française. Car il croit qu'« un homme qui a lu et
retenu est plus capable de grandes entreprises qu'un autre ».

Éclairage essentiel ? Oui. Mais les deux composantes de la vision
sont indissociables. Montaigne se croirait perdu, détaché de l'arbre

1. Qui fut dès 1584 le premier portraitiste de Montaigne lui consacrant un article de la
Bibliothèque française d'Antoine Verdier.

nobiliaire auquel il se raccroche furieusement et infidèle au souvenir de son cher Étienne (et de son père) si, par son livre comme par sa vie, ses actes, ses propos, il ne rappelait que la « vaillance » est la donnée fondamentale du « métier d'homme ». Vaillance d'abord militaire, « soldatesque », vertu romaine, *virtu* selon Machiavel, faite d'un courage ordonné par la raison et corrigé, chez Montaigne, par le principe d'autonomie individuelle.

Selon La Croix-du-Maine, l'auteur des *Essais*, longtemps exercé aux corvées de la guerre, s'était « défait de son état de conseiller au parlement de Bordeaux pour suivre les armes ». Mais un autre de ses contemporains, Pierre de Bourdeille, seigneur de Brantôme, présente les choses de moins bonne grâce :

« Nous avons vu des conseillers sortir des cours de parlement, quitter la robe et le bonnet carré, et se mettre à traîner l'épée [...] sans autre forme d'avoir fait guerre, comme fit le sieur de Montaigne, duquel le métier était meilleur de continuer sa plume à écrire ses *Essais* que de la changer avec une épée qui ne lui sied si bien[2]. »

Perfidie un peu lourde de rival en maints domaines, nous le savons. Flèche que Pierre Villey retourne assez joliment : « Brantôme, par ses moqueries même, nous prouve qu'il y avait un soldat dans Montaigne. » Comme s'il fallait cette agression pour nous prouver une évidence. « Un soldat dans... » ? La formule reste timide, de même que sont peut-être excessifs les propos de Marc Citoleux et de Jacques de Feytaud, assurant chacun à sa manière que, sommé à brûle-pourpoint de déclarer en un mot sa profession, Montaigne n'eût pas manqué de riposter *miles*, « soldat »...

On n'en finirait pas en tout cas de citer les phrases où l'auteur des *Essais*, parlant des gens de son « métier », vise clairement les militaires – notamment à propos du mode d'expression qu'il préfère, « un parler succulent et nerveux, court et serré [...] ; non pédantesque [...] mais plutôt soldatesque » (I, 26), « un Gascon que je trouve singulièrement beau, sec, bref, signifiant, et à la vérité un langage mâle et militaire plus qu'autre que j'entende » (II, 17).

Mais plus éloquente que toute autre, s'agissant d'un homme aussi féru d'aristocratie que le fils de Pierre Eyquem, est la sentence

---

2. *Œuvres complètes, op. cit.*, V, p. 92-93.

fameuse : « La forme propre, et seule, et essentielle, de noblesse en France, c'est la vacation militaire » (II, 7). On ne saurait être plus catégorique et mieux revendiquer une appartenance. « Seule et essentielle »…

Faire des *Essais* un « traité de la guerre », à mettre en parallèle avec le troisième des ouvrages de Machiavel[3], est tentant. Dans sa préface de l'édition de 1595, Marie de Gournay, bien instruite du sujet, parle d'une « école de guerre et d'État ». Plus de la moitié des personnes citées par Montaigne sont, empereurs ou manants, des gens de guerre, des « gendarmes », et la plupart des traits relevés dans Plutarque – qui n'est pas pour rien l'auteur préféré de Montaigne – ou signalés au fil des événements du siècle sont affaires d'épée. Et rien n'est plus instructif, en ce domaine, que de citer les titres des chapitres des livres Ier et II (pour ce qui est du III, on y reviendra…).

LIVRE Ier

Chapitre 5.   Si le chef d'une place assiégée doit sortir pour parlementer.
Chapitre 6.   L'heure des parlements dangereuse.
Chapitre 15. On est puni pour s'opiniâtrer à une place sans raison.
Chapitre 16. De la punition de la couardise.
Chapitre 18. De la peur.
Chapitre 45. De la bataille de Dreux.
Chapitre 47. De l'incertitude de notre jugement [en la guerre].
Chapitre 48. Des destriers.

LIVRE II

Chapitre 7.   Des récompenses d'honneur.
Chapitre 9.   Des armes des Parthes.
Chapitre 34. Observations sur les moyens de faire la guerre de Julius Caesar.

Quant au livre III, si on n'y trouve aucun chapitre consacré explicitement à la guerre, on peut le lire comme une sorte de commentaires des « troubles », notamment des sixième, septième et huitième guerres de religion : les protagonistes en sont bien souvent rois, princes, régente ou évêques, ceux qui font s'affronter leurs combattants – parfois lui-même… Il est clair que ce modéré, ce pacifique n'a jamais

---

3. Cf. *infra*, chap. VIII.

cessé de subir la fascination de la guerre, probablement inculquée à l'« enfant » par un père qui avait pendant dix ans porté les armes en Italie.

Pour si vive que soit l'estime qu'il porte à des politiques comme les chanceliers Olivier et de L'Hospital, hommes de paix, il ne peut dissimuler son admiration primordiale pour les grands hommes de guerre, d'abord de l'Antiquité, comme Épaminondas, Philopœmen ou César, ensuite – et, plus significatif parce que le sang qu'ils ont sur les mains est encore tout gluant, Henri de Guise le Balafré ou Blaise de Monluc : ces tueurs reçoivent, dans les *Essais*, un salut très explicite.

C'est avec passion que le châtelain de Montravel évoque les féroces combats, de Dreux à Moncontour et à Moncrabeau, du siège de Rouen à celui de Lamballe (où fut tué La Noue). Et c'est en technicien, dirait-on, qu'il traite de batailles classiques comme Pharsale ou Saint-Quentin, avec une précision de familier de l'Histoire et des chroniqueurs du temps, sinon de grands témoins comme Monluc, Strozzi ou Matignon.

De l'estime qu'il porte à l'action de guerre en tant que telle aucun trait n'est plus frappant que sa mise en scène du personnage de Socrate. Nul être, sinon Étienne de La Boétie, ne lui aura inspiré une si constante et ardente vénération – au point que l'on est tenté de dire de Montaigne qu'il fut un chrétien qui aurait substitué Socrate à Jésus – le grand absent des *Essais*.

Socrate apparaît très souvent dans les *Essais*, qu'il inspire et domine – surtout le livre III –, mais jamais peut-être de façon aussi saisissante qu'au chapitre 13, où l'auteur le présente comme l'incarnation de cette nouvelle *vertu* où il voit la raison d'être de l'homme à venir. Cette image déconcertante d'un « Socrate guerrier[4] » qu'il nous propose dévoile moins peut-être le maître d'Alcibiade que Montaigne lui-même :

> Il s'est vu, le premier parmi tant de vaillants hommes de l'armée, courir au secours d'Alcibiade accablé des ennemis, le couvrir de son corps et le décharger de la presse à vive force d'armes, et le premier emmi tout le peuple d'Athènes, outré comme lui d'un si indigne spectacle, se présenter à recourir Théramène, que les trente tyrans faisaient mener à la mort par leurs satellites [...] (III, 13).

4. Arlette Jouanna, « Montaigne et la noblesse », *in* colloque *Les Écrivains du Sud-Ouest...*, *op. cit.*, p. 120.

Le maître du *Banquet* nous est ainsi présenté comme un guerrier modèle, capable aussi bien d'actions d'éclat que de « continuellement marcher à la guerre [...] fouler la glace les pieds nus [...] surmonter tous ses compagnons en patience [...] » et partager leur nourriture ordinaire ; et c'est ce soldat par excellence qui donne en fin de compte l'exemple de la sagesse humaine selon Montaigne – vaillance et raison.

Tous les héros proposés par l'essayiste ne sont pas aussi exemplaires. Il ne tente de dissimuler ni les vices d'Alexandre, ni les crimes de César. Mais comment ne pas être frappé du choix qu'il fait du plus admirable parmi les hommes – l'incomparable Socrate mis à part ? Ce ne sont à ses yeux ni Platon, ni Sénèque, ni Paul de Tarse, mais Épaminondas, l'équitable guerrier, qui, pour s'être refusé à tuer un homme sans connaissance de cause, n'en était pas moins chef de guerre, plus apte au combat qu'à la gestion des affaires de l'État béotien. Choix singulier qui confirme, s'il en était besoin, l'obsession du militaire où vit notre philosophe ami de la paix – à laquelle il s'efforce d'ailleurs de frayer les voies.

S'il place Épaminondas au premier rang des « excellents hommes », c'est à Jules César qu'il réserve son étude la plus minutieuse. Faut-il attribuer au vol (hypothétique) commis par un secrétaire la disparition de pages consacrées au vainqueur de Pharsale, qui eussent, réunies, constitué un vrai « César par Montaigne » ? Ce qui nous reste, au fil des *Essais*, est déjà d'une richesse savoureuse : pas moins de trente-quatre références, dont le très bel essai « [...] sur les moyens de faire la guerre de Jules César », chapitre 34e du livre II, où Montaigne s'efforce de montrer que le conquérant des Gaules fut le « souverain patron de l'art militaire », patron parce que « plus retenu et considéré en ses entreprises qu'Alexandre ». En ce « retenu et considéré » on peut voir le fin mot de l'éloge selon Montaigne.

Éloge abstrait ? Morceau d'éloquence plus ou moins théorique (comme on l'a dit du *Discours* de La Boétie) ? Fresque décorative ou didactique ? Pas du tout. L'hommage à la chose, à l'art, à la vie militaire est partout dans les *Essais*, les imprégnant et visant à suggérer, avec un étonnant mélange d'adresse et de conviction, que l'auteur fut un homme de guerre, un « gendarme », et y trouva son « plaisir » et son honneur.

On s'étonne qu'hormis de très rares auteurs, du coup enclins à exagérer la « militarisation » du personnage, la communauté des montaignistes semble avoir honte de ces effusions guerrières[5], se refusant à admettre que le comble de la sagesse puisse être atteint à travers l'épreuve du feu – rêvé ou vécu...

Ouvrons donc les *Essais* qui, pour n'être écrits ni par Monluc, ni par Brantôme, ni par d'Aubigné, vibrent de références guerrières :

> Je ne me puis défendre, si le bruit éclatant d'une arquebusade vient à me frapper les oreilles à l'imprévu, en lieu où je ne le dusse pas attendre, que je n'en tressaillisse ; ce que j'ai vu encore advenir à d'autres qui valent mieux que moi (I, 12).
>
> [...] aux guerres le visage de la mort, soit que nous la voyons en nous ou en autrui, nous semble sans comparaison moins effroyable qu'en nos maisons, autrement ce serait une armée de médecins et de pleurards (I, 20).

Un vif croquis : « [...] chacun criant et courant à ses armes sur le point de la charge, les uns sont à lacer encore leur cuirasse, que leurs compagnons sont déjà rompus » (II, 9).

Une notation de philosophe en campagne : « [...] j'ai vu assez de gens encourager leurs troupes de cette nécessité fatale [de la mort] : car, si notre heure est attachée à certain point, ni les arquebusades ennemies, ni notre hardiesse, ni notre fuite et couardise ne la peuvent avancer ou reculer » (II, 29).

Ceci encore : « Il m'est advenu plus d'une fois d'oublier le mot du guet que j'avais trois heures auparavant donné ou reçu d'un autre [...] » (II, 17).

« Je ne voyage sans livres ni en paix, ni en guerre » (III, 3).

Quoi de plus « vrai » que ce fragment de dialogue à l'emporte-pièce ?

> « Quel intérêt avez-vous à ce siège ? – [...] je n'y prétends profit quelconque ; et de gloire, je sais la petite part qui en peut toucher un particulier comme moi ; je n'ai ici ni passion, ni querelle. » Voyez-le pourtant le lendemain, tout changé, tout bouillant et rougissant de colère en son rang de bataille pour l'assaut ; c'est la lueur de tant d'acier et le feu et tintamarre de nos canons et de nos tambours qui lui ont jeté cette nouvelle rigueur et haine dans les veines (III, 4).

---

5. Le comble est atteint par Donald Frame (*Montaigne..., op. cit.*), qui ne s'attarde pas à poser la question.

Montaigne ne serait pas Michel si ses humeurs et sensations n'intervenaient en ses souvenirs guerriers : fort incommodé de l'air « enfâché » qu'on respire dans les tranchées, il met au rang des « difficultés » de la guerre « ces épaisses poussières dans lesquelles on nous tient enterrés, au chaud, tout le long d'une journée » (III, 13).

Ce qui sonne le plus juste dans ces notations, c'est leur côté terre à terre, prosaïque, parfois un peu ridicule : qui, voulant indûment « faire le guerrier », mettrait l'accent comme il le fait ingénument sur la peur, l'instinct de propriété qui ne quitte pas le guerrier, ou même la satisfaction de ses besoins naturels ? « On a raison de décrier l'hypocrisie qui se trouve en la guerre : car qu'est-il plus aisé à un homme pratique que de gauchir au danger ? [...] Il y a tant de moyens d'éviter les occasions de se hasarder [...] » (II, 16).

Parlant de sa maison : « Je ne me suis jamais laissé induire d'en faire un outil de guerre, à laquelle je me mêle plus volontiers où elle est la plus éloignée de mon voisinage [...] » (III, 9).

Et, plus familier encore : « [...] soldat et Gascon sont qualités aussi un peu sujettes à l'indiscrétion. [...] J'ai vu beaucoup de gens de guerre incommodés du dérèglement de leur ventre [...] » (III, 13).

Quand viendront l'âge et les maladies, il lui faudra préciser, dans l'édition de 1588, ces confidences de vieux « territorial » essoufflé :

> Car depuis quelques années, aux corvées de la guerre, quand toute la nuit y court, comme il advient communément, après cinq ou six heures l'estomac me commence à troubler, avec véhémente douleur de tête, et n'arrive point au jour sans vomir. Comme les autres s'en vont déjeuner, je m'en vais dormir, et au partir de là aussi gai qu'auparavant (III, 13).

On pourrait aligner ainsi bien d'autres traits qui attestent une participation de Michel de Montaigne aux agitations guerrières dont son temps ne fut pas avare. Mais le texte définitif est peut-être celui-ci :

> Il n'est occupation plaisante comme la militaire, occupation et noble en exécution (car la plus forte, généreuse et superbe de toutes les vertus est la vaillance), et noble en sa cause ; il n'est point d'utilité ni plus juste, ni plus universelle que la protection du repos et grandeur de son pays. La compagnie de tant d'hommes vous plaît, nobles, jeunes, actifs, la vue ordinaire de tant de spectacles tragiques, la liberté de cette conversation sans art, et une façon de vie mâle et sans cérémonie, la variété de mille

actions diverses, cette courageuse harmonie de la musique guerrière qui vous entretient et échauffe et les oreilles et l'âme [...]. Vous vous conviez aux rôles et hasards particuliers selon que vous jugez de leur éclat et de leur importance, soldat volontaire, et voyez quand la vie même y est excusablement employée,

> *Pulchrumque mori succurrit in armis*
> (Et je pense qu'il est beau de mourir sous les armes)
> Virgile, *Énéide*, II, 317.

De craindre les hasards communs qui regardent une si grande presse, de n'oser ce que tant de sortes d'âmes osent, c'est à faire à un cœur mou et bas outre mesure. [...] La mort est plus abjecte, plus languissante et pénible dans un lit qu'en un combat, les fièvres et les catarrhes autant douloureux et mortels qu'une arquebusade. Qui serait fait à porter valeureusement les accidents de la vie commune, n'aurait point à grossir son courage pour se rendre gendarme :

> *Vivere, mi Lucili, militare est*
> (Vivre, mon cher Lucilius, c'est se battre)
> Sénèque, *Lettres à Lucilius*, XCVI (III, 13).

Qui s'est avisé de trouver là de l'ironie ? Une quelconque « distanciation » ? Que le mot « plaisante » ne puisse être pris à la lettre par un lecteur d'aujourd'hui ne signifie pas que Montaigne ait puisé là son « plaisir », mais qu'il y trouva l'expression naturelle de cette « vaillance » et de cette « noblesse » qui lui étaient si chères, et aussi le service, la protection de son « pays » – valeurs pour lui fondamentales.

Et comment ne pas relever que cet hymne à la chose militaire n'est pas inséré dans n'importe quel chapitre – consacré à tel épisode guerrier, à Alexandre, à César ou à Socrate en campagne – mais dans l'essai autobiographique par excellence, le dernier, le plus beau et celui où, sous le titre « De l'expérience », un Montaigne au soir de la vie se livre tout entier, sans plus rien craindre ni « piper » quiconque, ou louvoyer. En cet « envoi », tout est dit, par un homme dont la guerre et les problèmes qu'elle pose ont fort occupé la vie.

Si celui qui a écrit tout cela n'a jamais combattu, s'il s'est contenté de jouer en son livre les Monsieur Jourdain de la guerre des autres, s'il a ainsi rodomonté dans le vide pour l'étonnement des badauds (et des siens, qui savaient à quoi s'en tenir), alors il faut convenir que ce M. de Montaigne était doté d'une jolie plume et de quelque « philosophie », mais qu'il fut un esbroufeur gascon et que les *Essais* ne sont pas un « livre de bonne foi »...

Bon. Mais s'il a, d'évidence, connu les hasards de la guerre, à quel niveau, en quelle occurrence, à quel titre ? En cette armure de marbre où nous voyons aujourd'hui le gisant de Bordeaux, fut-il jamais debout, l'épée à la main, ou à cheval, lance au poing, chargeant les archers huguenots – ou ligueurs catholiques ? Qu'il ait connu par quelque biais la vie des camps, ou des bivouacs, ou des redoutes, les propos qui émaillent les *Essais* en témoignent assez. Mais en quelle bataille, en quel combat le vit-on ? Peut-on penser que l'animosité de Brantôme lui inspira de dire la vérité, à propos de l'« épée » (traînante ? piquante ?) du seigneur de Montravel ?

Auteur de *Le Vrai Montaigne, théologien et soldat*, Marc Citoleux souffle une très judicieuse notation :

« En réalité, Brantôme fait preuve de l'éternelle humeur de l'officier de carrière contre l'officier de réserve. Or, Montaigne fut un réserviste, ou, comme on disait alors, un "volontaire", dont les périodes seraient des campagnes. Car à cette époque, civile ou étrangère, la guerre était permanente [...] En temps de guerre, la barrière tombe ou devrait tomber entre les gens de métier et les volontaires ; il n'y a plus que des soldats. Montaigne fut un soldat. »

Une telle observation appellerait des précisions relatives à l'organisation militaire de la France sous les Valois et, mieux encore, aux retombées des guerres civiles – à partir de 1562 notamment – sur les diverses formations armées.

En 1545, François I er avait édicté que le recours au ban et à l'arrière-ban (c'est-à-dire l'appel aux armes plus ou moins prolongé des divers membres de la noblesse) serait prolongé de six semaines à trois mois. Ce qui accentuait la pression du pouvoir central sur le vivier de « réservistes » que formaient les gentilshommes. Si on ajoute à cette obligation les appels souvent faits aux diverses catégories de « mobilisables » (évident anachronisme) par les « collectivités locales » (autre anachronisme), comme les mairies ou sénéchaussées, et le rétablissement des « légions » par Henri II en 1557, on imagine le nombre des occasions qui s'offraient au moindre sire de mettre les armes à la main – en ce temps de guerres perpétuelles. Si bien que le problème n'est pas de savoir si Montaigne revêtit l'armure, mais d'imaginer comment il eût pu faire pour passer à travers maille – et cotte de mailles...

Importante notation d'un historien des armées françaises à propos des activités militaires au XVIe siècle :

« D'un bout à l'autre du royaume il n'y a plus d'institutions militaires ni d'armée ; tout le monde est soldat pour son compte, pour sa propre sûreté. Tout soldat qui réunit trente hommes autour de lui s'intitule capitaine ; tout capitaine qui en a deux cents veut être maître de camp, et, dans chaque province, il y a des colonels pour le roi, et des colonels pour la religion[6]. »

C'est dans ce magma belliqueux que dut ou put s'exercer la vaillance du seigneur de Montravel. Mais il est vrai que, s'il a bien « traîné l'épée », comme le concède Brantôme, il est très difficile de le prendre en flagrant délit d'action de guerre de grande envergure.

On ne trouve ni chez les historiens ni chez les mémorialistes du temps la preuve qu'il ait figuré dans une armée royale, aucune indication sur les lieux et occasions où il aurait combattu. Les biographes ? Ils en disputent. La Dixmerie assure qu'il a porté l'épée mais ne paraît pas en avoir fait usage. Philarète Chasles le voit en « homme de guerre », Leclerc le situe dans l'une ou l'autre des armées catholiques, le président Bouhier affirme qu'il n'a jamais eu d'« emploi militaire ». Deux des éditeurs des *Essais*[7] ont soutenu que nul jusqu'ici n'avait pu dire en quelle occasion il s'en était servi, et qu'il s'était contenté, par vanité bourgeoise, de « jouer au soldat en en revêtant le costume ». Grün, Strowski et Sayce sont, à ce sujet, beaucoup moins imprudents. Pour ne parler ni de Marc Citoleux ni de Jacques de Feytaud qui, définissant Montaigne, l'un comme théologien et soldat, l'autre comme voué à l'honneur des armes, disent assez leur parti pris – qui n'est pas forcément le plus mauvais.

Essayons de recenser les « actions de guerre » de ce gentilhomme gascon voisin de Monluc et de Biron, les situations en tout cas où il eut l'occasion de faire mentir, l'épée en main, les Brantôme de tout poil. En fait, il est possible de signaler les occurrences où le châtelain des bords de Dordogne put faire autre chose, de son épée, que des moulinets.

6. M. Susane, *Histoire de l'ancienne infanterie française*, I, Paris, p. 142 (cité par M. Citoleux).
7. MM. Motheau et Jouaust.

En 1562, devant Rouen où il allait rencontrer, en la compagnie du petit roi Charles, les Indiens qui devaient si fort l'émouvoir, il put prendre part aux actions d'encerclement de la ville assiégée, tenue par les huguenots. Participation active ? Présence de témoin ? En 1569, c'est tout près de chez lui, à Mussidan (théâtre de ses premières amours...), qu'il est, de la façon la plus probable, impliqué dans la bataille : Géralde Nakam, notamment, tient sa participation au combat comme un fait d'Histoire.

Peu après la Saint-Barthélemy, qui a rallumé la guerre civile (août 1572), Henri d'Anjou conduit, avec le talent dont il a fait preuve à Moncontour, le siège de La Rochelle. Gentilhomme de la Cour de Charles IX (qui va bientôt mourir), Montaigne, depuis moins d'un an attelé à la rédaction de son livre dans son asile périgourdin, est convoqué avec l'ensemble des gentilshommes catholiques de la Guyenne au camp de Sainte-Hermine, où le duc de Montpensier rassemble, face aux huguenots, l'armée royale du Poitou : nous voilà bien dans l'un de ces cas de soudure entre professionnels et « réservistes », régiments royaux et « religieux », maîtres de camp et volontaires territoriaux, qui fait penser à l'« amalgame » opéré en France à la fin de 1944.

Arquebusades ? Charges ? Coup d'estoc ? L'auteur des *Essais* ne nous dit rien des actions qui purent le concerner. Mais il relate, dans son éphéméride « Beuther », la mission qu'il accomplit au parlement de Bordeaux le 11 mai 1574 : « M. de Montpensier m'ayant dépêché du camp de Saint Hermine pour les affaires de deçà, et ayant de sa part à communiquer avec la cour du parlement de Bordeaux, elle me donna audience en la chambre du conseil, assis au bureau et au-dessus les gens du roi. »

« En chevalier », tient à préciser Jacques de Feytaud, et non pas « de pair à compagnon » avec les robins qu'il s'en venait instruire des intentions du duc de Montpensier pour la défense de Bordeaux contre les huguenots et peut-être les Anglais. Porte-parole des guerriers auprès des « chats-fourrés », bien. Mais le feu, en tout ça ?

Quelques années plus tard, en 1580, lors de la guerre dite « des Amoureux », le roi Henri III, tenant Condé enfermé dans La Fère, fait appel à « tous les bons serviteurs », c'est-à-dire au ban et à l'arrière-ban des gentilshommes, pour qu'ils prennent part au siège. Le seigneur de Montaigne, qui a alors des fourmis dans les jambes de son cheval et prépare son voyage vers l'Italie, fait un très large détour pour aller se mettre à la disposition du roi – et lui faire hommage de ses *Essais*. Geste de « gendelettre » plutôt que de guerrier ? Qui peut le dire ?

On a voulu voir en ces combats de La Fère un « siège de velours ». Mais, peu après l'arrivée de Montaigne et de ses compagnons [8], l'un des amis de Michel, le comte de Gramont, époux de la « grande Corisande », y était mortellement blessé. La même mésaventure pouvait survenir à notre écrivain armé. Ce n'était pas Arbèles, qui ouvrit l'Asie à Alexandre. Mais un bruit de mousquetade...

Décidément, ce n'est pas à ce niveau-là qu'il nous faut découvrir le « gendarme » Montaigne. C'est dans un cliquetis, un fourmillement d'affaires plus petites, où il se jette, ou se trouve entraîné, lui qui vit, nous dit-il, « dans le moyeu des guerres », pris entre les guelfes catholiques au nord et les gibelins protestants au sud, à l'intersection de l'axe protestant Montauban-La Rochelle et de l'axe catholique Bordeaux-Périgueux.

Fût-il un parfait couard, soucieux avant tout de sauver sa peau, il eût été contraint de mettre l'épée à la main pour protéger sa terre et sa maisonnée. Mais il n'était pas couard et se montrait soucieux de bien d'autres choses que d'autodéfense...

Il est des textes qui ne trompent pas, et ce n'est évidemment ni un Matamore ni Tartarin qui a écrit ceci :

> On n'est pas toujours sur le haut d'une brèche ou à la tête d'une armée, à la vue de son général, comme sur un échafaud. On est surpris entre la haie et le fossé ; il faut tenter fortune contre un poulailler ; il faut dénicher quatre chétifs arquebusiers d'une grange ; il faut seul s'écarter de la troupe et entreprendre seul, selon la nécessité qui s'offre. [...] Pensons-nous qu'à chaque arquebusade qui nous touche, et à chaque hasard que nous courons, il y ait soudain un greffier qui l'enrôle [...] ? (II, 16).

Allusion à l'absence, en sa carrière militaire, de tout « rôle » officiel, de toute attestation publique ?

Relevons encore ceci, où est si bien noté, et à un niveau « moyen » et « vécu », ce qui fait le devoir du gentilhomme au milieu des hommes tout court, et même sa raison d'être : « S'il ne faut coucher sur la dure,

---

8. Cf. *infra*, chap. IX.

soutenir armé de toutes pièces la chaleur du midi, se paître d'un cheval et d'un âne, se voir détailler en pièces et arracher une balle d'entre les os, se souffrir recoudre, cautériser et sonder, par où s'acquerra l'avantage que nous voulons avoir sur le vulgaire ? » (I, 14).

Ce qui nous semble garantir l'authenticité de ce rapport à la guerre du sire de Montaigne, loin des éclats et des panaches, c'est ce que l'auteur des *Essais* dit des petites gens entraînées dans ces combats. Qui ne s'est pas battu « entre la haie et le fossé », parfois même « contre un poulailler », ne saurait se prononcer aussi énergiquement : « Les marchands, les juges de village, les artisans, nous les voyons aller à pair de vaillance et science militaire avec la noblesse […] » (II, 17). « Celui qui se tient ferme dans une tranchée découverte, que fait-il en cela que ne fassent devant lui cinquante pauvres pionniers qui lui ouvrent le pas et le couvrent de leurs corps pour cinq sous de paye par jour ? » (II, 16).

Depuis le temps qu'il y a des montaignistes, et qui lisent, on est surpris que ces traits aient été si peu retenus [9]. La grandeur de l'homme à la plume souffrirait-elle de la modeste insistance de l'homme à l'épée ?

Entre bien des traits d'un état d'âme proprement « militaire », on relèvera l'étonnante bénévolence du jugement du sire de Montravel, dès lors qu'il s'agit de gens de guerre. Peu d'hommes ont été aussi ardents à condamner les « nouvelletés » de la Réforme, et plus précisément l'esprit de division qu'il dénonce chez Luther (passant Calvin sous silence). Mais qu'il s'agisse d'un vrai combattant, et le voilà absous. Il est peu d'éloges aussi touchants dans les *Essais* que celui qu'il consacre au grand capitaine huguenot François de La Noue, dont sont louées « la constante bonté, douceur de mœurs et facilité consciencieuse [...] ». Quand on pense au ton sur lequel il parle des gens de justice !

Et dans l'autre parti, lui qui a si fermement combattu la Ligue, quelle révérence pour le féroce « Balafré », inspirateur de cette violente organisation ! Homme de guerre, Henri de Guise trouve grâce à ses yeux, moins toutefois que son père François, que Montaigne cite au premier rang des « plus notables hommes » de son temps (II, 17), bien avant L'Hospital ou Ronsard… Et si clairement qu'il ait pris le parti de la tolérance, Monluc lui-même, massacreur de réformés, et même le

___

9. Les notables exceptions ont été signalées…

connétable analphabète Anne de Montmorency, égorgeur des Bordelais de 1548, ont droit aux louanges (*post mortem…*) de ce doux philosophe. La vaillance, mon cher !

On peut révérer les guerriers et détester la guerre, en son principe. Ce que ne laisse pas de faire Montaigne, mais sur un mode beaucoup plus nuancé que ses devanciers Érasme ou Guillaume Budé. Lui n'est pas « pacifiste » ; dans un esprit très voisin de celui qui inspire la doctrine catholique, il ne récuse pas l'idée de juste guerre ; mais, précurseur de Grotius, il prétend la policer, en domestiquer les horreurs, en bannir la fourberie et le brigandage…

Sa détestation, en tout cas, va d'abord à la guerre civile (la seule qu'il ait connue…), cette « guerre monstrueuse ». Dans la mesure où celle-ci est pire que l'autre, et que l'esprit de paix n'habite pas le cœur des hommes, il en vient à se demander s'il ne conviendrait pas de substituer aux luttes intestines la bataille contre l'étranger. C'est un problème qui n'a cessé de se poser, soit à des hommes de guerre de ce temps-là, comme La Noue et Monluc, soit à des guerriers d'« occasion », comme Montaigne.

Si l'auteur des *Essais* ne fait pas explicitement le lien entre la signature de la paix du Cateau-Cambrésis (qui, en 1559, met fin à la guerre entre les Valois et les Habsbourg) et le déchaînement des guerres intestines, dites « de religion », qui se produit trois ans plus tard, il a la tête assez historienne pour supputer une relation entre ceci et cela, pour découvrir comme une introversion de la violence en ce peuple alors plein de sève et de richesses – et bouillonnant d'ambitions.

Toujours en quête d'exemples antiques, il n'a pas de mal à en trouver chez les Romains, qui « ont à escient nourri des guerres avec aucuns leurs ennemis, non seulement pour tenir leurs hommes en haleine, de peur que l'oisiveté, mère de corruption, ne leur apportât quelque pire inconvénient, […] mais aussi pour servir de saignée à leur république et éventer un peu la chaleur trop véhémente de leur jeunesse […] » (II, 23).

Faut-il, en ce temps, suivre ce modèle de saignées curatives ? Ou, mieux de « diversion » ?

> Il y en a plusieurs en ce temps qui discourent de pareille façon, souhaitant que cette émotion chaleureuse qui est parmi nous se pût dériver à quelque guerre voisine, de peur que ces humeurs peccantes qui domi-

nent pour cette heure notre corps, si on ne les écoule ailleurs, maintiennent notre fièvre toujours en force, et apportent enfin notre entière ruine. Et, de vrai, une guerre étrangère est un mal bien plus doux que la civile ; mais je ne crois pas que Dieu favorisât une si injuste entreprise, d'offenser et quereller autrui pour notre commodité […] (II, 23).

Bien. En notre Montaigne, et dût-il pour une fois faire appel à Dieu (qui n'est pas toujours pacifique), la santé de l'âme l'emporte sur le goût des « commodités ». Mais nous retrouverons ce débat, et de façon plus immédiate et tragique, à l'occasion du massacre de la Saint-Barthélemy, dont l'une des causes sera le choix – contraire à celui de Montaigne – fait pour son malheur par l'amiral de Coligny, impatient de dériver vers l'Espagne les ardeurs de la noblesse française.

Avant Montaigne, Monluc avait su dénoncer l'hypocrisie des prétextes allégués ici et là par les protagonistes des guerres dites « de religion » : « Ils n'ont pas coutume de se faire brûler pour la parole de Dieu. Si la Reine et M. l'Amiral étaient en un cabinet, et que M. le prince de Condé et M. de Guise y fussent aussi, je leur ferais confesser qu'autre chose que la religion les a menés à faire entre-tuer trois cent mille hommes… »

L'auteur des *Essais* ne se fait guère plus d'illusions sur les motivations de ces princes avides et de ces prélats sanglants, si prompts à changer de camp ou de stratégie : « Confessons la vérité : qui tirerait de l'armée, même légitime et moyenne, ceux qui y marchent par le seul zèle d'une affection religieuse, et encore ceux qui regardent seulement la protection des lois de leur pays ou service du prince, il n'en saurait bâtir une compagnie de gendarmes complète » (II, 12).

Sa vision des conflits où paraît s'abîmer son pays est très lucide et moderne [10]. Comme l'est la condamnation qu'il porte contre l'institution des duels – dont Brantôme se fait plus tard encore l'avocat. « Point d'honneur » à propos duquel se manifeste la vraie noblesse ? Pour attentif qu'il soit à s'affirmer sur ce terrain, à « faire le gentilhomme », le seigneur de Montravel dénonce cette triste parodie de la guerre, indigne des vrais guerriers, ruineuse pour l'État, qu'elle a déjà privé, entre mille défenseurs valeureux, du roi Henri II [11].

10. Sur les guerres de religion, cf. *infra*, chap. X et XI.
11. Tué d'un coup de lance reçu au cours d'un tournoi.

Étonnement passéiste, en revanche, et de façon caricaturale, est le réquisitoire qu'il prononce contre les armes à feu. Cet analyste si profond de la nature humaine refuse de prendre en compte une donnée fort ancienne et permanente de l'histoire des conflits : que toujours l'homme a cherché à atteindre son ennemi de plus loin, et plus assuré de son coup, et lui-même plus en sûreté : d'où la fronde, la muraille, le créneau, la tranchée, toutes composantes de la guerre dont César, modèle militaire de l'auteur des *Essais*, ne faisait certes pas fi.

Mais non : pour le si judicieux Michel jeté dans le chaudron des guerres et qui sait bien, ne serait-ce que par son père, ce qui faucha l'armée française à Pavie, les armes à feu doivent être proscrites, pour n'être pas dignes d'un gentilhomme[12]. Ne permettent-elles pas aux lâches de l'emporter sur les vaillants ? L'arme blanche seule est propre à la noblesse. (Mais a-t-il oublié, ce dévot des Anciens, que Lucrèce s'indignait que l'homme eût osé prolonger son bras de quelque arme que ce fût, regrettant l'époque où l'on se battait bec et ongles ?)

Le plus surprenant n'est pas que l'auteur des *Essais* ait jugé arquebuses, bombardes et pistolets méprisables et dégoûtants : c'est qu'il ait annoncé leur disparition prochaine – comme Mme de Sévigné allait prédire que Racine « passerait » :

> Il est bien plus apparent de s'assurer d'une épée que nous tenons au poing, que du boulet qui échappe de notre pistole, en laquelle il y a plusieurs pièces, la poudre, la pierre, le rouet, desquelles la moindre qui viendra à faillir vous fera faillir votre fortune […]. [...] sauf l'étonnement des oreilles, à quoi désormais chacun est apprivoisé, je crois que c'est une arme de fort peu d'effet, et espère que nous en quitterons un jour l'usage (I, 48).

Une telle dénégation de l'évidence historique est très rare chez ce réaliste[13], ennemi des « nouvelletés » mais non de l'inventivité sociale

---

12. Un ami, bon connaisseur des guerres médiévales, me fait observer que c'est une *constante* chez les chevaliers et soldats de la noblesse française que de dénoncer la « barbarie », non seulement des armes à feu mais des « armes de jet ». Au XIe siècle, les croisés estimaient qu'il était lâche, dans un combat, d'employer l'arc, la flèche, le trébuchet ou l'arquebuse (comme le faisaient les « Sarrazins ») – mais c'était le XIe siècle... Et Montaigne n'est pas Godefroy de Bouillon.

13. Machiavel lui-même s'était trompé sur l'avenir de ce type d'armes, mais cinquante ans plus tôt...

et technique – on le verra bien en Italie, ébloui par les « machines », civiles il est vrai.

L'aveuglement de Montaigne, ici, serait inexplicable si on ne voyait en lui un homme à cheval. De toute évidence, c'est en cavalier qu'il raisonne (déraisonne) de la sorte. L'arquebuse et la bouche à feu ne fauchent pas seulement les braves, elles promettent, à long terme[14], l'exclusion du cheval des actions de guerre. On peut avoir, comme lui, salué la « vertu » pédestre, fût-elle celle des « goujats », et tenir pour irremplaçable la vaillance propre à l'homme à cheval.

Ne pas se « coniller » – ne pas se cacher comme un lapin dans son terrier –, tel est le précepte auquel obéit Montaigne considérant le devoir de l'honnête gentilhomme en temps de troubles – d'accord ici avec Brantôme.

Il s'y tint. Ni avant ni pendant sa « retraite » à Montaigne, on ne le vit se « coniller » sur les coteaux de Dordogne – « pelaudé » qu'il était de toutes parts, « gibelin aux guelfes et guelfe aux gibelins ». Faisant face aux périls d'où qu'ils viennent, il se porta aux convocations des princes et des gouverneurs, et jamais sans risque.

Qu'on ne l'ait vu ni sur la ligne de feu à Moncontour ni sur la brèche du siège de La Fère, l'épée brandie, l'armure bosselée, qu'il n'ait été ni Monluc, ni Strozzi, ni La Noue n'en fait pas pour autant un hâbleur de taverne. Il fut de bien des « coups », sinon de coups d'éclat. Pour reprendre son image, il fit plutôt la guerre « entre la haie et le fossé », la guerre des poulaillers.

Michel, seigneur de Montaigne, courtaud mais non couard, à pied et à cheval, en pourpoint ou sous l'armure, mit souvent l'épée à la main. Convenons simplement que pour un chantre de la vaillance et de la vertu, pour ce laudateur de César et de François de Guise, cette épée fut un peu courte.

---

14. La cavalerie polonaise chargeait encore les blindés allemands en septembre 1939 !

CHAPITRE VII

Un ermite aux aguets

**• L'Ange et le cavalier • La mort apprivoisée et le parler-de-soi •
Françoise, en ses « gonds » • Avec les doctes vierges, en la tour •
Où le châtelain confond les choux et la salade • Un « livre
de bonne foi » • Chevalier de la chambre de deux rois • Vivre
avec la gravelle.**

Cette vie bascule – en apparence – vers la trente-cinquième année :
tout se passe comme si Michel se détournait soudain de l'action multi-
forme, souvent caracolante, pour s'enfermer dans une retraite emphatique.

Les raisons de ce comportement ne manquent pas. Aucune ne
convainc. Échec des ambitions parisiennes ? Dégoût de la magistrature ? Irritation de s'y voir refuser une promotion attendue ? Constat
de sa relative médiocrité belliqueuse ? Reprise en main du prodigue
par la famille ? Conscience des responsabilités domaniales qui lui
incombent après la mort du père ? Contrecoup (à long terme) de la perte
de l'Ami irremplaçable, provoquant une poussée de la mélancolie
longtemps refoulée par l'infini divertissement de la vie ? Tout ceci et
cela, bien sûr. Mais encore ?

Ce qui paraît clair, c'est que rien ne ressemble moins à un retour
résigné au bercail que cette réimplantation du fils de Pierre Eyquem
sur la colline de Dordogne. On verra certes se dérouler en une quinzaine d'années les divers épisodes d'une retraite classique – mariage,
mort du père, chicanes notariales, découverte de l'avarice, enfermement avec *le* livre, maladie urinaire. Le lot commun. Banale, alors, la
retraite de Montaigne – entre celles de Monluc et de Brantôme, avant
celles de Retz ou de Saint-Simon ?

Non. Son détachement (à éclipses, et lesquelles !) de l'univers « mondain » ne s'opère pas à l'occasion de l'une ou l'autre de ces figures obligées de la comédie sociale, une bénédiction de curé, une séance chez le notaire, quelques cueillettes de citations de Sénèque et une visite émue à Mme de Duras. Ni même en application de son admirable sentence : « Si l'action n'a quelque splendeur de liberté, elle n'a point de grâce [...] » (III, 9). Splendeur ? Ses actions n'en ont pas été empreintes. Mais elles n'ont point été si contraintes ou entravées qu'il pût en ressentir de la honte ou du dégoût : ce n'est pas pour cela qu'il en suspend le cours. Alors ? Alors, de toutes les causes qui ont pu le conduire à sa très relative et provisoire retraite, on retiendra la plus extravagante...

C'est à cheval, bien sûr, qu'il fut frappé par l'Ange, ce cavalier : précipité de sa monture l'épée à la main, mais de façon fortuite et rien moins qu'héroïque. C'est gisant à terre et plus qu'à demi-mort que Michel, nouveau seigneur de Montaigne, devint sinon l'auteur des *Essais*, en tout cas l'explorateur foudroyant de notre conscience et le Plutarque de lui-même.

Événement absurde, mais si profondément fondateur que, n'en oubliant aucun détail, il ne pourra en retrouver la date [1], comme si l'expérience était trop centrale pour ne pas déployer, en amont comme en aval, ses effets. Dès lors « réconcilié avec la mort », écrit Hugo Friedrich, délié des interdits, il peut se pencher intrépidement sur sa vie, sur la vie, éclairée par cette traversée de l'indicible.

L'extraordinaire liberté introspective qu'inventent les *Essais* est le fait d'un voyant qui a connu l'extrême douceur de l'endormissement, la poignante sérénité d'un au-delà d'où il a cru revenir. Alors tout peut être dit, et, au-delà de ce voyage, peut naître l'autoportrait, tel celui qui le fascinait naguère, de René d'Anjou [2] – mais d'un roi René qui serait aussi un peu Lazare et l'auteur d'*A la recherche du temps perdu* :

> [...] m'étant allé un jour promener à une lieue de chez moi, qui suis assis dans le moyeu [...] des guerres civiles de France [...], j'avais pris un cheval bien aisé, mais non guère ferme. A mon retour [...], un de mes

1. Comme de la rencontre avec Étienne de La Boétie...
2. Cf. *supra*, chap. v.

gens, grand et fort, monté sur un puissant roussin qui avait une bouche désespérée [...], pour faire le hardi et devancer ses compagnons vint à le pousser à toute bride droit dans ma route, et fondre comme un colosse sur le petit homme et petit cheval, et les foudroyer de sa raideur et de sa pesanteur, nous envoyant l'un et l'autre les pieds contre-mont : si que voilà le cheval abattu et couché tout étourdi, moi dix ou douze pas au-delà, mort, étendu à la renverse, le visage tout meurtri et tout écorché, mon épée que j'avais à la main, à plus de dix pas au-delà, ma ceinture en pièces, n'ayant ni mouvement ni sentiment, non plus qu'une souche. [...] Ceux qui étaient avec moi, après avoir essayé par tous les moyens qu'ils purent de me faire revenir, me tenant pour mort, me prirent entre leurs bras et m'emportaient avec beaucoup de difficulté en ma maison, qui était loin de là environ une demi-lieue française[3]. Sur le chemin, et après avoir été plus de deux grosses heures tenu pour trépassé, je commençai à me mouvoir et respirer ; car il était tombé si grande abondance de sang dans mon estomac, que, pour l'en décharger, nature eut besoin de ressusciter ses forces. On me dressa sur mes pieds, où je rendis un plein seau de bouillons de sang pur, et, plusieurs fois par le chemin, il m'en fallut faire de même. Par là je commençai à reprendre un peu de vie [...].

[...] La première pensée qui me vint, ce fut que j'avais une arquebusade en la tête ; de vrai, en même temps, il s'en tirait plusieurs autour de nous. Il me semblait que ma vie ne me tenait plus qu'au bout des lèvres ; je fermais les yeux pour aider, ce me semblait, à la pousser hors, et prenais plaisir à m'alanguir et à me laisser aller. C'était une imagination [...] non seulement exempte de déplaisir, mais mêlée à cette douceur que sentent ceux qui se laissent glisser au sommeil. Je crois que c'est ce même état où se trouvent ceux qu'on voit défaillant de faiblesse en l'agonie de la mort [...].

Comme j'approchais de chez moi, où l'alarme de ma chute avait déjà couru, et que ceux de ma famille m'eurent rencontré avec les cris accoutumés en telles choses, non seulement je répondais quelque mot à ce qu'on me demandait, mais encore ils disent que je m'avisai de commander qu'on donnât un cheval à ma femme, que je voyais s'empêtrer et se tracasser dans le chemin, qui est montueux et malaisé [...]. Je ne savais pourtant ni d'où je venais, ni où j'allais ; ni ne pouvais peser et considérer ce qu'on me demandait : ce sont des légers effets que les sens produisaient d'eux-mêmes, comme d'un usage ; ce que l'âme y prêtait, c'était en songe, touchée bien légèrement, et comme léchée seulement et arrosée par la molle impression des sens.

---

3. La lieue variait d'une province à l'autre. En moyenne, elle était longue de 4 kilomètres. Mais en Gascogne, elle excédait les 5 kilomètres. Question de prestige ?

Cependant mon assiette était à la vérité très douce et paisible ; je n'avais affliction ni pour autrui ni pour moi ; c'était une langueur et une extrême faiblesse, sans aucune douleur. Je vis ma maison sans la reconnaître. Quand on m'eut couché, je sentis une infinie douceur à ce repos, car j'avais été vilainement tirassé par ces pauvres gens, qui avaient pris la peine de me porter sur leurs bras par un long et très mauvais chemin, et s'y étaient lassés deux ou trois fois les uns après les autres. On me présenta force remèdes, de quoi je n'en reçus aucun, tenant pour certain que j'étais blessé à mort par la tête. C'eût été sans mentir une mort bien heureuse ; car la faiblesse de mon discours me gardait d'en rien juger, et celle du corps d'en rien sentir. [...] et fus si mal deux ou trois nuits après, que j'en cuidai remourir encore un coup, mais d'une mort plus vive [...].

Ce conte d'un événement si léger est assez vain, n'était l'instruction que j'en ai tirée pour moi ; car, à la vérité, pour s'apprivoiser à la mort, je trouve qu'il n'y a que de s'en avoisiner. [...] Ce n'est pas ici ma doctrine, c'est mon étude ; et n'est pas la leçon d'autrui, c'est la mienne (II, 6).

De « ce conte d'un événement si léger », rédigé sept ou huit ans après les faits – qu'il situe vaguement « pendant nos troisièmes troubles[4], ou deuxièmes », c'est-à-dire entre 1567 et 1570 et que l'on peut dater de la fin de 1568, en tout cas après la mort du père (juin 1568), ce seigneur du château auquel nulle référence n'est faite –, Montaigne tire d'emblée d'immenses enseignements. Et d'abord le droit de se « réciter » tout entier. Et pour proclamer la noblesse et la grandeur de l'entreprise, il se hâte de revendiquer le patronage du maître qu'il révère entre tous :

C'est une épineuse entreprise, et plus qu'il ne semble, de suivre une allure si vagabonde que celle de notre esprit ; de pénétrer les profondeurs opaques de ses replis internes ; de choisir et arrêter tant de menus airs de ses agitations. [...] Il y a plusieurs années que je n'ai que moi pour visée à mes pensées, que je ne contrôle et étudie que moi ; et, si j'étudie autre chose, c'est pour soudain le coucher sur moi, ou en moi, pour mieux dire. [...]

De quoi traite Socrate plus largement que de soi ? A quoi achemine-t-il plus souvent les propos de ses disciples, qu'à parler d'eux, non pas de la leçon de leur livre, mais de l'être et leur âme ? (II, 6)

---

4. Ainsi désigne-t-il les guerres de religion.

Cela est écrit à propos de l'« événement si léger » qui, des années auparavant, lui a fait traverser les limbes. Socrate a, pour ses disciples, parlé sa mort, tout en mourant (et aussi, pour Michel, La Boétie). Lui, le temps d'un soupir, « se l'est apprivoisée » et lui doit une aptitude exceptionnelle à relativiser êtres et choses, une surprenante agilité à pénétrer « nos profondeurs opaques », et la liberté de tout dire, et d'abord de lui-même.

Deux notations, à propos de ce « conte ». D'abord sur le fait que ce préretraité, s'il ose cheminer seul hors de son domaine, le fait l'épée à la main et, sitôt jeté à terre, entend des « arquebusades », ce qui donne une idée du climat où l'on vivait en Guyenne quelques années avant la Saint-Barthélemy. On aura remarqué d'autre part que, dans l'inconscience où il est tombé, il réclame que l'on donne un cheval à sa femme. Ce qui ne va pas mal pour un misogyne !

Michel a épousé Françoise de La Chassaigne le 23 septembre 1565. Il a trente-deux ans, elle bientôt vingt et un. Mariage de convenance s'il en fut. Pour le conseiller au parlement qu'il est encore, Françoise est le parti idéal. Fille, petite-fille de collègues notoires et influents – son grand-père est l'un des chefs de file du parti catholique au palais de l'Ombrière (et des plus hostiles aux réformés). La dot est confortable.

De toute évidence, il s'agit de concessions faites à ses parents par notre magistrat et heureux célibataire. Non que Françoise fût repoussante. On apprend même par son ami Florimond de Raymond qu'elle était d'une « excellente beauté » et « bien aimable ». Ce n'est pas elle, c'est le mariage qui est en cause – deux ans après la mort de La Boétie, qu'a suivie une période de débauche organisée. Par antithèse avec l'amour perdu et la volupté concertée « avec art », son mariage se fit sans amour et se garda de la volupté. Écoutons-le :

> [...] on m'y mena, et y fus porté par des occasions étrangères. [...] Et y fus porté certes plus mal préparé lors et plus rebours que je ne suis à présent après l'avoir essayé. Et, tout licencieux qu'on me tient, j'ai en vérité plus sévèrement observé les lois de mariage que je n'avais ni promis, ni espéré. [...] C'est trahison de se marier sans s'épouser (III, 5).

Notations très diverses et qui confirment que Michel, s'il se résigna mal au mariage, voulut « épouser » – notion beaucoup plus active. Et que l'« essai » fut, si l'on peut dire, transformé : se prenant au jeu, il fut un meilleur mari qu'il ne l'avait « promis » ni « espéré ».

En fait, ce ne sont pas tant les épousailles ni l'épousée qui rebutèrent à l'origine Michel de Montaigne que la contrainte : pour ce fou de liberté qui se fût trouvé malheureux qu'on lui interdît l'entrée dans quelque pays lointain où il n'était pas question pour lui de se rendre, le « lien » de mariage est aussi irritant que n'importe quelle discipline. Il a fait la guerre en « volontaire ». Ainsi seulement voudrait-il faire l'amour.

Ses théories sont à la fois simples et déconcertantes : « Un bon mariage, s'il en est, refuse la compagnie et conditions de l'amour. Il tâche à représenter celles de l'amitié » (III, 5). Si bien que la volupté qui peut y goûter relève d'une « espèce d'inceste ». Écoutez-le : « Ces enchériments deshontés que la chaleur première nous suggère en ce jeu sont [...] dommageablement employés envers nos femmes. Qu'elles apprennent l'impudence au moins d'une autre main » (I, 30). Un trait qui va loin ! Et lui qui ne fait pas grand cas d'Aristote se réfère à ce philosophe lorsqu'il prescrit de ne goûter que « sévèrement » à sa femme, de peur qu'« en la chatouillant trop lascivement, le plaisir la fasse sortir des gonds de raison » (III, 5).

De ces « gonds » Françoise ne semble guère avoir été invitée à s'évader. Non seulement son époux se faisait gloire de dormir « dur et seul », « à la royale [5] », mais il semble qu'il ne passait de sa tour dans celle de sa femme (dite « tour Trachère ») que pour tenter de lui faire un enfant : il fut quatre ans sans y parvenir, puis lui donna six filles, dont cinq moururent en bas âge. Quand ils se rejoignaient, ce n'était pas pour gambader. Ce dont témoigne encore son ami et successeur au parlement de Guyenne, Florimond de Raymond : « [...] Il ne [s'est] joué d'elle qu'avec le respect et l'honneur que la couche maritale requiert, sans avoir oncques vu à découvert que les mains et le visage, non pas même le sein, quoique parmi les autres femmes il fût extrêmement folâtre et débauché [6] ».

---

5. Tous nos rois ne se sont pas fait la réputation de coucher seuls...
6. Le témoignage a été contesté par de bons auteurs. Il sonne pourtant juste.

Réflexion plus surprenante encore du mari lui-même : « [...] le seul plaisir, [que le mari] tire de la jouissance d'une belle jeune épouse, c'est le plaisir des consciences, de faire une action selon l'ordre, comme de chausser ses bottes pour une utile chevauchée. N'eussent ses suivants non plus de droit et de nerfs et de suc au dépucelage de leurs femmes qu'en a sa leçon ! » (III, 13).

(Nous le savions homme de cheval. Mais ici, la référence à l'« utile chevauchée » et à ses bottes est un peu bravache...)

On a retenu l'affirmation de Montaigne qu'il avait mieux observé les lois du mariage (faut-il en retenir avant tout la fidélité ?) qu'il ne l'avait « ni promis ni espéré ». Fort bien. Le « mieux » n'est que relatif. Compte tenu de son tempérament, de ses voyages, de son charme, il convient de relativiser encore. Et les déboires sexuels qu'il confessera dans le tome III des *Essais* (rédigé la cinquantaine venue), où il est clairement question de la perte de sa virilité et du désespoir où le plonge ce « membre inobédient », c'est vraisemblablement en d'autres occurrences que ses incursions dans la tour Trachère qu'il les constatera.

Quant à la fidélité de Françoise, elle a été mise en doute à propos d'une affaire de chaîne d'or longtemps portée par Arnaud de Saint-Martin, frère de Michel, retrouvée après la mort de ce beau capitaine [7] dans le coffre de mademoiselle [8] de Montaigne et aussitôt réclamée par la terrible Antoinette, mère du défunt, qui en obtint, devant notaire, la « restitution ». De là à faire de Françoise la maîtresse de son beau-frère, comme l'a voulu tel biographe... L'auteur des *Essais* parle si gaiement des cocus qu'il ne paraît pas avoir craint qu'on puisse lui retourner ses gaillardises.

En fait, ce mari, avec tout son génie, était un homme de son temps : et quand il rapprochait mariage et amitié, il tranchait sur ses congénères, qui eussent plus volontiers évoqué le servage... Il n'en pensait pas moins :

> La plus utile et honorable science et occupation à une femme, c'est la science du ménage. J'en vois quelqu'une avare, de ménagère fort peu.

7. Frappé d'un « éteuf » à la tête au cours d'une partie de jeu de paume.
8. N'avaient droit au titre « madame » que les épouses de chevaliers. Montaigne ne le sera qu'à partir de 1571.

C'est sa maîtresse qualité, et qu'on doit chercher avant toute autre, comme le seul douaire qui sert à ruiner ou sauver nos maisons. [...] je requiers d'une femme mariée, au-dessus de toute autre vertu, la vertu économique (III, 9).

Faut-il s'étonner que, les années passant, consacrées à la « ménagerie » coupées de quelques étreintes pudiques dans la tour et de cinq maternités vaines, Françoise fût devenue quelque peu maussade, et que « cette jeune femme prête à s'épanouir [fût devenue] une matrone ennuyeuse et chagrine[9] » ?

Mariage forcé, mariage manqué ? Il apparaît que Montaigne, moins malheureux en ménage qu'il ne l'avait prévu à l'origine, ne fut pas pour autant un très heureux mari. Il déplora de ne pas avoir eu de fils (le regret affleure en divers passages des *Essais*) et, surtout les dernières années, de s'ennuyer avec sa femme un peu plus que de raison.

Mais s'en tenir là serait injuste – et pour l'une et pour l'autre. Une certaine maussaderie dans les rapports quotidiens ne signifie pas que Michel entretînt avec sa femme des rapports aussi négatifs qu'avec sa mère, qu'il n'eût pas d'estime pour elle, bonne hôtesse (ce dont témoignent plusieurs visiteurs du château), excellente gestionnaire du domaine, et qu'une vraie tendresse n'émanât de tel geste, de tel témoignage.

Bien des femmes à coup sûr ont reçu, à l'occasion de la perte d'un nouveau-né, des lettres plus émouvantes de leur mari absent ; mais on peut trouver bien touchante et jolie celle qu'il adresse à Françoise[10] après la mort de Toinette, leur première fille, le 10 septembre 1570 – accompagnée de la « consolation » écrite en semblable occurrence par Plutarque à son épouse et traduite par La Boétie – autant de noms, autant d'hommages à la destinataire...

> Ma femme,
> Vous entendez bien que ce n'est pas le tour d'un galant homme, aux règles de ce temps-ci, de vous courtiser et caresser encore ; car ils disent qu'un habile homme peut bien prendre femme, mais que de l'épouser, c'est à faire à un sot. Laissons-les dire ; je me tiens, de ma part, à la

9. Roger Trinquet, *BSAM*, 5e série, nos 7-8, décembre 1973.
10. Seule pièce de leur correspondance qui ait été retrouvée.

simple façon du vieil âge ; aussi, en porté-je tantôt le poil [...]. Vivons, ma femme, vous et moi, à la vieille française [11].

La charmante lettre ! Qui d'ailleurs marque une distance avec des principes ailleurs exprimés, et dont on voit bien ainsi qu'ils étaient moins ceux de Michel de Montaigne que de ses contemporains. Cette vraie gentillesse matrimoniale est à peine altérée par la bévue du mari qui tente de consoler Françoise d'avoir perdu la petite fille « dans le deuxième an de sa vie », alors que c'est à la fin du deuxième mois qu'elle est morte... A vrai dire, la disparition prématurée de cinq de ses six filles – seule survécut la deuxième, Léonor, née en 1571 – ne semble pas avoir bouleversé notre gentilhomme. C'était alors chose si commune...

Portons encore au crédit de ce déconcertant mari le cri qu'il pousse, on l'a dit, lors de l'accident de 1568, se voyant déjà demi-mort et entrevoyant Françoise courant à sa rescousse : qu'on donne un cheval à ma femme ! Venant de cet impénitent cavalier, un tel réflexe a vraiment valeur d'hommage chevaleresque. S'il respecte outre mesure sa femme au lit, on peut dire que, en liant ainsi son image à celle du cheval, il lui donne le témoignage d'une extrême considération...

Pierre Eyquem, seigneur de Montaigne et de Belbeys, châtelain de Montravel, ancien maire de Bordeaux, mourut le 18 juin 1568, le jour même où, à Paris, son fils dédicaçait à son intention sa traduction de la *Theologia naturalis sive liber creaturarum (Théologie naturelle ou livre des créatures)* de Raimundo Sabunde (Raymond Sebond), théologien catalan du XVe siècle, traduction entreprise à la demande du vieux maître du domaine.

Entreprise de longue haleine [12] où l'on peut voir, du fils au père, un geste de repentance, une corvée réparatrice en vue de racheter une « enfance » trop dissipée et peut-être même d'obtenir la révision du cruel testament rédigé en 1561, qui revenait, on l'a vu, à placer Michel

11. Montaigne, « Lettres », *Œuvres complètes, op. cit.*, p. 555.
12. Michel lui consacra dix-huit mois, tout en faisant le magistrat à Bordeaux et en s'initiant aux joies du mariage...

sous la dépendance de sa mère. Ce témoignage de bonne volonté, répondant à un tel affront, lui permit, semble-t-il, de rentrer en grâce auprès du chef de la famille. Indulgence plénière ou pas, le fait est que le testament de 1567 rétablit entre eux, quelques mois avant la mort de Pierre, des rapports normaux.

On cite si souvent les éloges décernés à son père par l'auteur des *Essais* qu'on en vient à oublier la complexité de leurs relations, révélée par l'affaire du double testament et les récriminations à l'encontre des pères avaricieux, de leur « cruauté et injustice », qui parsèment le cinquième chapitre du livre II, écrit pourtant après la révision du testament.

Dans son essai sur l'amitié (I, 28), on l'a vu, Michel précise que les sentiments à l'égard des pères relèvent moins de l'« amour » que du « respect » – dès lors que la critique, de la part du fils, n'y saurait trouver place. Nul ne peut douter qu'il ait admiré et longtemps aimé « le meilleur père qui fut oncques ». Et on peut voir mieux que de la déférence dans le souci qu'il eut de décrire à l'intention de son père la mort d'Étienne de La Boétie – dont l'amitié avait peut-être paru, à sa famille, un peu envahissante.

Mort septuagénaire, Pierre Eyquem laissait à ses enfants et à sa femme une fortune considérable, que se partagèrent les cinq frères et les trois sœurs réunis le 22 août 1568 devant un notaire bordelais, maître Castaigne. Michel, reconnu à nouveau légataire principal, héritait du nom et du domaine dont il devenait le quatrième seigneur – à charge d'assurer l'existence de son plus jeune frère, Bertrand, qui devait recevoir en partage, à sa majorité, la maison noble voisine de Mattecoulon[13], et de ses deux sœurs mineures, Léonor et Marie. Aucune contestation n'avait divisé les héritiers de Pierre, dont, après La Boétie mourant, l'auteur des *Essais* proclamerait la bonne intelligence, catholiques et protestants alors confondus.

C'est le règlement des affaires d'Antoinette devant le notaire qui raviva, une semaine plus tard, les querelles anciennes. On a déjà évoqué[14] l'étrange pacte de non-agression alors signé entre la mère et le fils, le tracé des frontières établi par le notaire pour limiter l'emprise

13. Récemment restaurée, avec un soin et un goût admirables, par les actuels propriétaires, Mme et M. Gagnepain, universitaires.
14. Cf. *supra*, chap. Ier.

maternelle sur le domaine qu'elle avait si longtemps – et efficacement – régenté. Pas au-delà du plan de radis... Une part de cellier... Jusqu'au bosquet de châtaigniers... La bienveillante Madeleine Lazard parle à ce propos d'« acrimonie ». On se permettra d'ajouter « vigilante »... Chacun dans sa tour !

Voici Michel maître du domaine – il signera désormais « Michel, seigneur de Montaigne » – mais non enraciné, et toujours à cheval. Il était à Paris lors de la mort de son père. On l'y retrouvera plusieurs fois au cours des années qui suivent, tenant à s'occuper personnellement de la publication des œuvres de La Boétie – poèmes latins, traduction de Xénophon –, les dédiant à de considérables personnages, Michel de L'Hospital, Henri de Mesmes, Louis de Lansac et monseigneur de Foix, l'archevêque de Toulouse –, et de sa propre traduction de la *Theologia naturalis*, ou *Livre des créatures*, qui nourrira le plus long chapitre des *Essais*, l'apologie de Raymond Sebond (« apologie » semblant ici choisie par antiphrase...).

C'est alors qu'il fait construire la fameuse tour d'angle [15] du château, qui sera son « poêle » du philosophe. Crut-il ainsi s'isoler du monde ? Le jour de son trente-huitième anniversaire, sept ans après la mort d'Étienne, trois ans après celle de son père, il rédige en latin et fait peindre sur un mur du cabinet attenant à sa « librairie » le texte le moins bon et le moins vrai qui soit jamais venu sous sa plume. N'est-elle pas emphatique, et même un peu niaise, cette déclaration où il prétend qu'« ennuyé des charges publiques » il est venu « se reposer sur le sein des doctes vierges » et se mettre « à part » du monde ? Lui dont est à peine entamée la carrière publique qui le fera passer de la frivolité ambitieuse et de la judicature exaspérée à l'acceptation sereine, courageuse, répétée, de multiples et très hautes responsabilités...

Rien n'est plus ridicule, en Histoire, que de juger la décision d'un homme à la lumière de connaissances acquises depuis lors. Mais ce qui étonne ici, c'est que le nouveau maître de Montaigne, connaissant l'état de son pays comme il le fait (« une si malplaisante saison ») au moment où il prétend prendre sa retraite, solennise ainsi un repli qui, pour un seigneur attentif à son rang et à sa gloire, vivant « dans le

15. Que n'a pas détruite l'incendie du château en 1885 et que l'on visite toujours.

moyeu des guerres », ne peut être que très provisoire. S'agit-il d'exorciser la guerre, et ses responsabilités, par les mots ?

Dans un peu plus d'un an, ce sera la Saint-Barthélemy, l'exacerbation de la guerre civile, l'enfermement d'Henri de Navarre au Louvre, puis la mort de « notre pauvre roi Charles le neuvième », la neutralité impossible, les risques incessants et les missions périlleuses, en attendant la mairie de Bordeaux, la Bastille et le reste. Jamais homme ne s'est plus lourdement abusé sur son destin que le plus intelligent des Gascons !

Si « doctes » qu'elles soient (y compris Terpsichore au pied léger ?), les Muses n'y pourront rien. Et si les *Essais* doivent surgir de cette librairie, ce ne sera pas sans avoir à surmonter les assauts d'une autre « vierge », Bellone au casque de bronze. Ce grand livre n'est pas une œuvre de paix, même artificielle. Ce n'est pas le fruit d'une retraite, mais de trêves que le seigneur de Montaigne saura se ménager entre deux chevauchées de Gascogne en Ile-de-France, de Rome à Nérac. Comment s'étonner que César y soit plus présent qu'Erasme ?

Mais enfin, la butte de Montravel est, jusqu'à son départ pour le grand voyage de 1580 et après son second exercice du mandat de maire de Bordeaux, son point d'ancrage, son môle. En attendant les grandes entreprises, il faut l'y débusquer, vers la quarantaine, galopant dans ses bois, démontant pour soupeser les grappes de ses vignes, lorgnant les bergères, saluant ses gens, cueillant une pêche, se faisant porter un melon sur la margelle d'un puits proche de la Lidoire.

Le maître du domaine qu'il fut, succédant à sa très compétente, très diligente mère, et heureusement assisté de Françoise aux doigts verts, on peut s'en faire une idée en lisant le chapitre « De la présomption » – non sans tenir compte de sa manie de l'autodépréciation, qu'il pratique avec une sorte de gourmandise sarcastique :

> Je suis né et nourri aux champs et parmi le labourage ; j'ai des affaires et du ménage en main, depuis que ceux qui me devançaient en la possession des biens que je jouis m'ont quitté leur place. Or je ne sais compter ni à jet [16], ni à plume ; la plupart de nos monnaies [17], je ne les connais pas, ni ne sais la différence de l'un grain à l'autre, ni en la terre, ni au grenier,

16. Avec des jetons.
17. De Bordeaux, de Guyenne, de France...

si elle n'est pas trop apparente ; ni à peine celle d'entre les choux et les laitues de mon jardin. Je n'entends pas seulement les noms des premiers outils du ménage, ni les plus grossiers principes de l'agriculture, et que les enfants savent ; moins aux arts mécaniques, au trafic et en la connaissance des marchandises, diversité et nature des fruits, de vins, de viandes ; ni à dresser un oiseau, ni à médeciner un cheval ou un chien. Et, puisqu'il me faut faire la honte tout entière, il n'y a pas un mois qu'on me surprit ignorant de quoi le levain servait à faire du pain, et que c'était que faire cuver du vin (II, 17).

Se moque-t-il ? Un peu. Mais l'étrange propriétaire terrien que voilà, plus étrange encore que l'était le magistrat méprisant les lois de son pays et peut-être le guerrier sensible à la vie des « goujats » ! On croirait entendre le très urbain Alphonse Allais parlant de ce lieu inimaginable qu'est « la campagne où les poulets rôtis se promènent tout vivants ». Mais lui y est né, y a vécu de longues années parmi les champs, y possède depuis dix ans un domaine hérité d'un père qui l'avait magistralement fait fructifier, d'une mère soucieuse de la moindre salade...

Non moins déconcertants sont ses rapports à l'argent. Nous avons connu Michel prototype de l'enfant prodigue, vivant à Paris (ou à Bordeaux) des subsides familiaux et des emprunts qu'il n'avait pas de peine à obtenir de ses nombreux amis (« Je me remettais de la conduite de mon besoin plus gaiement aux astres » [I, 14]). Bref, un vrai panier percé, et comme tel, selon ses parents, promis à « ruiner notre maison ». Or le voici, au milieu des années soixante, marié à une femme bien dotée, bientôt héritier du domaine, transformé en grippe-sou :

Ma seconde forme, ç'a été d'avoir de l'argent. A quoi m'étant pris, j'en fis bientôt des réserves notables selon ma condition ; n'estimant que ce fût avoir, sinon autant qu'on possède outre sa dépense ordinaire, ni qu'on se puisse fier du bien qui est encore en espérance de recette, pour claire qu'elle soit. Car, quoi ? disais-je, si j'étais surpris d'un tel, ou d'un tel accident ? Et, à la suite de ces vaines et vicieuses imaginations, j'allais, faisant l'ingénieux à pourvoir par cette superflue réserve à tous inconvénients ; et savais encore répondre à celui qui m'alléguait que le nombre des inconvénients était trop infini, que si ce n'était à tous, c'était à aucuns et plusieurs. Cela ne se passait pas sans pénible sollicité. J'en faisais un secret ; et moi, qui ose tant dire de moi, ne parlais de mon argent qu'en mensonge, comme font les autres, qui s'appauvrissent riches, s'enrichissent pauvres [...]. Laissais-je ma boîte [18] chez moi, combien de soupçons et pensements épineux, et, qui pis est, incommunicables ! [...] Tout homme pécunieux est avaricieux à mon gré (I, 14).

Superbe autocritique d'Harpagon. La Fontaine n'a plus qu'à se donner la peine de le démarquer pour en faire « Le savetier et le financier ». Mais notre Gascon n'en restera pas là :

> Je fus quelques années en ce point. Je ne sais quel bon démon m'en jeta hors [...], le plaisir de certain voyage de grande dépense ayant mis au pied cette sotte imagination. Par où je suis retombé à une tierce sorte de vie [...]. Je vis du jour à la journée, et me contente d'avoir de quoi suffire aux besoins présents et ordinaires [...]. Si j'amasse, ce n'est [...] non pour acheter des terres, de quoi je n'ai que faire [19], mais pour acheter du plaisir. [...] et [...] je me voie défait de cette maladie si commune aux vieux, et la plus ridicule de toutes les humaines folies (I, 14).

On n'ironisera pas outre mesure sur l'insouciance financière (« au jour la journée ») d'un homme pourvu d'un si confortable héritage, flanqué d'une épouse infiniment plus soucieuse que lui de « ménagerie » et d'un régisseur, Pierre de Lavreau, qui acheva d'épargner tout souci à ce propriétaire qui ne savait rien de « nos monnaies », ne pouvait distinguer une rave d'un radis et, non sans opérer ici ou là quelque transaction habile pour l'enrichissement du domaine, se contenta de menus travaux de maçonnerie et de peinture pour éviter que dépérisse le beau domaine enrichi par Pierre Eyquem et Antoinette de Louppes. Laquelle, refoulée sur son territoire marginal, devait houspiller (de loin ?) le châtelain nonchalant et son épouse qui l'était moins.

Tout allait donc pour le mieux à Montaigne, sans qu'il s'en mêlât. Tant que les affaires du monde ne le requéraient pas, il pouvait, chaque matin réveillé à sept heures, bientôt vêtu de son haut-de-chausse noir et de son pourpoint blanc, grimper les quelques marches qui, de sa

18. Sa « cassette », bien sûr.
19. Il acheta pourtant un lopin à l'archevêque de Bordeaux.

chambre (située au-dessus de la chapelle), conduisaient à sa librairie, qu'il nous dit « belle entre les librairies de village ». Grâce au don de sa bibliothèque à lui fait (« la mort entre les dents ») par La Boétie, elle rassemblait un millier de volumes. De là, croit-il bon d'ajouter, « tout d'une main je commande à mon ménage » (III, 3). Le vantard !

On a évoqué déjà le manifeste pompeux qu'il a voulu peindre sur son mur, en guise de vœu quasi monastique d'entrée en littérature. Plus significatif – sinon plus crédible – est l'appareil de citations et sentences dont il prit soin d'orner la poutre et les solives de sa librairie, comme autant de commandements du sage, et dont le sage ne saurait trop s'imbiber, s'inspirer.

Il convient bien sûr de citer quelques-uns de ces textes, non sans observer qu'il serait absurde d'en faire un système de références, les cinquante commandements de Montaigne : l'auteur des *Essais*, l'un des inventeurs de la pensée occidentale, n'a-t-il pas cru bon d'y ranger ce propos d'un personnage de Sophocle : « Ne penser à rien, c'est la vie la plus douce » ?

La dominante du ton de ces sentences est le scepticisme le plus arrogant, et qui y verrait le fond de la pensée montaignienne se condamnerait à ne rien comprendre du vigoureux humanisme qui anime les *Essais*, et la vie de ce brave citoyen du siècle.

Quand on a aligné une quinzaine d'adages de Sextus Empiricus (« Je ne décide rien », « Je ne puis comprendre », « A tout raisonnement s'oppose un raisonnement aussi fort », « Cela peut être, ou ne pas être », « επεχω » « Je suspens mon jugement », comme a semblé le faire le maître de Montravel qui connaissait, lui, la complexité dynamique de sa propre pensée) et qu'on veut y enfermer ce Montaigne qui a fait mine de se barricader dans sa tour, on en vient, comme Michelet et bien d'autres, à faire des *Essais* le long gémissement, le ricanement amer d'un infirme.

C'est à vrai dire avouer n'avoir pas lu ce livre que de ne pas y voir sonner et claquer le siècle, et ses luttes, et ses engagements – ceux, entre autres, de Michel de Montaigne. Et on en revient à résumer cette vie en la « démission » d'un maire de Bordeaux qui a fui la peste [20]...

Bien d'autres sentences de la librairie révèlent, il est vrai, la force

---

20. Cf. *infra*, chap. X.

des bouffées de scepticisme mélancolique qui assaillaient le solitaire – et d'abord celles de l'Ecclésiaste (préféré à l'Évangile), dont le leit-motiv est « tout est vanité » et la plus magnifique formule « de toutes les œuvres de Dieu, rien n'est plus inconnu à n'importe quel homme que la trace du vent »...

Les textes de saint Paul sont-ils plus roboratifs ? Retenons celui-ci, extrait de l'épître aux Romains : « Ne soyez pas plus sages qu'il ne faut, mais soyez sobrement sages » : précepte merveilleusement mon-taignien, que l'on pourrait prendre pour épigraphe d'un portrait de notre essayiste.

Mais s'il faut, entre tous ces adages, choisir celui qui, plus que tout autre peut-être, aura inspiré l'auteur des *Essais*, inscrit qu'il était (et reste) sur la poutre la plus proche de son écritoire, c'est le « *homo sum et nihil humanum mihi alienum puto* » (« je suis homme et crois que rien d'humain ne m'est étranger ») de Térence – les huit mots magni-fiques en quoi se concentrent pour nous la pensée et le comportement de l'homme qui plaida pour la tolérance, dénonça la torture, ridiculisa le concept de « sauvage », s'ouvrit à toutes les cultures, choisit, étant en Italie, d'écrire en italien, aima le vin et l'accueil des Allemands, respecta la conversion à la Réforme de l'un de ses frères et de l'une de ses sœurs et se battit pour que ses coreligionnaires catholiques recon-nussent la légitimité d'un prince huguenot.

Ainsi inspiré, ou encadré, Michel de Montaigne entama la rédaction des *Essais* au début de 1572, estime-t-on. Compte tenu des longues périodes au cours desquelles il voyagea, négocia, combattit, administra Bordeaux, l'ouvrage fut donc écrit et réécrit au long de vingt années, seulement interrompu par la mort, en 1592. On lit au livre III, cha-pitre 9 : « J'ai pris une route par laquelle, sans cesse et sans travail, j'irai autant qu'il y aura d'encre et de papier au monde [...]. » Sans travail ? Voulait-il dire par là que le livre coula de source ?

Pourquoi ce latiniste de naissance et de goût choisit-il d'écrire en français, la langue vulgaire de l'époque ? Il a lui-même amorcé une explication : « J'écris mon livre à peu d'hommes et à peu d'années. Si ç'eût été une matière de durée, il l'eût fallu commettre à un langage plus ferme » : autrement dit, s'il n'a pas écrit en latin, c'est pour paraître plus familier, moins solennel, moins prétentieux. (Mais alors, pourquoi pas le gascon ?) On ne sait pas non plus s'il en dicta une partie [21]. Son écriture anguleuse nous est bien connue, mais peut-être fut-elle réservée aux corrections, ajouts, ou « allongeails », ou « brevets », pour reprendre ses expressions, qui hérissent ses premiers textes, et les autres, au fur et à mesure.

La première édition fut donc publiée à Bordeaux, chez Simon Millanges, en 1580, près de neuf ans après qu'il en eut entamé la rédaction systématique (si tant est que le mot puisse être appliqué à ces « sauts et gambades »). Elle ne comportait que les deux premiers livres, précédés de la fameuse adresse au lecteur, datée du 1er mars 1580 :

> C'est ici un livre de bonne foi, lecteur. [...] je ne m'y suis proposé aucune fin, que domestique et privée. Je n'y ai eu nulle considération de ton service, ni de ma gloire. [...] Je l'ai voué à la commodité particulière de mes parents et amis [...]. Je veux qu'on m'y voie en ma façon simple, naturelle et ordinaire [...]. Ainsi, lecteur, je suis moi-même la matière de mon livre [...].

Deux ans plus tard, de retour de son grand voyage en Suisse, Allemagne et Italie (juin 1580-novembre 1581), étant maire de Bordeaux, il publia, toujours chez Millanges, une deuxième édition, en apparence assez peu retouchée – bien qu'y soit sensible un écho de ses récents voyages, notamment une influence de la culture italienne.

Libéré en 1585 des tâches de la mairie de Bordeaux – mais non, on le verra, de très importantes missions politiques –, il se remit au travail. En 1588 parut, à Paris cette fois, chez Abel L'Angellier, une troisième édition, fort nouvelle : y était joint le livre III, si riche et différent, les deux premiers étant largement révisés.

Il lui restait quatre ans à vivre. Entre deux démarches en vue de la paix et de l'accession au trône d'Henri de Navarre, il préparait une nouvelle mouture de son livre quand la mort le prit, en 1592. Les matériaux (complets ?) de ce qui était en son esprit l'édition future – s'agissant de lui, on ne saurait employer le mot « définitive »... – constituent ce qu'on appelle l'« exemplaire de Bordeaux », scintillant

---

21. Il nous confie qu'il préférait travailler en s'agitant. Cf p. 161.

de notations neuves, de corrections et « allongeails » qui sont peut-être le plus pur, le plus achevé de la pensée de Michel de Montaigne, l'élixir de sa mouvante sagesse.

On n'attend pas ici la moindre ébauche d'analyse ou d'interprétation des *Essais* – tout à fait extérieure au projet de ce livre –, encore que, si l'on s'en tient strictement au dessein de faire paraître *Montaigne à cheval*, on soit contraint de rappeler que, de son aveu même, c'est en cette posture qu'il méditait le mieux... Pensée mouvante, pensée équestre...

Renvoyant, pour la pensée de notre essayiste, aux bons auteurs déjà cités [22], on voudrait s'en tenir, à propos de ce grand livre dont on a suggéré après tant d'autres [23] à quel point il est immergé dans son siècle ou irrigué par lui, à deux brèves questions : Montaigne écrivait-il librement ou sous la pesée de quelque inquisition politique ou religieuse ? Son ouvrage eut-il, d'emblée, le retentissement et les effets que nous sommes portés à imaginer ?

A la première question on est tenté de répondre que sa plume était libre. Il y a bien sûr les quelques allusions faites à la nécessité de n'écrire qu'« à demi, à dire confusément, à dire discordamment » (III, 9). Il y a la reconnaissance de l'« autorité de leur censure » (de l'Église) « qui peut tout sur moi » (I, 56). Il y a aussi le retranchement des deux grands textes de La Boétie, qu'il préfère ne pas publier « en une aussi malplaisante saison ». Il y a enfin la fameuse critique du texte par un *monsignore* romain, qu'il rapporte dans son *Journal de voyage*.

Il faut s'arrêter un instant sur ce dialogue de 1581 avec le *maestro del sacro palazzo*. Donald Frame écrit que ce fut un « concours de politesses ». Mais qui ne sait que l'Inquisition pouvait être feutrée ? Le fait est que l'« examinateur » romain, s'en remettant à l'auteur du soin de faire les corrections utiles, n'en formula pas moins six griefs : avoir usé du mot « fortune » ; avoir cité avec éloge des poètes hérétiques ;

---

22. Entre autres Thibaudet, Villey, Friedrich, Starobinski, Screech...
23. Notamment Alphonse Grün, Fortunat Strowski, Roger Trinquet et Géralde Nakam.

avoir excusé Julien, l'apostat ; avoir soutenu que la prière devait exclure toute « vicieuse inclination » ; avoir dénoncé la cruauté des peines allant « au-delà » de la mort simple ; avoir soutenu qu'il fallait nourrir un enfant « à tout faire »...

Critique assez pertinente, du point de vue d'un porte-parole de l'Église au temps du concile de Trente. Il est vrai qu'employer le mot « fortune » au lieu de « providence » (ou, moins clairement, de « grâce ») sentait fort son humaniste païen ; que ranger un aussi éminent calviniste que Théodore de Bèze parmi les meilleurs poètes du temps ne manquait pas d'audace ; que l'éloge du plus illustre des apostats, l'empereur Julien, pouvait passer pour de la provocation ; que considérer que, pour être sainte, une prière devait être faite « l'âme nette » conduisait à ce qu'on n'appelait pas encore, et pour cause, le jansénisme ; que la dénonciation de la torture visait inévitablement les tribunaux d'Église ; et qu'enfin la pédagogie montaignienne, et ce qu'elle comportait d'hédoniste ou même de dionysiaque, était de nature à effaroucher les bonnes âmes...

On s'étonne d'ailleurs que ce judicieux *maestro* romain n'ait pas mis l'accent sur les deux vices les plus évidents du « christianisme » des *Essais* : que le Christ en est absent ; que la mort, si souvent évoquée, et si noblement, n'y ouvre jamais la moindre perspective sur la vie éternelle et n'y est pas traitée autrement que par Platon ou Sénèque. Bref, Montaigne quitta Rome nanti du timide conseil de corriger quelques erreurs. Si peu effrayé et jugeant l'admonestation si bénigne que, rentré chez lui, il négligea purement et simplement d'en tenir compte...

Ce refus en dit long sur l'idée que Montaigne avait de la réalité des contraintes religieuses qui pesaient sur lui. En fait, il semble avoir fait beaucoup plus de cas des politiques. S'il ose faire l'éloge de Julien l'Apostat, sujet périlleux entre tous dans une société chrétienne, et néglige même l'avertissement qui lui est donné sur ce point par Rome, il n'ose pas publier le *Discours de la servitude volontaire*, certes audacieux par rapport au pouvoir absolu, mais où, on l'a vu, La Boétie a prudemment exclu de son réquisitoire la monarchie française, supposée bonne par essence...

D'ailleurs, quand Montaigne dénonce les « nouvelletés », c'est-à-dire la Réforme, ce n'est pas l'« hérésie » qu'il vise, la prédestination ou le rejet de l'appareil sacramentel, c'est ce qu'elle apporte de déséquilibre et de trouble dans la société politique française (s'en prenant, chose curieuse, à Luther et non à Calvin, référence fondamentale du protestantisme en son pays).

Le sujet sur lequel Montaigne prit le plus de risques fut peut-être celui qu'il aborda dans « Des boiteux », où il met en doute la réalité des démons et le pouvoir attribué aux sorcières. Géralde Nakam assure qu'il se vit, en cette matière, « contredit, attaqué, peut-être menacé [24] », et qu'il « eut contre lui les démonologues del Rio et de L'Ancre, profondément choqués par sa témérité, et le théologien jésuite Théophile Raynard, qui le range, avec Pomponazzi, parmi les hérétiques [25] ».

On ne se retiendra pas de jouer – à peine... – sur les mots en parlant de sujets brûlants. Mais en observant ceci : l'auteur des *Essais*, hardi à propos de Julien, favorable à tel poète huguenot, sévère à l'encontre de pieux tortionnaires en froc, pousse assez loin l'art du camouflage ou de l'ambiguïté pour limiter les risques. L'excellent montaigniste américain Patrick Henry parle de « *defensive writing* [26] » (« écriture défensive »), notamment à propos du titrage de différents essais à hauts risques : intituler « Une coutume de l'île de Céa » un éloge du suicide, « Des boiteux » un réquisitoire contre la démonologie, « Sur des vers de Virgile » une apologie de l'érotisme, c'est prendre soin de ne pas heurter de front les bien-pensants, les censeurs et le Saint-Office. Dut-il à ces « titres obliques [27] » d'avoir détourné la foudre ?

Quant à l'impact intellectuel, moral et politique qu'eurent les *Essais* sur la société de son temps, il faut être prudent. L'ouvrage, bientôt présenté à Henri III, et loué d'emblée par le roi, trouva très rapidement des lecteurs, et des admirateurs, fût-ce hors de France : en Italie, moins d'un an plus tard, le voyageur est fêté comme l'auteur des *Essais*. (Parler de « tirage » a-t-il un sens ? On estime le premier à un peu plus d'un millier d'exemplaires. Il faut doubler le chiffre pour la seconde édition, quadrupler pour celle de 1558, qui englobe le livre III.)

Si peu qu'il aime Montaigne, on a vu que Brantôme, meilleur confrère en matière littéraire que dans l'ordre militaire, propose un

---

24. Géralde Nakam, *Montaigne et son temps, op. cit.*, p. 378.
25. *Ibid.*, p. 397.
26. Patrick Henry, *Montaigne in Dialogue*, Stanford University, Saratoga, Anma Libri, 1987.
27. *Ibid.*

éloge détourné de l'ouvrage. La noblesse éclairée, qui a cessé depuis une vingtaine d'années d'être méprisée en tant que telle, lui fait un succès : il n'est pas de relation du châtelain de Montravel, à commencer par les dames, dédicataires de plusieurs chapitres, qui ne l'ait lu. L'élection de Michel de Montaigne à la mairie de Bordeaux devra certainement quelque chose à la flatteuse renommée de l'essayiste.

En tant que manifeste de tolérance, le livre marqua-t-il son temps ? Il était de nature à irriter un large courant catholique, pour ce qu'il proposait de modération à propos des réformés et plus encore de décevoir les huguenots en ce qu'il condamnait les « nouvelletés ». En fait, on n'a guère enregistré de dénonciations contemporaines des *Essais*. Les cris d'admiration de Juste Lipse ou de La Croix-du-Maine l'emportent sur les récriminations à la d'Aubigné.

Des effets plus directs sur la société ? Géralde Nakam suggère que l'auteur des *Essais* ne sauva pas moins de quatorze sorcières à Tours en 1590. Comment en effet ne pas rapprocher ce passage du chapitre « Des boiteux » : « [...] je leur eusse plutôt ordonné de l'ellébore que de la ciguë » (c'est-à-dire un médicament plutôt qu'un poison), du rapport d'un médecin nommé Pigray, expert commis pour ce procès : « Notre dire fut de leur bailler plutôt de l'ellébore pour les purger [28] » ? Deux ans après la publication du livre III des *Essais*... De combien de livres peut-on dire qu'ils ont sauvé quatorze vies humaines ?

Mais sa tour n'est pas une prison, ni un abri contre les orages de l'Histoire. Dictant ou grattant le papier de sa plume, feuilletant son Plutarque ou son Sénèque, allant et venant dans sa librairie (« Mon esprit ne va, si les jambes ne l'agitent »), sautant en selle vers le soir pour un galop à travers champs, s'informant de la récolte de melons auprès de Françoise, il semble réduit à la condition de gentilhomme campagnard amoureux de son livre et de ses aises. Mais le monde bouge...

28. Cité par Géralde Nakam, *Montaigne et son temps*, *op. cit.*, p. 396.

Ce « fagotage de diverses pièces », auquel il a choisi de donner le titre *Essais*, Montaigne nous dit qu'il ne s'est « bâti » qu'à divers « intervalles » entre les « occasions » qui le tenaient « ailleurs plusieurs mois » et quand une « trop lâche oisiveté » le pressait (II, 37). Ce qu'on appelle sa « retraite » de dix années ne fut qu'un va-et-vient entre démarches publiques et périodes d'écriture, la tour de Montravel jouant le rôle de port d'attache pour ce hardi navigateur avide de lever l'ancre et toujours aux aguets.

Nul ne peut dire, en l'état actuel du dossier, combien de voyages il entreprit à Paris entre 1570 et 1580. Le premier se situe (vraisemblablement) à la fin de 1572, après le début de la rédaction des *Essais*, quand il répondit à la convocation du roi Charles IX, réunissant autour de lui ses « chevaliers de Saint-Michel » après les horreurs de la Saint-Barthélemy, comme pour trouver réconfort, sinon approbation, après la tragédie qui avait déjà fait de lui un fantôme halluciné [29].

Michel de Montaigne, en effet, avait été fait un an plus tôt chevalier de l'ordre de Saint-Michel, s'attirant, sur ce point aussi, les sarcasmes de Brantôme. Autrefois rare et donc prestigieuse, cette distinction s'était quelque peu banalisée. On la qualifiait de « collier à toutes bêtes ». (Mais connaît-on une décoration au monde que ses détenteurs ne jugent prostituée par sa remise à de nouveaux bénéficiaires ?) Cependant, pour un gentilhomme récent comme Montaigne, c'était à coup sûr un honneur, dût-il faire mine de s'en moquer lui-même, parlant de discrédit où l'ordre était tombé du fait de la « largesse » avec laquelle l'insigne en avait été prodigué (II, 12).

Qu'il en fût très fier, voire glorieux, on en a recueilli maints témoignages : il portait la médaille en toutes occasions et l'avait fait graver et peindre en divers endroits de son château. Il alla plus loin, exigeant de son imprimeur Millanges qu'il recomposât la page de titre de la première édition des *Essais*, dont certains exemplaires avaient déjà circulé dans le public, parce que ses titres avaient été oubliés...

Ces honneurs qu'il chérissait dans un demi-sourire, Montaigne n'allait pas finir d'en recevoir. C'est à partir de 1573 que la correspondance adressée à la chancellerie du parlement de Bordeaux à son ancien collègue mentionne le titre de « Gentilhomme ordinaire de la

---

29. Cf. *infra*, chap. VIII.

Chambre du Roy ». Le titre lui fut attribué par celui qu'il n'appellera dans les *Essais* que « notre pauvre feu roi Charles le neuvième », peut-être pour l'avoir vu si défait, après la rencontre parisienne de 1572, et qui allait mourir en mai 1574, cédant le trône à son frère Henri d'Anjou – que Montaigne aimera beaucoup moins, non sans recevoir de lui compliments et bienfaits.

Le fait est que c'est au nom du vainqueur de Moncontour qu'il fut convoqué peu après au camp de Sainte-Hermine, puis chargé par le duc de Montpensier de la mission auprès du parlement de Bordeaux dont il a été question au chapitre précédent, incitant ses anciens collègues à mettre la ville, et plus précisément le Château-Trompette, en état de résister aux entreprises des huguenots, confortés ou non par un débarquement des Anglais. Le voilà donc pleinement engagé du côté catholique, et des plus militants.

Mais alors, pourquoi faut-il que trois ans plus tard, en 1577, il se trouve honoré avec éclat par le chef du parti protestant, Henri de Navarre, qui le nomme gentilhomme de sa chambre, comme l'ont fait ses cousins Valois ? Le texte de la nomination, en tout cas, est beau :

« Henri, par la grâce de Dieu, roi de Navarre, Seigneur souverain de Béarn, duc de Vendômois, de Beaumont et d'Albret, comte de Foix, d'Armagnac, de Bigorre, et de Périgord, vicomte de Limoges, de Marsan, Tursan, Gavardan, Nébouzan, Lautrec et Villeneuve, pair de France, gouverneur lieutenant général pour le roi en Guyenne ; à tous ceux qui ces présentes lettres verront, Salut !

« Savoir faisons que pour le bon et louable rapport que fait nous a été de la personne de notre cher et bien aimé Michel de Montaigne, chevalier de l'Ordre du Roi Monseigneur, de ses sens, suffisante doctrine, vertu, valeur et recommandables mérites, iceluy pour ces causes et autres considérations à nous mouvans, avons retenu et retenons en l'état et office de gentilhomme ordinaire de notre chambre pour d'iceluy jouir.

« Donné à lecture le dernier jour de novembre 1577. Henri [30]. »

---

30. Texte retrouvé par Alexandre Nicolaï et publié in *BSAM*, 2e série, no 13-14, janvier 1949.

Si, quelques mois après son évasion du Louvre où il a été retenu sinon emprisonné au lendemain de la Saint-Barthélemy, et contraint à l'abjuration, Henri de Navarre élit ainsi, pour être de son entourage, le « gentilhomme de la chambre » de ses provisoires ennemis, les fils de Catherine de Médicis l'abhorrée, c'est qu'il a dû en recevoir entretemps un signalé service et les marques d'un attachement singulier.

Nous reviendrons plus tard sur ce que Montaigne appelle « ce peu que j'ai eu à négocier entre nos princes » (III, 1) et qui le conduisit à s'entremettre entre les trois Henri – Anjou, Guise et Navarre – pour tenter de sortir de l'imbroglio sanglant où la Saint-Barthélemy avait jeté le royaume.

Ce qui paraît clair, dans cette obscurité menaçante, c'est que le gentilhomme périgourdin se conduisit de telle façon que le Navarrais voulut s'attacher sinon les services, en tout cas l'amitié de ce catholique resté fidèle à son parti sans peut-être en approuver toutes les méthodes[31]. Ce que ne sait pas le subtil Navarre, c'est que son nouveau gentilhomme vient d'écrire, dans l'essai « Sur la liberté de conscience » – qui ne paraîtra que trois ans plus tard –, un éloge de Julien l'Apostat où l'on pourra voir une justification de sa double apostasie à lui...

Ainsi le « reclus » de Montaigne se retrouve-t-il, de campagne en entremise diplomatique, de siège en négociation, fait à la fois gentilhomme de la chambre par les deux ennemis apparents, le Valois du Louvre et le Bourbon de Pau : ce qui le désigne assez bien pour les grandes missions politiques des années quatre-vingt[32]... C'est aussi le temps où il écrit des essais intitulés « De la solitude » et « Du dormir ». A qui se fier ?

Mais voici que cette double vie d'écrivain emmuré et de diplomate à tous vents est soudain affectée d'une terrible épreuve : c'est en 1578 – certains proposent la date du 20 juillet – que le châtelain de Montaigne subit les premières atteintes de la gravelle, ou « maladie de la

31. Cf. *infra*, chap. VIII.
32. Cf. *infra*, chap. XII.

pierre », que nous appelons aujourd'hui « colique néphrétique » : « Je suis aux prises avec la pire de toutes les maladies, la plus soudaine, la plus douloureuse, la plus mortelle et la plus irrémédiable » (II, 37).

Précisant qu'il en a déjà subi, à la fin de 1579, cinq ou six accès, il ajoute : « [...] la douleur n'a pas cette aigreur si âpre et si poignante, qu'un homme rassis[33] en doive entrer en rage et en désespoir ». Et de commenter, en vrai philosophe, la signification et les effets d'un mal qui a ceci de bon que « d'autant moins me sera la mort à craindre ». Il va même jusqu'à écrire que « cette douleur soufferte » ne saurait se comparer au « plaisir d'un prompt amendement » chaque fois qu'il évacue un calcul... Mais il revendique pour le malade le droit de ne pas dissimuler sa souffrance sous un masque d'impassibilité stoïcienne : « Si le corps se soulage en se plaignant, qu'il le fasse [...] » (II, 37).

Ce mal, Pierre Eyquem l'avait enduré sept longues années avant d'en mourir, à soixante-quatorze ans[34]. Michel est persuadé qu'il tient cette colique de son père[35] et s'étonne d'en être atteint beaucoup plus jeune que lui, vers quarante-cinq ans. Il ne lui trouve guère de remède ni d'apaisement mais n'en court pas moins aux eaux supposées béné-fiques d'Aigues-Chaudes, de Bagnères-de-Bigorre et de Barbotan, dans le Gers – en attendant d'entreprendre, vers Plombières d'abord et la Toscane ensuite, le grand voyage de 1580-1581 dont le prétexte sera d'abord médical.

S'il éprouve, de ces bains chauds, quelque détente, parfois l'expul-sion d'une « pierre » (calcul formé dans la vessie insuffisamment irri-guée), c'est, pense-t-il, parce qu'il n'y a là que l'effort de « nature ». Il est peu de dire en effet qu'il a la médecine en exécration : il n'est pas de sarcasme décoché par Molière contre cette corporation qui ne paraisse bénin à un bon lecteur de Montaigne.

L'éloignement du seigneur de Montravel pour la médecine – bien qu'il eût d'excellents amis médecins et gardât un grand souvenir du maître parisien Sylvius – tient pour beaucoup à certains des usages

---

33. Il a alors quarante-cinq ans.
34. Bien que les *Essais* donnent le chiffre de soixante-douze.
35. Le caractère héréditaire de la « lithiase urinaire » – puisque tel est son nom savant – est contesté par de très bons spécialistes, qui en trouvent les causes dans le genre de vie, le type d'alimentation, l'insuffisante hydratation. Chez les Montaigne père et fils, les excès alimentaires jouèrent à coup sûr un rôle actif.

du temps. Les chirurgiens ne pratiquaient-ils pas l'horrible opération dite de la « taille », qui consistait tout simplement à fendre la verge du malade (sans anesthésie, bien sûr) afin d'en retirer les calculs ?...

On reviendra, notamment à propos du grand voyage en Italie, sur ces diverses épreuves qui allaient assombrir cruellement les douze dernières années de la vie de Michel de Montaigne. Mais il faut d'abord signaler une singularité de cet étrange malade. Si pénibles que fussent ces crises de colique, elles furent bien loin de le détourner de l'équitation, comme on pourrait le supposer. Elles l'incitèrent au contraire à enfourcher plus souvent sa monture, la position en selle lui apportant quelque soulagement. Il le signale, précisant qu'en temps de crise il ne démontait pas pendant dix heures ou plus.

Massage de la vessie, échauffement salutaire ou simple distraction ? Le fait est que l'équitation, qu'il chérissait, allait s'avérer plus bénéfique pour ce gentilhomme « coliqueux » que la médecine, qu'il détestait. D'où l'on pourrait tirer argument en faveur de la primauté du psychisme chez les psychologues.

Tout souffrant qu'il soit – notamment devant son écritoire, les longues stations assises étant de nature à exacerber le mal [36] –, Michel de Montaigne reste un hédoniste, amoureux des plaisirs de la vie qu'il sait ingénieusement susciter – à l'exception, bientôt, de ceux qu'il tient pour les plus exquis et qui vont se dérober à lui aux alentours de la cinquantaine.

Pour se faire une idée d'une journée du seigneur de Montaigne entre tour et jardin, il suffit d'ouvrir les *Essais* au chapitre final, « De l'expérience », autoportrait merveilleusement familier de celui qui tenait pour « perfection divine » de « savoir jouir loyalement de son être » – et le faisait en le disant ainsi :

> Notre vie n'est que mouvement. [...] Mon corps est capable d'une agitation ferme, mais non pas véhémente et soudaine. [...] Je me tiens debout tout le long d'un jour, et ne m'ennuie point à me promener ; mais sur le pavé, depuis mon premier âge, je n'ai aimé d'aller qu'à cheval [...].

36. Ce pour quoi l'hypothèse d'une dictée du texte est très recevable.

166

Je ne choisis guère à table, et me prends à la première chose et plus voisine [...].
[J'aime les viandes] peu cuites et [...] fort mortifiées [...].
Je ne suis excessivement désireux ni de salades, ni de fruits, sauf les melons. Mon père haïssait toute sorte de sauces : je les aime toutes. Le trop manger m'empêche ; [...] j'ai rechangé du [vin] blanc au clairet[37], et puis du clairet au blanc. Je suis friand de poisson et fais mes jours gras des maigres [...].
[...] les petits verres sont les miens favoris [...]. Je trempe mon vin plus souvent à moitié, parfois au tiers d'eau. [...]
C'est indécence, outre ce qu'il nuit à la santé, voire et au plaisir, de manger goulûment, comme je fais : je mords souvent ma langue, parfois mes doigts, de hâtiveté. [...]
L'extrême fruit de ma santé, c'est la volupté [...].
Moi, qui ne manie que terre à terre, hais cette inhumaine sapience qui nous veut rendre dédaigneux [...] de la culture du corps (III, 13).

Une conscience aussi aiguë de l'harmonie du vivre en accord avec les choses et le monde est certes digne d'admiration. Mais ne rend-elle pas moins sensible aux dysharmonies les plus cruelles ? Nous allons en juger.

37. « Vin rouge ».

CHAPITRE VIII

Le grand massacre :
Montaigne et Machiavel

• « ... et qu'on massacre » • La sanglante nuit du 24 août • Le roi ou les gens de Paris ? • « Notre pauvre feu roi Charles » • Ce bon M. de Pibrac • De Bordeaux et des jésuites • Machiavel, « cet athée puant » • De l'utile et de l'honnête • « S'il le fit sans regret ».

Relisant son livre au soir de sa vie, comme il le faisait sans cesse depuis bientôt vingt ans, plume en main, Michel de Montaigne s'arrête sur une des premières phrases du chapitre intitulé « De l'utile et de l'honnête », qui ouvre le livre III. Il lit : « Le bien public requiert qu'on trahisse et qu'on mente. » Amère maxime. Trop amère, à la relecture ?

Ces mots ont été écrits avant qu'il n'assume les responsabilités dont il a été investi depuis dix ans, à la mairie de Bordeaux et ailleurs. Depuis lors, il a été mêlé à de périlleuses négociations avec Catherine de Médicis, les princes, les ligueurs de Bordeaux et de Paris. Ce ne sont pas ces expériences qui peuvent le conduire à atténuer la rudesse de son propos. Elles lui suggèrent au contraire ce qu'il appelle un « allongeail » – terrible. A « qu'on trahisse et qu'on mente » il ose ajouter : « et qu'on massacre ».

Les quatre mots fatidiques se détachent, en marge de la deuxième page du premier chapitre[1] du Livre III, dans l'« exemplaire de Bordeaux », le posthume, le testamentaire – évoquant irrésistiblement la tragédie, vieille pourtant de près de vingt ans, du 24 août 1572, que l'Histoire a retenue sous le nom de Saint-Barthélemy, archétype du

---

1. Pl. 712.

massacre : et c'est bien le mot qu'a choisi l'auteur des *Essais*, de préférence à « tuer », « assassiner » ou « exécuter ». C'est bien le massacre qu'il reconnaît ici pour « utile », sinon pour « honnête »...

Est-ce là, après mûre, très mûre réflexion, son dernier mot sur ce crime « requis par le bien public », dû à un « coup de verge divine » – formules d'autant plus significatives qu'elles sont assorties de ce bref commentaire de l'« honnête » homme, soucieux de se distancier : « résignons cette commission à gens plus obéissants et plus souples » (III, 1) ? On peut admettre l'« utilité » d'un acte sans se résoudre pour autant à l'accomplir soi-même.

Bien sûr, il y avait eu d'autres massacres en France au temps de Montaigne – de celui de Wassy (1562) perpétré par le clan des Guise à l'assassinat du duc François par un protestant, et de celui de son fils « le Balafré » (1588) au meurtre du roi l'année suivante. Et c'est surtout au XIXᵉ siècle que la Saint-Barthélemy a pris sa dimension symbolique. Mais aucun crime collectif du XVIᵉ siècle, depuis le sac de Rome (1527), n'imposait à ce point cette appellation. Et le Montaigne de 1590 avait été mêlé de trop près aux tumultes du temps, il connaissait trop bien les acteurs de la tragédie de 1572 pour ne pas savoir ce qu'il désignait ainsi par le mot « massacre ».

Mais où était-il, Montaigne, en ces jours horribles que furent le 24 août 1572 et aussi, et surtout peut-être, les 3, 4 et 5 octobre à Bordeaux, où le massacre de près de trois cents huguenots fit écho, comme en d'autres villes françaises (Orléans, Lyon, Rouen, Toulouse...), au crime collectif des Parisiens ?

Il y a tout lieu de penser qu'il était fort éloigné du Louvre et des ruelles alentour où l'on égorgeait Coligny et les amis de Navarre et de Condé. Et ce que l'on en rapporta, en province, dans les jours qui suivirent, dut lui sembler trop aventuré pour qu'il ne suspendît d'abord son jugement. Il n'en va pas de même pour les tueries de Bordeaux, au début d'octobre.

A cette époque, le châtelain de Montravel devait être enfermé dans sa tour, étant aux prises depuis sept ou huit mois avec son premier livre – dont le chapitre initial s'achève par l'évocation émue d'un massacre, celui des Thébains par Alexandre le Macédonien, qui fit passer

« au fil de l'épée tant de vaillants hommes [...] n'ayant plus moyen de défense publique [...] jusqu'à la dernière goutte de sang [...] épandable » (I, 1). Première réaction, tout allusive, aux horreurs récentes ? Pressentiment ?

A l'abri ou non de ses murailles et de son manuscrit, le seigneur de Montaigne dut apprendre avec horreur le massacre de Bordeaux, perpétré à dix lieues de chez lui. Il impliquait, parmi les responsables, des hommes qui touchaient de près à sa famille, comme le gouverneur Charles de Montferrand, et, parmi les victimes, d'anciens confrères, comme le parlementaire Jean Guilloche : cette tuerie avait été commise par les citadins de *sa* ville, cette cité où il avait vécu, étudié, statué, administré, où il touchait à tout ce qui était l'autorité et dont les chefs du parti catholique militant – y compris les jésuites – étaient ses amis ou ses parents, à tel point qu'il s'était compromis naguère à leurs côtés face aux « modérés », proches de lui...

Mais le fait est que ce même philosophe qui a si bien évoqué les sanglantes journées bordelaises de 1548 [2] – il est vrai bien éloignées et moins compromettantes – garde, à propos du crime de ceux qu'il faut bien appeler « les siens », un lourd silence, avant d'en venir, beaucoup plus tard, à la reconnaissance angoissée de l'« utilité » d'un massacre (innommé)...

Prudence imputable au souci qu'il prend de la sécurité des siens ? Au refus de trahir ce qui est tout de même – ou était récemment – son parti ? A son attachement pour le roi ? Il lui était loisible de manifester sa réprobation ou simplement sa tristesse dans le « Beuther », l'éphéméride familial, loin des regards du public, des autorités et des bandes armées fanatiques. N'y inscrivait-il que ce qui concernait sa famille et ses proches ? Mais non : des années plus tard, il écrira sur la page datée du 23 décembre 1588 : « Henri, duc de Guise, à la vérité des premiers hommes de son âge, fut tué en la chambre du roi. » Ce qui était, à propos d'un crime perpétré à Blois, loin de chez lui, rendre hommage, précisément, à l'un des principaux responsables du massacre du 24 août 1592...

Quant à la tuerie de Bordeaux, qui, celle-là, relevait mieux du « Beuther », on a observé que les pages qui se rapportent aux premiers jours

2. Cf. *supra*, chap. Ier.

d'octobre 1572 ont été arrachées. Par qui ? Par lui, effrayé du jugement qu'il avait cru pouvoir porter sur ce forfait de ses concitoyens ? Par tel descendant – catholique indigné par ce type de réactions, protestant (ce sera le cas des Ségur, par exemple) choqué par sa réserve vis-à-vis du crime ? Constatons que, Paris ou Bordeaux, Michel de Montaigne, humaniste, modéré, ennemi de la violence, non dénué de sympathie pour les réformés, ne nous aura rien laissé connaître de ses réactions à propos des ignobles boucheries parisienne et bordelaise de l'été et de l'automne 1572.

Avant de nous indigner, rappelons cette évidence, déjà énoncée à propos des rapports entretenus avec les femmes par cet homme qui sut précéder son temps de plusieurs siècles en maints domaines, mais pas en tous : qu'il était un homme de son temps, celui de l'Inquisition et des bûchers, du sac de Rome et des chambres ardentes, du duc d'Albe terrorisant les Pays-Bas et, plus proche de lui, du sire de Langoiran, grand écorcheur de curés... Un temps fertile en horreurs et où ces horreurs n'étaient pas ressenties comme on le fait aujourd'hui – non sans tarder parfois à en mesurer l'ampleur. De 1945 à 1995, par exemple...

« Si l'on veut comprendre Montaigne, écrit Jacques de Feytaud, intrépide apologiste, il importe de l'écouter, d'observer sa conduite, son milieu, son climat. Il n'est pas assis tranquillement à notre table, comme un juge. Il est des acteurs, il connaît les principaux rôles. Ceux de la Saint-Barthélemy de Paris et du massacre de Bordeaux, ceux aussi de Blois, où il eut le loisir de côtoyer les Quarante-Cinq, jeunes Gascons dont les familles ne lui sont pas tout à fait étrangères [3]. »

Le comportement ni le « silence » de Montaigne ne peuvent être compris non plus sans un bref rappel des données historiques.

Le 24 août 1572 est le point culminant d'une semaine riche en prodiges sanglants, une « spirale de sang et de morts », écrit Janine Garrisson, biographe de Marguerite de Valois [4]. Six jours auparavant,

---

3. Jacques de Feytaud, *La Saint-Barthélemy ou le « silence » de Montaigne*, Bordeaux, université Bordeaux-III, 1993.

4. Janine Garrisson, *Marguerite de Valois*, Paris, Fayard, 1994.

le 18, à Paris, cette princesse, sœur du roi Charles IX, fille de la régente Catherine de Médicis, a épousé, à dix-sept ans, Henri de Bourbon[5], roi de Navarre, chef militaire du parti protestant. D'où l'indignation du clergé et d'une masse catholique qu'il fanatise : aux côtés du marié sont venus du Béarn et d'ailleurs des centaines de gentilshommes huguenots dont la rude mine effarouche ou exaspère les Parisiens, en grande majorité catholiques, et de l'espèce la moins accommodante. Depuis des jours, on s'apprête au pire, on fourbit ses armes.

Le mariage « sacrilège » a été voulu par la reine mère, puis par Jeanne d'Albret, mère d'Henri et fervente réformée – l'une et l'autre espérant soit une conversion éclatante du conjoint de l'autre parti, soit une soudure entre les deux sociétés : il va faire, bien au contraire, exploser les contradictions. D'autant que les tensions entre papistes et réformés sont aggravées par une crise diplomatique au sommet de l'État.

L'amiral Gaspard de Coligny, chef politique des huguenots, devenu le conseiller le plus écouté (et aimé) du roi Charles, au grand scandale de la majorité catholique, tente depuis des mois d'engager la France dans une expédition pour la libération des Flandres, soulevées par ceux qu'on appelle « les gueux » contre la domination espagnole incarnée par le terrible duc d'Albe. Noble projet. Mais une telle expédition ne peut manquer de provoquer la guerre avec la très puissante Espagne de Philippe II, lequel vient de mettre le comble à sa gloire et à son influence en triomphant des Turcs à Lépante, au nom de la chrétienté. Le projet de Coligny est d'autant plus lourd de risques qu'Élisabeth d'Angleterre, qui devrait soutenir un plan visant à libérer de l'oppression papiste un peuple protestant, fait savoir qu'elle le désapprouve : les Français camperaient trop près de ses rivages...

C'est pourquoi les derniers conseils du trône, en juillet, ont été marqués par de violents échanges entre l'amiral qui fascine toujours le jeune roi et ses adversaires, les ducs d'Anjou et de Guise notamment, auxquels s'est ralliée la reine mère : ils accusent Coligny de lancer le royaume dans l'aventure pour consolider son pouvoir et ressouder, face à l'ennemi espagnol, les deux noblesses catholique et protestante. Ils soutiennent (non sans arguments) qu'il s'agit d'une entreprise suicidaire. La preuve ? Sa première phase, une tentative de libération

---

5. De deux ans son aîné.

des « gueux » assiégés dans Mons par les Espagnols a tourné au désastre : tous les huguenots français engagés dans l'affaire ont été massacrés.

Les noces du 18 août (que l'on dira « vermeilles ») sont donc célébrées sur un volcan. D'autant que, quatre jours plus tard, Gaspard de Coligny, rentrant chez lui, est blessé d'un coup de pistolet tiré par Maurevert, sire de Louviers, manifestement commissionné par le duc de Guise, sinon par la reine Catherine.

Ce crime d'État très ciblé (on dirait, pour l'époque, très « classique »), qu'est-ce qui va le transformer en l'épouvantable tuerie du 24 août ? La fureur du groupe des « ultras » du Louvre – les Anjou, les Guise, les Gondi, les Birague – qui, exaspérés d'avoir manqué leur cible, décident de tout tuer, multipliant leur coup par mille ?

C'est ailleurs aussi qu'il faut chercher la pulsion meurtrière, au cœur de ce Paris que vient d'enrager le mariage de sa princesse désirable avec l'hérétique aux odeurs fortes – une pulsion de mort où se mêlent comme il convient sexe et fanatisme, préfigurant celle qui déclenche le lynchage du Noir accusé du viol de la Blanche (on ne peut oublier que Guise était très vraisemblablement l'amant de Marguerite, et Anjou à peine moins…).

Ce qui apparaît ici, et que fait admirablement ressortir Jean-Louis Bourgeon dans son article « Montaigne et la Saint-Barthélemy[6] », c'est le rôle déterminant joué par le peuple de Paris en ses diverses composantes (bourgeois, marchands, milices), qui se jette férocement sur la « vermine hérétique ».

A la thèse classique de la double Saint-Barthélemy, la « populaire » relayant en la décuplant celle, primordiale, de la Cour, cet historien oppose une autre version, qui nous montre un Paris globalement enragé, prenant en main une chasse préméditée et organisée (par Guise ? par l'archevêque ? par le prévôt des marchands ?) et obligeant Catherine et le roi à s'aligner sur l'horreur pour n'être pas balayés par la vague, stratégie de résignation qui inspira vraisemblablement à Montaigne sa géniale formule : « Nos rois […], n'ayant pu ce qu'ils voulaient, ils ont fait semblant de vouloir ce qu'ils pouvaient » (II, 19).

« C'est plus passif qu'actif, écrit encore Jean-Louis Bourgeon, que

6. *BSAM*, été-automne 1994.

le gouvernement royal a fini par laisser se dérouler la Saint-Barthélemy
– qui, de toute façon, allait éclater : la seule marge de manœuvre laissée
à la royauté était de savoir si elle allait se ranger parmi les victimes
ou les complices de l'immense insurrection parisienne – regroupant,
derrière un clergé hystérique, toute la bonne bourgeoisie en armes,
Hôtel-de-Ville et Parlement compris, assurée de l'appui des Guise,
des courtisans avides de revanche, et des soldats que le roi ne payait
plus depuis longtemps [...] tout Paris avait été mobilisé pour la
solution finale. Rien de moins spontané que le pogrom de la Saint-
Barthélemy ! Rien de mieux préparé, encadré et coordonné ! Le roi
aurait-il voulu s'interposer qu'il aurait été lui aussi balayé. »

Thèse extrêmement convaincante, qui explique bien pourquoi Montaigne, effleurant à diverses reprises et par allusions souvent transpa-
rentes aux yeux de qui veut bien lire, et pas seulement entre les lignes,
ce thème maudit, parle de « notre pauvre feu roi Charles le neuvième ».

Ce roi épileptique qui a laissé massacrer le conseiller qu'il aimait
doit, le surlendemain du massacre (26 août), présider au parlement un
lit de justice, la plus haute instance du royaume, au cours duquel, sous
la menace de Guise, il lui faut assumer la responsabilité du crime.
On lui a préparé une version de « légitime défense » de la royauté
menacée par un complot huguenot. Tuer pour n'être pas tué... Thèse
qui, ainsi accréditée par le roi, sera tant bien que mal admise par des
esprits réputés aussi sages que de Thou (après une réaction d'effroi) et
Lagebaston, pour ne pas citer Montaigne...

On ne s'attardera pas sur les innombrables interprétations données
de cette tragédie par les chroniqueurs, pamphlétaires et historiens.
Du libelle de l'ultra-catholique Camille Capilupi, qui loue Charles IX
d'avoir ainsi tendu le piège où sont venus se prendre les hérétiques, à
celui du protestant François Hotman, qui compare le roi Charles à
Néron et Catherine à Brunehaut, du réquisitoire dressé contre les
Valois sanglants par Michelet à l'ouvrage récent de Denis Crouzet[7],
qui voit dans le geste du petit roi Charles un « crime d'amour » visant
à protéger, sous l'égide d'une monarchie idéalisée, l'unité nationale,
tout et son contraire ont été dits et écrits.

---

7. Denis Crouzet, *La Nuit de la Saint-Barthélemy. Un rêve perdu de la Renaissance*,
Paris, Fayard, 1993.

Un contemporain comme Montaigne, très averti des choses du pouvoir mais resté à l'écart de l'événement, sur quoi pouvait-il fonder son jugement – s'agissant en tout cas des fureurs parisiennes, les bordelaises étant par définition mieux connues de lui, sinon mieux déchiffrables ? Les nouvelles qui parviennent en Guyenne à la fin d'août ne font pas seulement état du crime – applaudi par beaucoup de catholiques – mais aussi des acclamations de Rome, où le pape Grégoire XIII fait célébrer un *Te Deum* et proclame que la nuit parisienne du 24 août lui a causé plus de joie que la victoire de Lépante sur les Turcs...

On apprendra vite que Philippe II – débarrassé de Coligny et de ses projets flamands – a félicité son cousin de Paris, et que si Élisabeth d'Angleterre a pris le deuil des victimes, elle borne là ses réactions. Ni les princes protestants d'Allemagne ni même la maison d'Orange n'annoncent de représailles. L'Europe enregistre en somme une « horreur ordinaire », et certains, ici et là, vont même jusqu'à dire que, face aux grands fauves de Londres et de Madrid, le faible Charles IX vient enfin de faire la preuve d'une certaine aptitude à régner...

Avant de nous interroger sur la « lecture » que notre Montaigne put faire de ces diverses données, il convient de relever les réactions immédiates dont il put avoir connaissance et qui durent influer sur ses appréciations et son comportement – compte tenu de son tempérament, de ses idées, de ses relations, de ses lectures et des zones d'influence où il évoluait alors.

En matière politique, nul homme ne lui inspirait plus de respect que l'ancien chancelier Michel de L'Hospital, auquel il venait de dédicacer une partie des œuvres de La Boétie. Il ne put pas ne pas entendre un écho du cri fameux poussé par L'Hospital – dont la femme et la fille avaient adhéré à la Réforme – au lendemain de la Saint-Barthélemy : « *Excidat illa dies !* » (« Que s'efface un tel jour ! ») On n'en trouve nul écho dans les *Essais*...

Autre personnage de référence du châtelain de Montravel, de Thou, dont le fils sera quelques années plus tard son confident. L'auteur des *Essais* put-il lire l'alexandrin inspiré par ce massacre à ce grand

Voicy du grand Montaigne vne entiere figure,
Le Peinctre a peinct le corps et luymesme l'esprit:
Le premier par son art egale la Nature,
Le second la surpasse en toutce qu'il escrit.

Thomas de Leu fecit.

1. *Portrait de Montaigne* par Thomas de Leu, Bibliothèque municipale de Bordeaux.

2. La tour du château vue du sud.

3. Le cabinet particulier où il venait se réchauffer.

4. La librairie (bibliothèque).

5. Le plafond de la bibliothèque avec les inscriptions.

6. Statue de La Boétie.

7. *L'Enfant prodigue chez les courtisanes,* huile sur bois, École flamande
du XVIᵉ siècle, musée Carnavalet, Paris.

8. Michel de l'Hospital, BNF.

9. Catherine de Médicis, BNF.

10. Henri de Navarre, BNF.

11. Henri de Guise, BNF.

12. Henri III, BNF.

13. Corisande, in *Une dame de chevalerie*, par Raymond Ritter, Éd. Albin Michel, 1959, Bibliothèque municipale de Bordeaux.

14. Marguerite de Valois
(la « reine Margot »), BNF.

LAVRE TVM

LAVRE TVM. AGRI RECE
NATEN INITALIA CELEBRE
OPP:AD MARIÆ. ATIQVISSI
MAJESITA Æ DE ILLVSTRIV

15. Notre-Dame-de-Lorette, Bibliothèque municipale de Bordeaux.

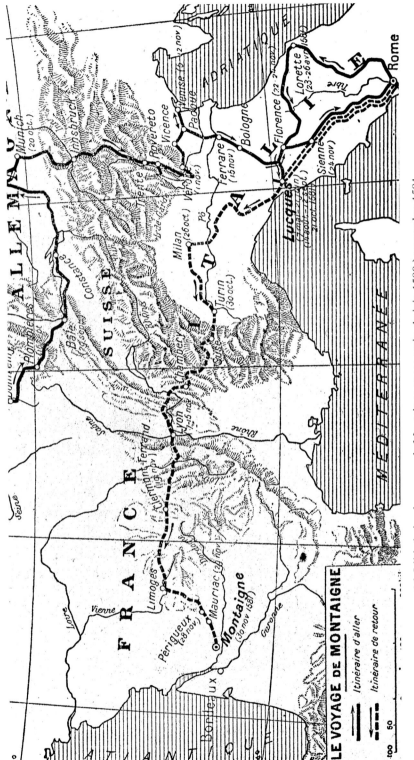

16. L'itinéraire du voyage de Montaigne et ses amis, de juin 1580 à novembre 1581.

17. Maréchal de Matignon, BNF.

18. *La Peste*, gravure anonyme, Rotterdam, musée Atlas Van Stolk.

19. Plan « *Le vif pourtrait de la Cité de Bourdeaux* », BNF.

20. Vue de Bordeaux, gravure, Archives municipales de Bordeaux.

21. La « mairerie » et sa galerie du XVIIᵉ siècle.

22. La « Grosse Cloche ».

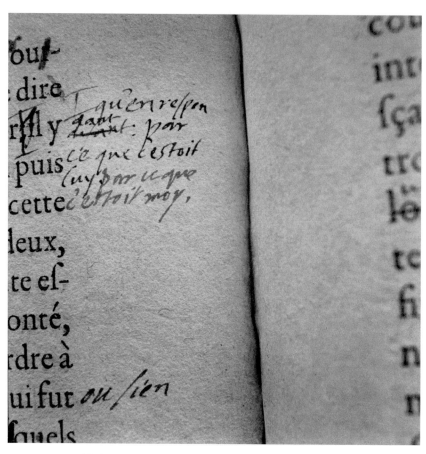

23. Fac-similé de l'exemplaire de Bordeaux des *Essais*.

24. Portrait de Marie de Gournay,
gravure par Matheus, BNF.

25. Le tombeau.

26. Statue de Montaigne à Bordeaux, Archives municipales de Bordeaux.

juriste, et qui est digne de Corneille : « Des crimes de ce jour périsse la mémoire ! » ?

On attribuerait volontiers de tels traits à Montaigne. De chapitre en chapitre, on les cherche, ne serait-ce que sous forme de citation... En vain. Il est vrai que Michel avait appris que cet honnête magistrat, ayant ainsi libéré son cœur, avait fait sienne ensuite la version des faits présentée par le roi lors du lit de justice du 26 août, l'approuvant. On eût aimé que Montaigne fît paraître le même dégoût, dût-il se nuancer ensuite de « réalisme ». Ces notables compagnons ne risquaient pas moins que lui à faire connaître leur fugace indignation.

Mais si les amis politiques de l'essayiste ont au moins marqué leur réserve, il en alla tout autrement de ses relations littéraires : tant Ronsard que Baïf ou Jodelle, ces poètes et dramaturge de la Pléiade qu'il admirait tant, ne trouvèrent rien de mieux que de se faire les laudateurs du crime. Dans « L'hydre deffait » comme dans l'« Ode aux étoiles », Ronsard appelle à amplifier la tuerie et insulte le cadavre de Coligny qui « pendille » à Montfaucon. Quant à Jodelle, il ne sait que crier sa haine des hérétiques :

> [...] vos charognes puantes
> Roulent dessus les eaux et ne servent, errantes
> Que d'amorce aux poissons et de gorges aux corbeaux...

Mais le plus compromettant des amis de Montaigne en l'occurrence, peut-être le plus influent, fut à coup sûr Pibrac, l'auteur de la trop fameuse *Lettre à Elvide*.

Guy du Faur de Pibrac, gentilhomme gascon proche de Michel de Montaigne, et qui avait été, peut-être à Toulouse, plus sûrement à Paris, l'un des compagnons de sa jeunesse, n'était pas un fanatique. Il s'était lié jadis avec le malheureux Anne du Bourg, le grand juriste maître de La Boétie à Orléans, supplicié quinze ans plus tôt pour cause d'hérésie. Pibrac avait même été un temps, pour cela, embastillé. Puis il avait représenté Catherine de Médicis, alors symbole de la tolérance, au concile de Trente et avait été nommé au Conseil d'État par L'Hospital. Autant de titres à n'être pas pris pour un égorgeur d'hérétiques.

Or, six mois après la Saint-Barthélemy, Pibrac publie, d'abord en latin, sa *Lettre à Elvide*, bientôt traduite en français pour les besoins de la « propagande » royale. Le texte fait très vite le tour de l'Europe et constitue désormais le plaidoyer de la Cour pour les auteurs du massacre : « Tant que Coligny eût vécu, écrit Pibrac, la France n'aurait pu avoir la paix ni à l'intérieur, ni à l'extérieur. Aussi Dieu a permis qu'il se portât à provoquer le roi par d'affreuses menaces ; Dieu l'a amené à causer sa propre perte par un complot impie, et à hâter le salut de la patrie de la seule façon possible. »

Pibrac ne devait pas tarder à voir récompenser tant de dévouement à la « bonne cause ». Henri d'Anjou, l'un des plus notoires responsables de la nuit du 24 août, est élu, quelques mois plus tard, roi de Pologne, pays réputé alors pour sa tolérance – ce qui confirme que l'Europe est moins horrifiée qu'on ne le croit... Le futur Henri III choisit Pibrac pour chancelier ; et, appelé sur le trône de France par la mort de son frère Charles IX, il lui confie le soin de tenter de lui conserver la couronne polonaise : en vain, on le sait. Et c'est toujours à lui, le laudateur de la Saint-Barthélemy, qu'Henri III confiera en 1576 le soin de conclure la paix avec les protestants – dont le porte-parole est son propre frère, Louis du Faur, chancelier de Navarre ! Et c'est encore lui qui négociera, au nom du roi, le traité de Nérac[8].

Personnage considérable donc, auquel Montaigne se sentait attaché par bien des liens, et d'abord celui, commun, noué avec La Boétie – aussi par une semblable conception des affaires publiques. Se fût-il mêlé de rimer, notre essayiste aurait pu signer ce quatrain qui fit autant pour la gloire de Pibrac que son éloge de la Saint-Barthélemy :

> Aime l'État tel que tu le vois être :
> S'il est royal, aime la royauté,
> S'il est de peu, ou bien communauté,
> Aime l'aussi, car Dieu t'y a fait naître.

Quoi qu'il en soit, Guy de Pibrac était surtout célèbre pour avoir publié sa *Lettre à Elvide*, justification minutieuse du massacre du 24 août. Comment donc Montaigne jugeait-il cet avocat du crime ? Nous lisons dans les *Essais*, livre III, chapitre 9, « De la vanité », à la suite de la citation du quatrain ci-dessus et à propos de la mort de Pibrac, en 1584 :

8. Étant, en cette cour, l'un des familiers de la reine Margot...

Le bon M. de Pibrac, que nous venons de perdre : un esprit si gentil, les opinions si saines, les mœurs si douces ; cette perte, et celle qu'en même temps nous avons faite de M. de Foix[9], sont pertes importantes à notre couronne. Je ne sais s'il reste à la France de quoi substituer un autre couple pareil à ces deux Gascons en sincérité et en suffisance pour le conseil de nos rois. C'étaient âmes diversement belles et certes, selon le siècle, rares et belles [...]. Mais qui les avait logées en cet âge, si disconvenables et si disproportionnées à notre corruption et à nos tempêtes ? (III, 9)

« Nos tempêtes »... C'est presque une réédition de l'éloge de La Boétie que celui de cet homme d'« opinions si saines » et de « mœurs si douces », de cette « âme si belle ». Quand il écrit cela, Michel de Montaigne pense-t-il à la *Lettre à Elvide*, qui ne date que de onze ans, à ce plaidoyer pour ceux qui n'ont pas fait grâce ? Pour ce roi Henri III si bien servi par Pibrac et qui régnera encore quatre ans, assez longtemps pour faire daguer par ses quarante-cinq Gascons le duc balafré, son complice de la Saint-Barthélemy ?

L'éloge de Pibrac n'est pas celui de la Saint-Barthélemy, pas plus que celui de Richelieu n'implique l'approbation du supplice de Cinq-Mars. Mais on s'étonne tout de même que, le temps ayant passé, Montaigne n'ait pas trouvé ici le moyen de glisser une allusion, une amorce de réserve à propos des actes auxquels même les meilleurs devraient consentir pour le salut de l'État. Non : l'éloge, vibrant, est sans réserve. En fait, s'agit-il alors de silence ou d'une lointaine et murmurante adhésion ?

C'est cette attitude que l'on peut déchiffrer dans un chapitre des *Essais* fort rarement cité : « C'est folie de rapporter le vrai et le faux à notre suffisance » (I, 27). On commente tellement le « silence » de Montaigne sur ce tragique sujet bien digne d'inspirer le moraliste – et le citoyen – que l'on oublie de se référer à ce très curieux essai sur l'information, le jugement qu'elle permet, la rapidité et la sûreté de sa communication, la créance qui peut être faite à telle ou telle version, où est posé en filigrane le problème de ce qu'on pouvait savoir ou croire de la funeste nuit du 24 août et du respect dû à l'autorité religieuse. Au surplus, cet essai, le vingt-septième du premier tome, est peut-être contemporain des faits, sinon inspiré par eux.

9. Paul de Foix, évêque et ambassadeur, ancien ami, lui aussi, d'Anne du Bourg.

Ce qu'on lit d'abord, c'est une interrogation sur la vérité et la vraisemblance de l'extraordinaire, sur les risques et la témérité du doute en matière d'information : « Combien y a-t-il de choses peu vraisemblables, témoignées par gens dignes de foi, desquelles, si nous ne pouvons être persuadés, au moins les faut-il laisser en suspens ; car, de les condamner impossibles, c'est se faire fort, par une téméraire présomption […] » (I, 27).

Mais ce vers quoi conduit cette anxieuse interrogation, c'est l'autorité de l'Église, le devoir que les catholiques ont de se ranger à ses avis :

> [...] ce qui me semble apporter autant de désordre en nos consciences, en ces troubles où nous sommes de la religion, c'est cette dispensation que les catholiques font de leur croyance. Il leur semble faire bien les modérés et les entendus, quand ils quittent aux adversaires aucuns articles de ceux qui sont en débat. […]. Où il faut se soumettre du tout à l'autorité de notre police ecclésiastique, ou du tout s'en dispenser. Ce n'est pas à nous à établir la part que nous lui devons d'obéissance (I, 27).

Ainsi, écrivant à l'époque du massacre, Michel de Montaigne fait clairement allégeance à « notre police [10] ecclésiastique » et proclame le devoir d'« obéissance » – car ce n'est pas à « nous » qu'il convient d'en juger. Là où tant de ses amis ont clamé leur adhésion à l'autorité royale et à la thèse de la chirurgie préventive formulée par Charles IX, lui fait allégeance à l'autorité sans partage du pouvoir ecclésial – encore plus impliqué dans le massacre…

La compréhension – de toute façon difficile – de l'attitude et des choix de Montaigne dans cette terrible séquence historique n'est possible que si l'on tient compte de l'extraordinaire enchevêtrement des partis et des hommes, des familles et des « religions », de leur mobilité. Qui est catholique ce jour-ci peut être réformé ce jour-là. Les Navarre étaient des parangons du catholicisme jusqu'à la conversion de Jeanne d'Albret, moins de douze ans en amont de la Saint-Barthélemy. Les Châtillon, dont Coligny, sont à peine de plus « vieux » réformés. Ou les Condé. Et on a vu qu'à l'intérieur même des familles, les L'Hospital, les Montaigne, papisme et calvinisme se côtoient ou s'affrontent…

10. On sait que le mot signifie pour lui « politique ».

Quant à ceux qui s'enracinent profondément dans le protestantisme, leur engagement militaire peut être indépendant de leurs convictions religieuses. François de La Noue, dit « Bras de Fer », le plus éminent des chefs militaires huguenots, modèle des « chevaliers » de son temps, ne répugnera pas à servir dans l'armée royale – l'armée des assassins du 24 août, mais qui sont les dépositaires de la légitimité monarchique, et cela peu d'années après la Saint-Barthélemy.

Et dans l'entourage de Montaigne peu de catholiques sont aussi ardents que son jeune frère Mattecoulon et les fils du marquis de Trans : on va les retrouver servant dans les troupes d'Henri de Navarre, chef des huguenots, certains d'entre eux tués sous son oriflamme. Diversité, contradictions, mouvement : on allait dire que l'Histoire se fait montaignienne...

Plus décevante encore – si nous nous plaçons, en dépit de la mise en garde de Jacques de Feytaud, dans une perspective contemporaine – est l'attitude du seigneur de Montaigne à propos des sinistres journées des 3, 4 et 5 octobre 1572 à Bordeaux. Là, il ne s'agissait pas de l'éventuel salut du royaume menacé par un supposé complot huguenot visant le Louvre, ni même de la grande conjuration catholique et guisarde qui subvertissait Paris, ni de l'aventure suicidaire de l'amiral de Coligny en Flandre : il n'y avait qu'un sombre règlement de comptes opéré, à l'encontre de leurs concitoyens réformés de plus en plus influents, par le clan « ultra » des catholiques, inquiets des progrès du calvinisme entre Pyrénées, Garonne et Atlantique.

« [...] couardise, mère de la cruauté », « l'extrême de tous les vices », écrira l'auteur des *Essais* dans le livre II. Fort bien. Nous le savons d'ailleurs peu porté à la couardise et fort ennemi de la cruauté. Mais sur ce qui se passe à Bordeaux en octobre 1572, pourquoi celui qui sera le maire de cette ville, faisant bravement face à la Ligue, n'a-t-il pas élevé la moindre protestation, retiré ? Au temps où il précisera qu'à l'occasion le « bien public requiert [...] que l'on massacre », que n'a-t-il ajouté qu'au moins l'on s'assure que le salut public est bien en jeu...

Pour vérifier si ce fut alors le cas à Bordeaux, à dix lieues de Montaigne, à quelques mètres de sa maison de la rue de la Rousselle, on citera des textes retrouvés par l'infatigable Jacques de Feytaud, qui en disent long sur ce qui se joua alors dans la capitale de l'Aquitaine.

En cette fin d'été 1572, la Guyenne, à vrai dire fort agitée par les affrontements entre les deux « religions », est placée sous l'autorité d'un « lieutenant du roi », Montpezat, et Bordeaux sous celle d'un gouverneur, Montferrand. Dès le lendemain du massacre parisien, Charles IX exhorte son lieutenant à « défendre de toute oppression ceux qui se contiendront ». Autrement dit : si les huguenots restent calmes, laissez-les tranquilles. Sur quoi Montferrand déclare : « Ceux d'ici vivent en paix les uns avec les autres. »

Mais, le 2 octobre, le même gouverneur fait dire que le roi lui a ordonné d'exécuter « quarante notables réformés » et convie les jurats à décréter le supplice des hérétiques. Suffoqué, le parlement l'appelle à sa barre : mais lui conduit déjà une meute à travers la ville. On décompte d'abord quatre-vingts assassinats ; puis deux cent soixante-quatre prisonniers sont massacrés.

Le premier président Lagebaston, toujours à la tête du parti des « modérés », et qui, fort mal vu par les forcenés, s'est réfugié au fort du Hâ, écrit au roi : « Sire, il n'est point vraisemblable que vous ayez commandé de tels exploits en votre ville fort paisible [...]. Il n'y a ici rien de semblable à [...] ce qui s'est fait à Paris. Là, la conspiration [...] était si pressante qu'elle ne pouvait attendre la voie ordinaire de justice [...]. Mais dans cette ville, il n'y a rien de semblable [11]. »

On voit que le sage mais prudent Lagebaston, s'alignant sur la version officielle du pouvoir, approuve la Saint-Barthélemy parisienne – pour mieux dénoncer la tuerie bordelaise, que Charles IX va reprocher à Montpezat de n'avoir pas su empêcher. Le lieutenant du roi rejettera la responsabilité sur Montferrand. Lequel, à son tour, dénoncera le rôle joué par les jésuites... Vieille imputation, mais qui, en l'occurrence, mérite d'autant mieux l'examen qu'entre Montaigne et la Compagnie de Jésus les relations sont fort bonnes...

Sur cet épisode, il faut, non sans garder son sang-froid, se référer à l'étude d'un historien d'envergure, Henri Hauser, publiée dans le *Bulletin de la Société de l'histoire du protestantisme français* en août 1911 : « Le père Edmond Auger et le massacre de Bordeaux ».

11. Jacques de Feytaud, *La Saint-Barthélemy...*, *op. cit.*, p. 48-49.

Edmond Auger n'est pas n'importe qui. On le tient pour l'une des figures majeures du premier âge de la Compagnie de Jésus en France. Fils de paysans briards, né trois ans avant Montaigne, il a connu à Rome Ignace de Loyola, qui, remarquant le goût pour les lettres manifesté par l'adolescent, lui demande de lui écrire « une épigramme ». On lit dans l'historial de la Compagnie : « Son impétueuse jovialité déplut d'abord aux Pères de la Maison Professe, mais les efforts les plus héroïques ne tardèrent pas à triompher de ces exubérances de jeunesse. » Revenu en France auréolé de cette expérience romaine, il prêche à Lyon, y déploie une éloquence qui lui vaut d'être appelé « le Jean Chrysostome français » et l'admiration (strictement professionnelle...) d'Étienne Pasquier, jésuitophobe de haut vol. « A sa voix, écrit un historien de la Compagnie, soixante-dix mille hérétiques rentrèrent dans le sein de l'Église. » Sa voix, seulement ? Et le voici parti pour Bordeaux.

C'est là qu'on le retrouve aux sombres heures de l'automne 1572, négociant d'une part avec les jurats bordelais l'établissement d'un collège, et d'autre part haranguant les foules. Quant au contenu de cette éloquence phosphorescente, les rapports sont contradictoires. Sur la foi de documents consultés à l'époque, j'ai pour ma part écrit dans un livre sur les jésuites [12] qu'Auger avait qualifié de « funeste » le jour de la Saint-Barthélemy. L'enquête d'Henri Hauser, à coup sûr plus approfondie que la mienne, conduite au demeurant dans un esprit marqué par l'appartenance de l'auteur à la Réforme, rend un tout autre son.

Le révérend père Auger, après avoir été aumônier de ses armées, était devenu le confesseur d'Henri III, se mêlant selon le *Journal* de L'Estoile aux étranges processions de flagellants si prisées par ce pieux inventeur de massacres. Envoyé à Bordeaux, et bien qu'incité à la réserve par ses supérieurs, il tonnait en chaire, pressant les Bordelais de passer outre à la « pusillanimité » du lieutenant du roi Montpezat et de faire prompte justice des calvinistes : « Qui a exécuté le jugement de Dieu à Paris ? L'Ange de Dieu. Qui l'a exécuté à Orléans, dans d'autres villes du royaume ? L'Ange de Dieu. Qui l'exécutera à Bordeaux ? Ce sera l'Ange de Dieu. »

---

12. Jean Lacouture, *Jésuites. Une multibiographie*, t. 1 : *Les Conquérants*, Paris, Éd. du Seuil, 1991, p. 372.

Le réquisitoire d'Henri Hauser contre Edmond Auger – au sujet duquel l'historial de la Compagnie assure qu'il fut retiré de France sur les instances de la Ligue, c'est-à-dire des ultra-catholiques – a été contesté par l'historien bordelais Paul Courteault, bon connaisseur de la période, qui assure n'avoir rien trouvé dans les archives de la ville qui permette d'incriminer le fulminant jésuite. Parvenu aux mêmes conclusions documentaires, Camille Jullian n'inclinait pas moins à croire qu'à la tête des « prédicateurs en plein vent du dimanche » Auger avait dû souffler sur les braises.

Pas plus qu'on ne peut inférer des dires de Pibrac l'opinion ou le jugement de Montaigne sur la Saint-Barthélemy, on ne peut lui imputer les vraisemblables violences du révérend père Auger. Mais s'il ne fut peut-être pas aussi lié avec ce Chrysostome d'apocalypse qu'avec « le bon M. de Pibrac », il ne put manquer de connaître un aussi remarquable personnage, chargé de porter la parole de Dieu dans sa ville, et « provincial[13] » d'une compagnie dont Michel fut d'emblée l'admirateur.

Nous verrons Michel de Montaigne fort intime avec un autre des grands jésuites du XVIe siècle, Juan Maldonado, dit Maldonat, éminent professeur de philosophie et théologie au collège parisien de Clermont – où il déployait une telle éloquence, et si charmeuse, que les maîtres de la Sorbonne voyaient se déplacer vers lui leurs auditoires, ce qui n'alla pas sans aviver leurs préventions à l'encontre de ces intrus venus de Rome ou d'Espagne pour attenter aux privilèges de la très gallicane université de Paris.

On ne saurait mieux marquer la convergence entre la stratégie intellectuelle des jésuites et l'attitude de Montaigne que Marc Fumaroli, décrivant l'auteur des *Essais* comme « le fondateur de la spiritualité française pour gentilshommes laïcs », exerçant un « magistère singulier », une « direction de conscience plus sinueuse encore que celle des casuistes »[14]. Les jésuites, en France surtout, ont-ils proposé autre chose ?

Convergence n'est pas confusion. On n'imputera pas à l'auteur des

13. Principal responsable de la Compagnie pour une province : ici, Bordeaux et Toulouse.
14. Marc Fumaroli, préface à Michael Andrew Screech, *Montaigne et la Mélancolie*, Paris, Presses universitaires de France, 1992.

Essais les excès de tel ou tel jésuite, pas plus qu'on ne rendra la Compagnie responsable de ce nonchalant catholicisme du possible et du vécu que professait le châtelain de Montravel, et que devait exécrer Pascal.

Mais, à propos des tragédies de 1572, on est tenté de trouver bien des points communs entre la réflexion très politique, très « compréhensive » de Montaigne ou des hommes de même culture et de même « sève » qu'étaient Pibrac, de Thou ou Lagebaston, face aux crimes de Paris, sinon de Bordeaux, et le réalisme bien tempéré qui (quelques forcenés mis à part) inspira en ce temps-là le comportement des jésuites – leur valant l'amitié d'Henri IV.

Mais le véritable inspirateur de Montaigne, ici, est-ce bien Loyola ?

Il est surprenant que le nom de Machiavel n'apparaisse dans les *Essais* que deux fois, et une seule de façon conséquente, tant il est clair que le secrétaire de Florence fut, avoué ou non, l'un des maîtres de cet essayiste dont les livres d'histoire étaient la « droite balle » et qui n'a cessé de se référer au réel, l'ayant serré de près. Il est même étonnant que Montaigne s'étende de préférence, au chapitre « Des livres », sur Guichardin et son *Histoire d'Italie* – dont le terrible pessimisme surpasse encore celui de Machiavel, sans ouvrir des perspectives aussi fertiles.

N'en doutons pas : si notre philosophe gascon se réfère si discrètement à l'auteur du *Prince* et des *Discours*, fût-ce dans tel chapitre du livre III qui semble sorti du cerveau hardi de son prédécesseur, c'est parce que celui-ci était, dans la France politique de la fin du siècle, l'objet de controverses violentes, dénoncé comme antéchrist et professeur de perversion.

Sous François Ier et Henri II, pourtant, *Le Prince*, publié en latin en 1513, traduit en 1539, avait connu la plus grande faveur, devenant au milieu du siècle le livre de chevet de tous les notables politiques, et d'abord de la compatriote de l'auteur, Catherine de Médicis, bien que la famille de la régente eût rompu avec l'ancien conseiller de César Borgia.

En 1576, cependant, avait paru un violent pamphlet, *L'Anti-Ma-*

chiavel[15], d'abord anonyme, puis signé Innocent Gentillet, polémiste protestant du Dauphiné réfugié à Genève après la Saint-Barthélemy, qui clouait au pilori cet « athée puant de Florentin » et dénonçait ce livre, « évangile de la reine mère [...] qui gouverne la France selon la doctrine de Machiavel ».

Dans le même temps était publiée *La République* de Jean Bodin, ouvrage fort admiré par Montaigne en dépit d'un désaccord sur la « chasse aux sorcières » préconisée par ce juriste – qui dénonçait violemment le cynisme et l'« impiété » de Nicolas Machiavel, tandis que les jésuites Possevin et Ribadeneira osaient, contre le secrétaire florentin, citer le huguenot Gentillet...

On voit pourquoi le prudent Montaigne, bien que lecteur attentif du *Prince* et des *Discours* – que lui avaient fait connaître Marc-Antoine Muret d'abord, puis La Boétie – et de plus en plus lié à Catherine de Médicis, se garda de se lancer dans la polémique entre « pro » et « anti »-Machiavel. Il avait assez à faire avec les tumultes bien réels de son propre pays, de sa province, et les responsabilités de ses propres amis.

Pour fasciné qu'il soit par la *cosa politica*, la chose politique, en ce qu'elle mobilise les passions et démasque les âmes et les intimités, il hésite à se hasarder sur le terrain de la « science » publique, car il lui semble « très inique de vouloir soumettre les constitutions et observances publiques et immobiles à l'**instabilité** d'une privée fantaisie » (I, 23).

Mais il faut citer la seule référence importante qu'il ait faite à son inspirateur italien :

> [...] aux affaires politiques, il y a un beau champ ouvert au branle et à la contestation [...]. Les discours[16] de Machiavel [...] étaient assez solides pour le sujet ; si, y a-t-il eu grande aisance à les combattre ; et ceux qui l'ont fait, n'ont pas laissé moins de facilité à combattre les leurs. Il s'y trouverait toujours, à un tel argument, de quoi fournir réponses, dupliques, répliques, tripliques, quadrupliques, et cette infinie contexture de débats que notre chicane a allongée tant qu'elle a pu [...] (II, 17).

15. Dont le titre complet est *Discours sur les moyens de bien gouverner et maintenir en bonne paix un royaume ou autre principauté contre Nicolas Machiavel*.
16. Le mot se rapporte aussi bien au *Prince* qu'aux *Discours*.

Renvoyer ainsi dos à dos Machiavel, Gentillet et Bodin n'est pas se compromettre beaucoup aux côtés du maître florentin. Aussi bien faut-il marquer ce qui oppose, par définition en quelque sorte, le moraliste du politique, et qui est évident (moins peut-être que l'on ne croit...), mais aussi les circonstances historiques ou, comme on le dit aujour-d'hui, géopolitiques dans lesquelles s'inscrivent leurs réflexions (et actions) respectives.

Si tragiquement divisée que soit la France où écrit et agit Montaigne, surtout après la Saint-Barthélemy, l'État y a déjà une existence recon-nue, des assises structurelles, un centre, un langage commun, une philo-sophie politique dominante, des institutions enfin – que Machiavel ne se fait pas faute de citer en exemple.

Les troubles dits « religieux » menacent certes cette unité et ces prin-cipes publics fondés à la fois sur le centralisme catholique et l'uni-versalisme humaniste. Mais on ne saurait comparer cette instabilité de circonstance avec l'état de l'Italie du début du siècle où agit et raisonne Machiavel, chaos informe de principautés rapaces – dont la papauté est la plus virulente.

Quand il donne pour première règle au prince de « conserver » l'État, il s'exprime comme un nautonier dans la tempête, naviguant sur une mer furieuse : conserver signifie à la fois bâtir et sauver, vivre et survivre. Quand Montaigne emploie le même mot, c'est dans un sens à coup sûr impérieux, mais moins tragique. L'un est confronté à l'anarchie, l'autre aux « nouvelletés » dissociantes. Ni l'urgence ni la tension ne sont comparables. D'où l'âpreté plus nue de l'Italien, les arêtes plus vives de son discours.

Et pourtant ! Si l'on veut apprécier ce qu'il y a de Machiavel en Montaigne, il suffit de citer quelques phrases, qui, à quelques notations près, amènent le lecteur à se demander qui, de l'un ou de l'autre, les a écrites :

> [...] Le prince [17], quand une urgente circonstance et quelque impétueux et inopiné accident du besoin de son État lui fait gauchir sa parole et sa foi, ou autrement le jette hors de son devoir ordinaire, doit attribuer cette

---

17. Quelle éclatante référence à Machiavel que le choix de ce vocable, qui n'est pas d'usage normal en France – où les mots « roi », « souverain », « chef » viendraient plus naturellement sous la plume..

nécessité à un coup de la verge divine : vice n'est-ce pas, car il a quitté sa raison à une plus universelle et puissante raison, mais certes c'est malheur. De manière qu'a quelqu'un qui me demandait : « Quel remède ? – Nul remède, fis-je : s'il fut véritablement géhenné entre ces deux extrêmes » [mais qu'il se garde de chercher un prétexte à son parjure. Cicéron, *Les Devoirs*, III, 29] il le fallait faire ; mais s'il le fit sans regret, s'il ne lui greva de le faire, c'est signe que sa conscience est en mauvais termes.

Paragraphe où il est permis de voir tout ce que Montaigne avait à dire sur la Saint-Barthélemy.

De même, en toute police [18], il y a des offices nécessaires, non seulement abjects, mais encore vicieux ; les vices y trouvent leur rang et s'emploient à la couture de notre liaison, comme les venins à la conservation de notre santé. S'ils deviennent excusables, d'autant qu'ils nous font besoin et que la nécessité commune efface leur vraie qualité, il faut laisser jouer cette partie aux citoyens plus vigoureux et moins craintifs qui sacrifient leur honneur et leur conscience, comme ces autres anciens sacrifièrent leur vie pour le salut de leur pays [...].

On mesure l'honneur qu'il fait à ces serviteurs de la « nécessité commune » : il les compare à ces anciens qui « sacrifièrent leur vie pour le salut de leur pays » – un Philopœmen, un Caton.

Je ne veux point priver la tromperie de son rang, ce serait mal entendre le monde ; je sais qu'elle a servi souvent profitablement, et qu'elle maintient et nourrit la plupart des vacations des hommes. Il y a des vices légitimes, comme plusieurs actions, ou bonnes ou excusables, illégitimes.

A vrai dire, tout l'essai intitulé « De l'utile et de l'honnête » (III, 1), d'où sont tirées ces sentences intrépides, écrites par un Montaigne libéré de ses charges de maire mais non des responsabilités diplomatiques et politiques qu'il va accepter d'assumer [19], pourraient avoir été signées par Nicolas Machiavel [20], à l'exception de certaine référence à

---

18. « Politique ».
19. Cf. *infra*, chap. XI et XII.
20. Comme l'ont fait observer d'aussi fervents montaignistes que Pierre Michel et Alexandre Nicolaï – en désaccord avec Pierre Villey.

la « verge divine » qui n'est pas tout à fait de son inspiration, et surtout peut-être la phrase admirable : « S'il le fit sans regret [...] c'est signe que sa conscience est en mauvais termes », ce pur joyau montaignien, qui semble distinguer le moraliste de l'empiriste florentin. Mais est-ce si certain ?

On trouve aussi dans *Le Prince* des maximes d'une assez belle eau. Si Machiavel a bravé ses lecteurs en affichant qu'« un Prince qui veut se maintenir doit apprendre à pouvoir être malhonnête », il a aussi soutenu que « le meilleur moyen qu'on puisse employer est de se concilier l'amitié du peuple » et que, « si le peuple vous hait, vous avez beau avoir des forteresses, elles ne vous sauveront point » (propos que nous retrouverons en substance dans l'une des dernières lettres de Montaigne à Henri IV, lors du siège de Paris [21]).

Faut-il poursuivre le jeu des substitutions et des inversions, et, s'en tenant aux titres des chapitres, imaginer qu'on a lu dans les *Essais* « Des choses qui attirent sur les hommes et surtout sur les Princes l'éloge ou la réprobation » ou « Du pouvoir de la fortune dans les choses humaines et comment lui résister » – et dans *Le Prince* « De la coutume et de ne changer aisément une loi reçue » ou « On est puni pour s'opiniâtrer à une place sans raison » ?

La convergence entre le secrétaire florentin et l'essayiste gascon va plus loin : jusque dans les thèmes fondamentaux autour desquels s'ordonne leur réflexion sur la chose publique – compte tenu de la diversité de leurs expériences historiques. Pour l'un comme pour l'autre, si les faits commandent, les circonstances, la nécessité (l'*anankê* grecque), deux références s'imposent au responsable de la communauté, prince ou consul : la « fortune » et ce que le Florentin appelle *virtù* – mot intraduisible où se mêlent vaillance, énergie, ténacité, souci de la justice, en un mot toutes les qualités qui permettent au Prince de se concilier la « fortune », ce mot si cher à Montaigne.

Entre Machiavel et Montaigne, à un demi-siècle de distance et de part et d'autre des Alpes, court la navette du tisserand, de l'honnête à l'utile, de l'utile à l'honnête. Que l'essayiste français mette mieux l'accent sur le second terme que le diplomate italien ne peut faire que le courant ne passe, que les thèmes, constats et préceptes nés de l'ex-

---

21. Cf. *infra*, chap. XIII.

périence et de la lecture des historiens, de Thucydide à César, ne s'entrecroisent.

Le Prince est écrit entre deux éclairs d'une nuit d'anarchie, de prédations et de rapines, alors que l'humanisme d'Occident est encore riche d'optimisme – d'où le caractère scandaleux de ce manifeste de pessimisme lancé au cœur du « beau XVIe siècle ». Les *Essais* paraissent quand sont retombées les illusions, quand s'amassent les nuées d'orages répétés : dans ce climat, le dur réalisme qui imprègne le livre III est reçu comme un bréviaire de sagesse blessée – dût-il couvrir la résignation du sage à l'horreur « utile ».

Avec peut-être quelque exagération dans l'affirmation de la continuité entre Machiavel et Montaigne (dont il sous-estime à la fois l'horreur pour les « nouvelletés » et l'attachement au système monarchique tel qu'il est), David Schaefer suggère brillamment, dans sa *Political Philosophy of Montaigne*[22], que l'auteur des *Essais* apparaît comme un lien entre Machiavel et Montesquieu, comme un de ces penseurs qui ont « bricolé » (*tinker*) la pensée de Machiavel, fondateur de la philosophie politique moderne, pour ouvrir les voies au libéralisme du XVIIIe siècle.

Ce qui distingue tout de même les *Essais* du *Prince*, c'est ce qu'on pourrait appeler le « chant profond » qui s'élève de l'un et l'autre livre. Comme le secrétaire florentin, le philosophe gascon peut bien admettre le crime comme « nécessaire » ou « utile », le mal comme source d'« énergie » politique. Mais la rude leçon du *Prince*, reprise chez lui, est insérée, modulée dans un ample discours pour la tolérance, contre la tyrannie et la cruauté.

Et puisque notre propos était ici de situer Michel de Montaigne par rapport à la Saint-Barthélemy, avec ou sans l'éclairage machiavélien, on ne saurait le conclure sans revenir à ces phrases qui nous semblent résumer l'ultime méditation de Montaigne, à la fois positive et critique, sur la tragédie politique absolue du 24 août 1572 :

22. Cornell University Press, 1990.

[...] il le fallait faire [...] Ce sont dangereux exemples, rares et maladives exceptions à nos règles naturelles. Il y faut céder, mais avec grande modération et circonspection ; aucune utilité privée n'est digne pour laquelle nous fassions cet effort à notre conscience ; la publique, bien, lorsqu'elle est et très apparente et très importante (III, 1).

Ce qui permet à l'auteur des *Essais* de conclure sur ce trait fulgurant, déjà cité : « Et si, crois mieux, pour l'honneur de la dévotion de nos rois, c'est que, n'ayant pu ce qu'ils voulaient, ils ont fait semblant de vouloir ce qu'ils pouvaient » (II, 19).

Silence de Montaigne sur la Saint-Barthélemy ? Ou, toute honte bue silencieusement, et l'horreur surmontée, lente, douloureuse méditation, ralliement pas à pas, pied à pied, à une conclusion machiavélienne éclairée par certaine conscience catholique du péché relativisé, telle que l'élaboraient de leur côté ses amis jésuites ?

« Il le fallait faire ; mais s'il le fit sans regret [...]. »

« Le cul sur la selle »
à travers l'Europe

Un an, cinq mois et huit jours de pérégrinations par monts et par
vaux, « le cul sur la selle » au long de routes, chemins et sentiers d'Europe où les risques sont grands : voilà ce qu'accomplit Montaigne du
22 juin 1580 au 30 novembre 1581.

Nous le savons peu casanier. Mais, cette fois, le voyageur, qui, en
vue de ce périple qu'il a prévu plus long encore[1], franchit la poterne de
son château périgourdin, est un homme de quarante-sept ans qui se dit
« vieil » et qui souffre. De quoi donc est-il en quête ? De quelle toison
d'or ?

A ceux qui lui « demandaient raison » de ses voyages Michel
de Montaigne répondait : « Je sais bien ce que je fuis, mais non pas ce
que je cherche » (III, 9). Gasconnade – fût-elle digne de Socrate[2]. En
ce printemps 1580, Michel, piquant des deux vers le nord, et puis vers
l'est et vers le sud, sait à coup sûr ce qu'il fuit, mais il n'ignore pas
pour autant ce qu'il cherche et que va définir son itinéraire « à sauts et
à gambades » : la guérison de son mal et les sources de sa culture.

Ce qu'il fuit ? C'est d'abord la routine d'une vie de gentilhomme

---

1. C'est son élection à la mairie de Bordeaux, en août 1581, qui coupe court au voyage.
2. André Gide, partant pour le Congo, répond à la même question qu'il le saura quand
il sera arrivé.

campagnard qui, ayant manifesté son dégoût pour les choses du monde et affirmé sa soumission exclusive aux « doctes vierges », constate dix ans plus tard qu'il a gardé, de sa jeunesse, le pied léger, le cœur volage, l'inlassable curiosité du monde et des êtres, enfin le goût de « promener sa philosophie », écrira joliment le premier préfacier du *Journal*, Meunier de Querlon.

Il ne dissimule pas qu'« on » tenta de le retenir au foyer : les arguments qu'il rapporte et la riposte qu'il fit indiquent assez d'où vinrent les objections :

> [...] l'amitié maritale [...], c'est une intelligence qui se refroidit volontiers par une trop continuelle assistance, et que l'assiduité blesse.
> [...] Nous n'avons pas fait marché, en nous mariant, de nous tenir continuellement accoués l'un à l'autre [...] d'une manière chiennine. Et ne doit une femme avoir les yeux si gourmandement fichés sur le devant de son mari qu'elle n'en puisse voir le derrière, où besoin est (III, 9).

Bref, après quinze ans de mariage et de « ménagerie », entrecoupés de trop brèves missions à la Cour et d'obscurs combats entre la haie et le poulailler, il s'ennuie du monde et de ses tracas. Deux années sans Françoise, au gré des aventures, la lui feront paraître plus avenante et plus « traitable », et moins aiguës lui sembleront les « épines domestiques ».

Ce qu'il fuit, c'est encore les « démembrements » que subit la France des « trois Henri » : le roi qui s'enfonce dans une bigoterie dépravée, Guise qui fomente sa Ligue de fanatiques, Navarre, son préféré, qui s'opiniâtre dans une huguenoterie impolitique. Sous couleur de « religion », la vieille guerre gauloise s'est ranimée, entrecroisant sectarismes et convoitises : le septième des conflits « religieux » qui vient d'éclater sera dit guerre « des amoureux », étiquette qui n'en atténue pas l'horreur. L'heure n'est pas encore aux conciliateurs tels que lui.

Ce qui le chasse encore de Montaigne et de ses vignes vers « ailleurs », c'est ce qu'il appelle son « inquiétude et irrésolution » – cette vieille mélancolie qui taraude sa jovialité naturelle, nourrie d'ennui domestique et d'angoisse nationale, de souffrance physique et de tensions au sein de sa famille. Cette anxiété d'être que l'écriture ne lui permet plus de canaliser ou de sublimer a repris possession de lui-même – ce qu'expriment si bien les derniers chapitres du livre II des *Essais*, conclus par la lettre navrée adressée à Marguerite de Duras. A cette gaillarde dont il a dû être amoureux, comme beaucoup d'autres, et tandis que le harcèlent les premières atteintes de la gravelle, il ose écrire : « [...] déchu de ma première vigueur [...], tirant sur le flétri et le rance, je suis sur le fond du vaisseau, qui sent tantôt le bas et la lie » (II, 37).

Clair est ce qu'il fuit. Ce qu'il cherche ne l'est pas moins. D'abord, très évident, et marqué par les points d'inflexion du voyage, de Plombières à Lucques : là sont les eaux propices à l'apaisement de son mal, de ses coliques qui lui attaquent le ventre depuis l'été 1578. Il a fait le tour des stations de cure de son Aquitaine, Bagnères-de-Bigorre, Préchacq, Aigues-Chaudes, Barbotan, y trouvant quelques rémissions fugitives. Mais, toujours dans la lettre à Mme de Duras, il y a ce cri : « La gloire [...] est trop cher achetée à un homme de mon humeur, si elle lui coûte trois bons accès de colique. La santé, de par Dieu ! » (II, 37).

Cet aspect du projet est donc clair : dût-il juger un peu mesquin de chevaucher si loin pour apaiser sa vessie, et humiliant de le proclamer, c'est bien d'abord de cela qu'il s'agit – le compte rendu du voyage le fera bien voir, avec la médiocrité des effets.

Mais serait-il Montaigne, simple curiste ? Rebelles à une telle idée, beaucoup ont voulu conférer à cette chevauchée par Bâle et Augsbourg, jusqu'à Rome, villes où les affaires publiques, politiques et religieuses l'emportaient d'évidence sur l'industrie des apothicaires, une dimension politique et diplomatique. Une mission secrète, sous couleur de cure ? Des indices encouragent ces supputations : ils ne sont pas décisifs. Mais le fait est que le voyageur s'entretient avec le pape, les ministres de diverses religions, plusieurs ambassadeurs : Montaigne était notoire, curieux de tout, porteur de lettres de recommandation de son roi et ne méprisait pas les honneurs. Comment eût-il pu divaguer comme un bouchon sur le flot ? On y reviendra.

Et puis, il y a « cette humeur avide des choses nouvelles et inconnues » qui « aide à nourrir en [lui] le désir de voyager », le plaisir de « frotter et limer » sa cervelle à celle d'autrui, qui est le moteur principal de cette aventure. Le monde est son jardin : il a poussé en esprit jusqu'à l'Indus avec Alexandre, jusqu'en Afrique avec Scipion, jusqu'au Brésil avec ses amis « sauvages » de Rouen. Tel Socrate, il dirait volontiers que sa seule patrie est l'univers. Il court donc visiter « ses » terres d'Europe. Humaniste formé à l'école d'Érasme, de Turnèbe et de Muret, il sait retrouver à Rome un univers familier. Gascon avide de cavalcades, il veut découvrir des horizons propres à l'étonner.

Son génie consistera dès lors à inverser le postulat du voyageur. Il ne s'agira à proprement parler ni de quête ni de fuite. Son propos ne sera pas de « trouver ce qu'il cherche, mais de goûter ce qu'il trouve » (Fausta Garavini).

Suffit pour le pourquoi. Le comment ? Averti (comment ?) du tour qu'allaient prendre les choses, Montaigne ne se fût pas entouré de la troupe qui allait se lancer dans l'aventure, d'abord à partir de la butte de Montravel, le 22 juin 1580, puis, complétée, le 5 septembre suivant, des faubourgs du nord de Paris.

Flanqué de son jeune frère Bertrand de Mattecoulon et de son beau-frère Bernard de Cazalis, veuf de sa sœur Marie, Montaigne, impatient de remettre au roi un exemplaire des *Essais*, comptait être reçu à Paris. Mais la peste y faisant rage (on parle de plusieurs milliers de morts en 1580), Henri III s'était installé à Saint-Maur-les-Fossés, où, selon les chroniques du temps, un couvent abritait ses frasques avec quelques nonnains [3]. C'est là, semble-t-il, que le voyageur lui remit son livre, dont le roi le complimenta.

Le maréchal de Matignon ayant, le 7 juillet, mis le siège devant La Fère [4], tenue par les huguenots que tardaient à secourir leurs alliés d'Allemagne, Montaigne y fut, avec ses compagnons : il était bon de participer à ce fait d'armes, en noble compagnie. Entre deux arquebu-sades, il y vit blesser mortellement son ami Philibert de Gramont, « mignon » du roi et époux de Diane d'Andoins, qui sera Corisande. La Fère ne tombera que le 7 septembre, mais Montaigne a choisi d'es-corter le corps de son ami jusqu'à Soissons.

Le siège est fini pour les voyageurs gascons. Montaigne a donné rendez-vous au nord de Paris, sur la route de Meaux [5], à Charles d'Es-tissac, le fils de son amie Louise, et à François du Hautoy, gentil-

3. Sa femme, Louise de Vaudemont-Lorraine, était toujours dite « la Reine vierge ».
4. Dans l'Oise.
5. La plupart des éditions précisent « à Beaumont-sur-Oise », celle de Paul Faure « au carrefour des routes de Saint-Denis et de Saint-Maur », ce qui rend plus plausible leur arrivée à Meaux dans la soirée. Le manuscrit est perdu, les transcriptions hasardeuses, les horaires incertains.

homme lorrain, qui partageront et les frais et les risques, moins grands, à vrai dire, en cette région que dans le Midi. Le convoi se compose de dix personnes, sept cavaliers et trois hommes à pied – deux laquais et un muletier. Celui-ci mène-t-il un chariot à bagages (ce que peut donner à penser une réparation effectuée au cours d'une escale dans le Tyrol) ? En tout cas, les voyageurs sont suivis de coffres volumineux et pesants, qui retardent le rythme de leur course. La présence de trois piétons contraint les cavaliers à n'aller qu'au pas : les étapes quotidiennes seront le plus souvent de sept à huit lieues françaises – environ trente kilomètres.

Notre essayiste vagabond se trouve ainsi à la tête d'une troupe de jeunes gens de vingt ans en moyenne. Le silence fait à leur propos dans le *Journal de voyage* et quelques réflexions des *Essais* ne donnent pas d'eux une fière idée. Il n'essaie pas même de donner le change sur son frère, son beau-frère ou le fils de son amie. Au chapitre 9 du livre III des *Essais*, nous lisons ceci (qui ne vise pas seulement le grand voyage de 1581, mais ne semble que trop s'y rapporter) : « C'est une rare fortune, mais de soulagement inestimable, d'avoir un honnête homme, d'entendement ferme et de mœurs conformes aux vôtres, qui aime à vous suivre. J'en ai eu faute extrême en tous mes voyages. » On ne saurait être plus net...

Mattecoulon était parti surtout pour affiner en Italie ses talents de bretteur – les exerçant si bien qu'à Rome, son frère parti, il tua un homme en duel, causant mille soucis aux siens et à son ambassadeur. Cazalis quittera ses compagnons à Padoue – ce qui, hypothèse d'une rencontre galante mise à part, peut le faire créditer d'une certaine ambition universitaire.

Nous sommes moins éclairés encore sur le compte de M. du Hautoy ou sur celui de Charles d'Estissac, fils de la « divine Louise [6] ». S'agissant de ce dernier, il faut bien relever une singulière anomalie : du fait de ses quartiers de noblesse, cet adolescent aura toujours le pas sur Montaigne dans les réceptions : le pape donnera audience à « MM. d'Estissac *et* de Montaigne » – car telle était l'absurdité d'une société qui privilégiait sur le génie en sa maturité l'ancienneté de la « naissance » d'un jeune daim de dix-neuf printemps.

6. Cf. *supra*, chap. III.

La caravane enfin est riche d'un personnage qui vaut qu'on le considère de plus près, ce « secrétaire » sans lequel le grand voyage du seigneur de Montaigne n'aurait eu probablement d'autres échos que par quelques notations dans le livre III des *Essais*.

Il a fallu qu'en 1769 un certain abbé Joseph Prunis, chanoine érudit spécialiste de l'histoire du Périgord, fouillant les greniers de Montaigne, découvrît un cahier de deux cent cinquante pages rapidement identifié [7], pour que soit révélée l'existence de ce très étrange ouvrage rédigé par deux scripteurs et, pour le second d'entre eux, surtout en italien.

Que l'ouvrage ne fût pas destiné à la publication est une évidence. Que ne fût pas même prévue une rédaction continue est vraisemblable. Fleur née sous le pas des chevaux, au gré du chemin, ce texte ne saurait être comparé à aucun autre, *Mémorial de Sainte-Hélène* ou *Conversations avec Eckermann* – où le grand homme est « en représentation ». Ici se dessine par touches menues, plus « à gambades » encore que dans les *Essais*, réfractée d'abord par un autre regard et croquée d'une autre main, la personnalité d'un certain gentilhomme vagabond, coliqueux, égocentrique, quelque peu vaniteux, passionné de religion (ou de sociologie religieuse), doué pour l'ethnographie et curieux de mécanique amusante – surtout hydraulique.

Admirable complément des *Essais* : Paul Faure, commentateur du texte en 1948, a pu même écrire qu'il s'agit d'« un essai plus vrai que les *Essais* ». Le *Journal* nous renvoie une double image de Montaigne. Image plus intime encore que celle qui émane du texte rédigé dans la tour, parce qu'il n'est rédigé qu'à usage interne, et plus distanciée pour être due en partie à une main extérieure, improvisée dans le tourbillon des êtres et des choses, quand ce n'est pas dans une langue étrangère.

Le noble voyageur avait-il seulement prévu que l'expédition donnerait naissance à un journal et choisi un « secrétaire » à cet effet ? Ou bien celui-ci, embarqué à d'autres fins, plus domestiques (tenir les comptes, par exemple), en prit-il l'initiative ? Voyager au côté de M. de Montaigne incite à prendre quelques notes… S'agissait-il

---

7. Bien qu'il s'agisse d'une copie. Le manuscrit s'est perdu, nous l'avons vu ; on ne dispose que de copies, ce qui ouvre la voie à bien des interprétations – comme à propos du lieu du rendez-vous entre Paris et Meaux.

d'un de ses « gens » de Périgord ou de Gironde, d'un étudiant pauvre emmené aux fins d'études en Italie, en échange de quelques services en cours de route ?

L'hypothèse semble se fonder sur le fait que c'est à Rome qu'il prit congé de la troupe – Montaigne nous laissant ignorer la cause de cette séparation et se contentant de spécifier que, dès lors, il prend lui-même la plume pour achever « cette belle besogne », dût-il y trouver de l'« incommodité ». D'autant qu'il s'impose de rédiger en italien.

Le rôle de ce scribe anonyme resta très longtemps négligé, si diligent qu'il fût à veiller sur le confort de son maître, autant qu'à transcrire – ou traduire, ou deviner ? – ses remarques, émotions et découvertes, rédigeant dans une langue aussi savoureuse que celle de l'essayiste quand il prendra la plume, et marquant de-ci, de-là sa présence par un « je » qui n'est pas un simple écho et peut signifier une divergence de parcours, sinon de réactions. (En deux occasions, nous apprenons qu'il a déjà voyagé en Italie.) Quant à son absence, elle se marque par le silence du *Journal* à propos du moment le plus pathétique du voyage : la visite qu'à Ferrare Montaigne fit au Tasse, le poète à l'esprit égaré que le voyageur décrira, dans les *Essais*, « survivant à soi-même »[8].

L'ombre dont fut enveloppé durant des siècles le scribe sans visage a été dissipée notamment par Fausta Garavini dans une vigoureuse préface au *Journal de voyage*[9] qui met en lumière la personnalité de ce secrétaire si fidèle qu'on s'épuiserait à distinguer ses interventions de celles du maître, à défaire cette admirable consonance. Mme Garavini ose même se demander si la part du scribe n'est pas la plus importante, et si « l'écrivain n'est pas moins écrivain que le scribe ». Bigre ! L'universitaire américain Craig B. Brush va encore plus loin, tenant cette part pour « bien plus importante »…

Dans une note de son édition du *Journal*[10], Paul Faure posait mieux le problème, qui est celui de la transformation de l'ouvrage lorsque la

8. « Infinis esprits se trouvent ruinés par leur propre force et souplesse. Quel saut vient de prendre, de sa propre agitation et allégresse, l'un des plus judicieux, ingénieux et plus formés à l'air de cette antique et pure poésie, qu'autre poète italien ait de longtemps été ? [...] J'eus plus de dépit encore que de compassion, de le voir à Ferrare en si piteux état [...] » (II, 12).
9. Paris, Gallimard, coll. « Folio », 1983.
10. Paris, Gibert Jeune, 1948.

« main » passe du scribe à Montaigne lui-même : il estime qu'alors le texte se fait moins anecdotique, plus philosophique, plus « médical », plus artiste aussi : Florence n'est reconnue « belle » que dans le second regard ou sous la seconde plume...

On n'entrera pas ici dans ce fascinant jeu de miroirs, se contentant d'observer qu'il y a là un bien beau sujet pour un romancier : qui, ayant « retrouvé » la trace de l'ingénieux secrétaire évaporé dans les rues de Rome le 15 février 1581, ne voudrait l'imaginer dix ans plus tard *monsignore* auprès de Sixte Quint, racontant au Sacré Collège les frasques de son cher gentilhomme gascon – ou mieux, rentré en Périgord, écrivant, tandis que Montaigne fatigué s'est endormi auprès de son écritoire, le chapitre neuvième du livre III des *Essais*, avant d'aller inspirer au roi Henri quelques clauses de l'édit de Nantes et le mariage avec la grosse Médicis ?...

Bref, dix-huit mois durant, on chevaucha, de Meaux à Épernay et Domrémy (où Montaigne se contente d'observer que les « descendants » de Jeanne furent anoblis par le roi...), d'Épinal à Plombières (où notre coliqueux prend les eaux pendant dix jours, sans grand résultat[11]), Mulhouse, Bâle (où il s'entretient avec divers réformés), Baden (pour cinq journées de bains), Constance, Augsbourg (« la plus belle ville d'Allemagne »), Munich, Innsbruck, Trente, le lac de Garde, Venise (où l'on ne passe que six jours), Ferrare, Bologne, Florence (non sans une légère déception d'abord), Rome enfin, où nos gentilshommes français vont séjourner du 30 novembre au 19 avril 1581 – allant d'audience pontificale en fête chez le fils du pape, d'une visite à la bibliothèque vaticane à une cérémonie de circoncision juive et au commentaire des *Essais* par les censeurs du *Sacro Palazzo*.

---

11. Il s'en dit pourtant moins déçu que Voltaire, qui écrira à son ami M. Pallu :

> Près d'un bain chaud toujours crotté,
> Plus d'un malade empaqueté [...]
> Sur son mal toujours résonne,
> Se baigne, s'enfume et se donne
> La question pour la santé [...]

Puis viendront la visite à Lorette, un second séjour à Florence, une halte à Lucques avant la cure dès longtemps préméditée aux bains voisins de La Villa. C'est là que, apprenant en septembre 1581 son élection à la mairie de Bordeaux, Montaigne décide d'abréger le voyage – non sans juger utile de passer encore deux semaines à Rome avant de se décider à faire demi-tour vers sa ville et ses électeurs, retrouvant sa femme et son château le 30 novembre 1581.

Plutôt que de cheminer de jour en jour avec la troupe du seigneur cavalier, on se propose de « faire comme si » ce *Journal* à quatre mains et en deux langues, rédigé entre le deuxième et le troisième livre des *Essais*, était un tome « II et demi », une ébauche du magnifique tiers livre, composée déjà sous forme de brefs chapitres traitant chacun de l'un des thèmes du voyage. Tant il est vrai que ses « sauts et gambades », ses étonnements de touriste et fantaisies de curiste ne détournaient pas notre Gascon de philosopher.

On ira ainsi de l'« art de voyager » aux « "Gentifemmes" et courtisanes », de l'*ars politica* au « potager », sans oublier bien sûr « les pierres et les eaux » : ainsi se dessineront des *Essais* en miniature (mais que le lecteur se rassure : on s'est interdit tout ce qui pourrait ressembler à un pastiche, outrecuidant et ridicule, quand le texte est si riche…).

I. De l'art de voyager

Parce qu'il n'était nullement destiné à la publication, ce carnet de voyage est d'une certaine manière résumé en quelques pages du chapitre 9 du livre III des *Essais*, « De la vanité » (curieux titre pour cet exercice de vérité, dont, il est vrai, la gloriole ne fut pas tout à fait absente), écrit après le grand périple de 1580-1581 :

> [...] le voyager me semble un exercice profitable. L'âme y a une continuelle exercitation à remarquer les choses inconnues et nouvelles ; et je ne sache point meilleure école, comme j'ai dit souvent, à former la vie que de lui proposer incessamment la diversité de tant d'autres vies, fantaisies et usances, et lui faire goûter une si perpétuelle variété de formes de notre nature. Le corps n'y est ni oisif ni travaillé, et cette modérée agitation le met en haleine. Je me tiens à cheval sans démonter,

tout coliqueux que je suis, et sans m'y ennuyer, huit et dix heures [12] [...].
Nulle saison m'est ennemie, que le chaud âpre d'un soleil poignant [...].
J'aime les pluies et les crottes, comme les canes. La mutation d'air et de
climat ne me touche point : tout ciel m'est un. Je ne suis battu que des
altérations internes que je produis en moi, et celles-là m'arrivent moins
en voyageant.
Je suis malaisé à ébranler ; mais, étant avoyé, je vais tant qu'on veut.
J'estrive autant aux petites entreprises qu'aux grandes, et à m'équiper
pour faire une journée et visiter un voisin que pour un juste voyage. J'ai
appris à faire mes journées à l'espagnole, d'une traite : grandes et raisonnables journées ; et aux extrêmes chaleurs, les passe de nuit, du soleil
couchant jusqu'au levant.

On lui a dit :

« [...] vous ne reviendrez jamais d'un si long chemin ! » Que m'en chaut-
il ! Je ne l'entreprends ni pour en revenir, ni pour le parfaire ; j'entreprends seulement de me branler, pendant que le branle me plaît. Et me
promène pour me promener [...].
[...] Moi, qui le plus souvent voyage pour mon plaisir, ne me guide pas si
mal. S'il fait laid à droite, je prends à gauche ; si je me trouve mal propre
à monter à cheval, je m'arrête. Et faisant ainsi, je ne vois à la vérité rien
qui ne soit aussi plaisant et commode que ma maison [13]. [...] Ai-je laissé
quelque chose à voir derrière moi ? J'y retourne ; c'est toujours mon
chemin. Je ne trace aucune ligne certaine, ni droite ni courbe (III, 9).

Ces doux commandements du voyageur amoureux du voyage, nul
doute que Michel de Montaigne ne les ait médités, affinés, peaufinés
lors du grand périple de 1580. Tout se dessine déjà au fil des pages du
carnet que tient le scribe vigilant :

Je crois à la vérité que, s'il eût été seul avec les siens, il fût allé plutôt à
Cracovie ou vers la Grèce par terre, que de prendre le tour vers l'Italie ;
mais le plaisir qu'il prenait à visiter les pays inconnus, lequel il trouvait
si doux que d'en oublier la faiblesse de son âge et de sa santé, il ne

---

12. Ce n'est pas là une gasconnade : les étapes étaient parfois de dix lieues (environ
40 kilomètre) c'est-à-dire de 9 ou 10 heures : on a signalé la présence dans la caravane de
plusieurs piétons, sinon d'un chariot. A noter encore ceci : quand il écrit qu'il ne voit au
voyage qu'un seul défaut, « la dépense, qui est grande », il sait de quoi il parle. Le périple
de 1580-1581 lui coûta, estime-t-on, 3 000 écus – trois années de revenus d'un notable de
haut rang.
13. *Journal de voyage* (éd. Garavini), *op. cit.*, p. 153.

le pouvait imprimer à nul de la troupe, chacun ne demandant que la retraite. [...]

Quand on se plaignait à lui de ce qu'il conduisait souvent la troupe par chemins divers et contrées, revenant souvent bien près d'où il était parti [...], il répondait qu'il n'allait, quant à lui, en nul lieu que là où il se trouvait, et qu'il ne pouvait faillir ni tordre sa voie, n'ayant nul projet que de se promener par des lieux inconnus [...].

Ah ! ces jeunes gens – le scribe lui-même ? – épuisés déjà et avides de « retraite », quand le seigneur de Montaigne ne rêve que bosses, sinon plaies... On reviendra sur ces destinations qu'il jette à la face de ses compagnons effarés – Cracovie ? la Grèce ? et pourquoi pas les Indes orientales ! –, mais il faut prolonger la citation du scribe, si révélatrice :

[...] après avoir passé une nuit inquiète, quand au matin il venait à se souvenir qu'il avait à voir ou une ville ou une nouvelle contrée, il se levait avec désir et allégresse. Je ne le vis jamais moins las ni moins se plaignant de ses douleurs, ayant l'esprit, et par chemin et en logis, si tendu à ce qu'il rencontrait et recherchant toutes occasions d'entretenir les étrangers, que je crois que cela amusait son mal.

II. Que le monde est sa ville...

Une fois de plus, sa référence majeure est Socrate, qui « jugeait le monde sa ville » – en tirant argument, lui, pour ne pas voyager : dès lors qu'Athènes est à la fois l'Hellespont et le pays des Lotophages...

C'est par l'autre bout que Montaigne prend, lui, la formule socratique, se gaussant de ces rois de Perse qui s'obligeaient à ne boire jamais d'autre eau que celle de la rivière Choaspès : en renonçant ainsi à leur droit d'user des autres eaux, écrit Montaigne, « [ils] asséchaient pour leur regard tout le reste du monde » (III, 9).

Merveilleuse image – et qui résume, en sa veine aquatique, un voyage placé dès l'origine sous le signe des eaux. Ce n'est pas lui qui se contenterait du cours d'un fleuve, fût-il persan, fût-il gascon, soutenant que « [...] l'amitié a les bras assez longs pour se tenir et se joindre d'un coin de monde à l'autre [...] », et que « [...] celui qui dîne en France repaît son compagnon en Égypte [...] ». Si l'Église se fonde sur la communion des saints, Montaigne, lui, se réclame de la communion des hommes.

Le *Journal* est la continuelle illustration de ce principe – qu'il vante la tolérance suisse, l'hygiène allemande, le confort autrichien, l'harmonie toscane, la pluralité romaine... De tous les thèmes qui composent cette symphonie européenne on retiendra d'abord le plus original, s'agissant d'un Français et plus encore d'un Périgourdin, espèce réputée pour sa finesse de gueule : énumérant quelques regrets concernant les préparatifs et le déroulement de son voyage formulés pendant la traversée de l'Allemagne par M. de Montaigne, le diligent secrétaire rapporte d'abord qu'il déplorait de n'avoir pas « mené un cuisinier » avec lui. Lisant ces mots, tout Français jugera que l'essayiste gascon lui ressemble : comment s'accoutumer à ce manger tudesque et ne pas regretter la chère de chez nous ? Mais pas du tout : si ledit cuisinier lui manque, c'est au contraire parce qu'il eût voulu « l'instruire de leurs façons » culinaires et « pouvoir un jour en faire voir la preuve chez lui » – ce qui est bien, pour un indigène des rives de la Dordogne, la manifestation de l'internationalisme le plus audacieux.

D'étape en étape, il admire les fontaines de Bâle et l'élégance des logis de Baden, l'ampleur des rues d'Augsbourg et la commodité des poêles allemands :

> M. de Montaigne, pour essayer tout à fait la diversité des mœurs et façons, se laissait partout servir à la mode de chaque pays, quelque difficulté qu'il y trouvât. [...]
> [Il] disait qu'il s'était toute sa vie méfié du jugement d'autrui sur le discours des commodités des pays étrangers, chacun ne sachant goûter que selon l'ordonnance de sa coutume et de l'usage de son village [...] [14].

Est-ce, comme l'écrit un peu lourdement le scribe, parce qu'il mêlait à son jugement « un peu de passion du mépris de son pays, qu'il avait à haine et à contrecœur pour autres considérations » (politiques, évidemment) ? Il ne se contente pas en tout cas de proclamer qu'il embrasse un Polonais à l'égal d'un Français ; il s'irrite de voir l'Italie si encombrée de ses compatriotes qu'à Rome « il ne trouvait en la rue quasi-personne qui ne le saluât en sa langue », estime qu'à Padoue

---

14. *Ibid.*, p. 101 et 145.

l'abondance de Parisiens ou Bordelais est un inconvénient pour l'étudiant venu de chez nous afin d'y étudier et rappelle en toute occasion qu'il n'est pas venu « chercher des Gascons en Sicile », en ayant « assez laissé au logis », et qu'il « cherche des Grecs plutôt, et des Persans » (III, 9). Ce dont Montesquieu, bon lecteur de son illustre compatriote, ne manquera pas de prendre note.

Notre pérégrin xénophile, qui ne se soucie guère de porter sur son oreille gauche la fleur qu'y mettent les guelfes, partisans des Français, quand les gibelins, tenants des Espagnols, la portent à droite, se fera réprimander pour cela, se donne néanmoins la gourmandise patriotique qu'est le détour fait entre Florence et Rome par Sienne et Montalcino, « pour l'accointance que les Français y ont eue [15] ». Accointance pourtant ambiguë : Montluc y a vaillamment combattu à la tête des Siennois résistant aux Florentins et fondé avec eux une petite république à Montalcino. Mais lors du traité du Cateau-Cambrésis, Henri II a livré la ville aux Médicis...

III. *Des arts de la table et du lit*

Si M. de Montaigne regrettait si fort de n'avoir pas emmené avec lui son cuisinier gascon pour l'instruire de la gastronomie allemande, c'est apparemment pour avoir pris goût aux écrevisses, qui, assure-t-il, ne lui manquèrent aucun jour de son voyage. C'est aussi qu'il n'était pas un gourmet à la mode de chez lui. Nous l'avons surpris, de son propre aveu, en flagrant délit de gloutonnerie ; et son secrétaire le décrit se contentant, pour le déjeuner, d'un croûton de pain grignoté en selle.

Ce grand amateur de poisson relève ici et là que les Suisses en servent de fort bon, parfois les Allemands, mais qu'il est rare, presque partout, en Italie. A son gré les viandes y sont moins bien « apprêtées » ni « assaisonnées, et diversifiées de sauces et de potages » qu'en Allemagne, et les vins y ont une « douceur lâche ».

Décidément, c'est de la cuisine allemande qu'il gardera le meilleur souvenir. Écoutons le scribe évoquer les menus d'Augsbourg :

---

15. *Ibid.*, p. 185.

[...] d'un si bon goût, aux bons logis, qu'à peine nos cuisines de la noblesse française lui semblaient comparables [...]. Ils ont grande abondance de bon poisson, qu'ils mêlent au service de chair ; ils y dédaignent les truites et n'en mangent que le frai ; ils ont force gibier, bécasses, levreaux, qu'ils accoutrent d'une façon fort éloignée de la nôtre, mais aussi bonne au moins. Nous ne vîmes jamais des vivres si tendres comme ils les servent communément. Ils mêlent des prunes cuites, des tartes de poires et de pommes au service de la viande, et mettent tantôt le rôti le premier et le potage à la fin, tantôt au rebours. Leur fruit, ce ne sont que poires, pommes qu'ils ont fort bonnes, noix et fromage [16].

Voilà bien de l'éloquence pour un mangeur de croûtons, qui coupait son vin, s'étonnant que les Allemands soient assez portés sur l'ivrognerie pour le boire pur et n'admettant ce comportement chez les Suisses que parce que leur vin est très « petit ». Si différent en cela de ces Français qui s'en vont juger le monde au goût des sauces, à la cuisson du rôti, aux douceurs pâtissières. Mais qu'il soit si peu assujetti à ces exigences est précisément l'un des secrets de son génie du voyage.

Plus et mieux qu'à la table, le seigneur de Montaigne s'intéresse au lit ; on veut dire à la literie, au confort du sommeil : car il est gros dormeur, avoue-t-il, plutôt que gastronome. Mais ne voyons pas en lui un maniaque de ces choses : « En cette commodité de logis que je cherche, je n'y mêle pas la pompe et l'amplitude » (III, 9). Il refusera, à Rome, une résidence « meublée de drap d'or et de soie, comme [celle] de nos rois [17] ». Ce qui ne l'empêche pas de louer, non sans nuances, le confort proposé par les messieurs de Bâle :

[...] ils nous surpassent de beaucoup [...] les couvertures des maisons sont fort embellies de bigarrures de tuilerie plombée en divers ouvrages, et le pavé de leurs chambres ; et il n'est rien plus délicat que leurs poêles qui sont de poterie [...] Les moindres logis ont deux ou trois telles salles très belles. Elles sont fort percées et richement vitrées ; mais il paraît bien qu'ils ont plus de soin de leurs dîners que du demeurant : car les chambres sont bien aussi chétives. Il n'y a jamais de rideaux aux lits, et toujours trois ou quatre lits tous joignant l'un l'autre, en une chambre ; nulle cheminée, et ne se chauffe-t-on qu'en commun et aux poêles [...]. Étant très malpropres au service des chambres : car bienheureux qui peut

16. *Ibid.*, p. 113.
17. *Ibid.*, p. 189.

avoir un linceul blanc, et le chevet, à leur mode, n'est jamais couvert de linceul ; et n'ont guère autre couverte qu'une coite, cela bien sale [...]. Ils n'ont nulle défense du serein ou du vent que la vitre simple, qui n'est nullement couverte de bois, et ont leurs maisons fort percées et claires, soit en leurs poêles, soit en leurs chambres ; et eux ne ferment guère les vitres, même la nuit [18].

Il lui arrivera, à Rome, de trouver les chambres « meublées un peu mieux qu'à Paris ». Mais quelques semaines plus tôt, à Florence, il aura moins bien traité sa chère Italie :

Les logis en Italie de beaucoup pires [...] ; les fenêtres grandes et toutes ouvertes, sauf un grand contrevent de bois qui vous chasse le jour, si vous en voulez chasser le soleil ou le vent : ce qu'il trouvait bien plus insupportable et irrémédiable que la faute des rideaux d'Allemagne [...]. [...] et qui haïrait à coucher dur s'y trouverait bien empêché. Égale ou plus grande faute de linge [19].

Qu'il l'appelle « linceul » pour le lit ou « drapeau » pour la table, notre seigneur périgourdin est extrêmement attentif au linge. Douillet ? Frileux ? Non. Mais, compte tenu des mœurs de l'époque, très soucieux d'hygiène – et, à table, impatient d'effacer au plus vite, sur lui, les effets d'une gloutonnerie peu soucieuse de l'usage récent des fourchettes et sentant peu son homme de cour.

IV. « *Gentifemmes* » *et courtisanes*

Nous savons qu'en matière de sexe et galanterie le seigneur de Montaigne n'est pas pour la litote ni pour la retenue, et que, tout « marié et vieil » qu'il soit, il ne dédaigne pas la bagatelle, moins encore la verdeur : telle citation de Virgile lui inspirera bientôt, en son livre III, de savoureuses divagations.

Il est connu que le voyage est propice aux ardeurs : ce pour quoi les jeunes mariés prennent ou le train ou la route – notamment vers l'Italie. Mais on ne saurait dire que notre gentilhomme pérégrin ait

---

18. *Ibid.*, p. 92-93.
19. *Ibid.*, p. 178.

trouvé là matière à sortir de ses gonds. S'agissant des dames, grandes ou petites, duchesses ou catins, on le voit en la posture classique du Français en voyage, lorgnant, causant, caressant à l'occasion, et notant qu'aux bains les maris peuvent trouver moyen d'accroître leur progéniture, pour peu qu'ils se tiennent à distance.

Mais sont-ce effets de l'âge ? Fatigue du voyage ? Inconvénients du tape-cul ? Pudeur du scribe ? Souci de « se tenir » devant ses jeunes compagnons – parmi lesquels son frère et son beau-frère ? Le fait est que le *Journal de voyage* est, mieux que les *Essais*, un livre à « mettre entre toutes les mains » et que, en en secouant la poussière auguste deux siècles plus tard, le chanoine Prunis, qui était libre-penseur et contemporain de Crébillon, en conçut peut-être, sur ce chapitre, une légère déception.

Ce n'est pas sur le compte des Suissesses qu'on l'attend : on retient pourtant qu'il les a trouvées « grandes et blanches […] communément belles ». Parfait. Des Allemandes il est peu question, sinon pour rapporter cet admirable trait d'égalité entre les sexes et religions : que dans les mariages entre catholiques et luthériens, c'est « le plus désireux qui subit les lois de l'autre » – imaginons Henri de Navarre face à Margot : une nuit vaut bien une messe ! Autre notation : que dans une église de Sterzing, au Tyrol, il aborda une « jeune belle garce [20] » en latin, la prenant pour un écolier…

C'est naturellement en Italie que se déploie le grand jeu de cet érotisme bien tempéré. De Venise à Lucques, en passant par Rome et Florence, nous allons voir notre Gascon passer en revue les dames honnêtes par destination et celles qui ne le sont, au mieux, que dans l'évaluation de leurs talents. Ses ardeurs calmées, mais non éteintes, le châtelain de Montravel est au sommet de sa forme d'observateur engagé, bien qu'un peu empêtré entre soutanes et clystères.

Il n'est pas plus tôt arrivé à Venise que se manifeste l'éternel féminin, sous la forme d'une poétesse, ancienne courtisane à vrai dire, qualifiée de « gentifemme vénitienne » (ce qui montre que ceci n'exclut pas cela), qui lui fait porter un « petit livre de lettres » par un laquais. Lequel reçoit deux livres, ce qui est beaucoup pour une course, peu pour un poème… (Mais notre Montaigne semble avoir là commis une

---

20. Dans le langage du temps, « fille », tout simplement.

terrible gaffe, que l'on ne saurait mettre sur le compte de la goujaterie : car c'était là le prix que, selon les registres de police de la ville, recevait la dame au temps de son ancien métier…)

Six journées dans la cité des Doges l'amèneront à ces conclusions touchant les *ragazze* :

> Il n'y trouva pas cette fameuse beauté qu'on attribue aux dames de Venise ; et si vit les plus nobles de celles qui en font trafique ; mais cela lui sembla autant admirable que nulle autre chose d'en voir un tel nombre, comme de cent cinquante ou environ [21], faisant une dépense en meubles et vêtements de princesses ; n'ayant autre fonds à se maintenir que de cette trafique ; et plusieurs de la noblesse de là-même, avoir des courtisanes à leurs dépens, au vu et au su d'un chacun [22].

Trait typiquement vénitien ? italien ? Gardait-il alors si peu en mémoire son « enfance » parisienne ?…

Des dames florentines il lui faudra attendre son second séjour pour saluer les merveilles. Sa première approche l'a pourtant conduit à noter ceci : que lors de la réception à dîner chez le grand-duc, l'épouse du maître de maison « était assise au lieu d'honneur ; le duc au-dessous ». Tiens… N'était-ce pas une mode qui eût pu inspirer les gens du Louvre ou de Bordeaux ? Il ne se risque pas à le suggérer, préférant noter que la duchesse haut perchée a « le corsage gros, et de tétins à leur souhait ». Vus d'en bas, en tout cas.

C'est lors du second voyage chez les Médicis que, ayant enfin convenu que « c'est avec raison que Florence est nommée la belle », il traite ainsi des femmes de la ville :

> Ce jour je fus, seulement pour m'amuser, voir les femmes qui se laissent voir à qui veut. Je vis les plus fameuses, mais rien de rare. Elles sont séquestrées dans un quartier particulier de la ville, et leurs logements vilains, misérables, n'ont rien qui ressemble à ceux des courtisanes romaines ou vénitiennes, non plus qu'elles-mêmes ne leur ressemblent pour la beauté, les agréments, le maintien [23].

21. Un chroniqueur du temps donne le chiffre de deux cent quinze « pour les plus honorées ».
22. *Journal de voyage* (éd. Garavini), *op. cit.*, p. 163.
23. *Ibid.*, p. 310.

Mais c'est à Rome surtout qu'il observe les divers états de la condition – et de la beauté – féminine dans l'Italie du XVIᵉ siècle. Première notation favorable : à dîner chez « le Castellan » (qui est tout simplement le fils du pape), « les dames sont servies de leurs maris qui sont debout autour d'elles et leur donnent à boire et ce qu'elles demandent [24] ». Mais il ne daigne pas commenter, là non plus, cette belle pratique. On le verra plus éloquent sur le compte de la beauté des Romaines, qu'il lorgne à loisir à l'occasion du « Carême prenant », c'est-à-dire Mardi gras :

> Ces jours-là, toutes les belles gentifemmes de Rome s'y virent à loisir : car en Italie elles ne se masquent pas comme en France et se montrent tout à découvert. Quant à la beauté parfaite et rare, il n'en est, disait-il, non plus qu'en France ; et, sauf en trois ou quatre, il n'y trouvait nulle excellence ; mais communément elles sont plus agréables, et ne s'en voit point tant de laides qu'en France. La tête, elles l'ont sans comparaison plus avantageusement accommodée, et le bas au-dessous de la ceinture. Le corps est mieux en France : car ici elles ont l'endroit de la ceinture trop lâche, et le portent comme nos femmes enceintes ; leur contenance a plus de majesté, de mollesse et de douceur. Il n'y a nulle comparaison de la richesse de leurs vêtements aux nôtres : tout est plein de perles et de pierreries. Partout où elles se laissent voir en public, soit en coche, en fête ou en théâtre, elles sont à part des hommes : toutefois elles ont des danses entrelacées assez librement, où il y a occasion de deviser et de toucher à la main [25].

« Toucher à la main » ? Eh… Si chenu qu'il se voie, Michel a encore de bons moments devant lui. Et si les « gentifemmes » romaines ont la « ceinture trop lâche » et (se tenant « à part ») la vertu trop ferme, lui restent les « dames aux fenêtres ». Encore que des déboires soient là aussi à craindre. Assuré qu'« à cheval on voit mieux ; [...] c'est affaire [...] aux chétifs comme moi [...] », il relève avec une pointe d'aigreur :

> [...] les courtisanes [...] se montrent à leurs jalousies, avec une art si traîtresse que je me suis souvent émerveillé comme elles piquent ainsi notre vue ; et souvent étant descendu de cheval sur-le-champ et obtenu d'être

24. *Ibid.*, p. 208.
25. *Ibid.*, p. 206-207.

ouvert, j'admirais cela, de combien elles se montraient plus belles qu'elles n'étaient [...]. Le fruit d'y avoir couché la nuit pour un écu ou pour quatre, c'est de leur faire ainsi lendemain la cour en public.

Quatre écus pour se faire voir, le lendemain, en galante compagnie : le voilà plus glorieux qu'avare !

Il se dira assez « embesogné » par tous ces « amusements » pour que le quitte cette « mélancolie qui est ma mort », ou toute autre forme de « chagrin » : mais il s'étonne et trouve incommode que « quelque femme des publiques [...] vendent aussi cher la simple conversation (qui était ce que j'y cherchais, pour les ouïr deviser et participer à leurs subtilités) et en sont autant épargnantes que de la négociation entière [26] ».

Mais, après tout, l'Italie n'est pas peuplée que de « gentifemmes » à la taille trop lâche et de courtisanes non masquées à leurs fenêtres. Pendant son séjour balnéaire à La Villa, le seigneur gascon aura la jolie idée de donner un bal. Ce n'est pas celui de Don Giovanni : notre voyageur n'en invente pas moins de décerner une sorte de prix de beauté aux jeunes filles du pays, y prenant du plaisir, mais honnête à l'en croire : « [...] j'allais choisissant des yeux, tantôt l'une, tantôt l'autre, et j'avais toujours égard à la beauté, à la gentillesse : d'où je leur faisais observer que l'agrément d'un bal ne dépendait pas seulement du mouvement des pieds, mais encore de la contenance, de l'air, de la bonne façon et de la grâce de toute la personne. »

On ne saurait être plus décemment galant. Mais il trouve moyen de nous glisser qu'il donna « une paire [d'escarpins] à une jolie fille hors du bal [...] ». Était-ce la plus honnête ?

V. Du potager

Nous tenons du seigneur de Montaigne lui-même qu'il était sur ses terres le plus piètre, le plus inapte à gérer son domaine, ne sachant distinguer un chou d'une laitue... Le voyage semble lui avoir ouvert les yeux et les narines. Au pas de sa jument, il considère le paysage suisse

---

26. *Ibid.*, p. 230.

ou italien avec un intérêt quasi professionnel. Le benêt de Montravel semble avoir découvert, loin de chez lui, les charmes de l'agriculture, l'intérêt des semences, la vertu de l'assèchement des marais, la différence enfin entre la jachère et les terres emblavées.

De la vallée de l'Adige aux plaines du Pô ou aux collines toscanes, on le voit soupeser du regard telle grappe de raisin, le mûrissement d'un champ de blé, et s'intéresser passionnément aux machines hydrauliques, qu'elles visent à l'amusement – comme à Florence, à Pratolino, à Tivoli – ou qu'elles servent au drainage des vallées du Latium ou de l'Ombrie. Écoutons-le louer les procédures culturales telles que la culture en terrasse pratiquée par les Toscans, dans le style de Buffon :

> On ne peut trop louer la beauté et l'utilité de la méthode qu'ils ont de cultiver les montagnes jusqu'à la cime, en y faisant en forme d'escaliers de grands degrés circulaires tout autour, et fortifiant le haut de ces degrés, tantôt avec des pierres, tantôt avec d'autres revêtements lorsque la terre n'est pas assez ferme par elle-même. Le terre-plein de cet escalier, selon qu'il se trouve ou plus large ou plus étroit, est rempli de grain ; et son extrémité vers le vallon, c'est-à-dire la circonférence ou le tour, est entourée de vignes ; enfin, partout où l'on ne peut trouver ni faire un terrain uni, comme vers la cime, tout est mis en vignes.

Voilà un lyrisme agronomique qui dut bien étonner Françoise de La Chassaigne, s'il lui fut donné de lire ces carnets de voyage...

VI. De quelques images

C'est à coup sûr l'un des sujets sur lesquels s'interrogent le plus anxieusement les montaignistes : la rareté des références aux arts plastiques dans le *Journal de voyage* en Italie.

Les jugements à l'emporte-pièce qu'il formule à propos des diverses villes, de Bâle à Augsbourg et de Vérone à Lucques, sont souvent bienvenus, bien qu'on puisse s'étonner de la légère déception qu'il exprime à propos de Venise ou de Florence (au premier regard) et qu'il lui ait fallu revenir à Sienne pour louer congrûment la merveille qu'est la place en coquille où se déroule le *palio*.

Longtemps cette carence fut admise comme une évidence : Chateaubriand, puis Stendhal, amoureux éclairés des merveilles italiennes, avaient tranché, condamnant l'incuriosité esthétique de notre gentil-homme gascon. De nos jours, quelques spécialistes, comme Richard Sayce, se rebiffent, alléguant qu'on ne voyageait pas au XVIe siècle comme on le fera au temps de Winkelmann, de Mérimée ou de Ruskin. Certes. Mais qui aime Montaigne, admire sa miroitante culture et s'émeut à le voir palper avec tant d'amour, dans la bibliothèque vaticane, les manuscrits de Virgile, de Sénèque, de son cher Plutarque, ne peut pas ne pas souffrir de la froideur esthétique qu'il manifeste en visitant les palais de Venise et de Florence – dût-on attribuer au jeune secrétaire, jusqu'en février 1581, une part de responsabilité.

Sommes-nous pris en flagrant délit d'anachronisme ? Le voyage de Montaigne se déroule à la fin du XVIe siècle, du *Cinquecento*, au temps où règne le Titien, des décennies après l'apogée des maîtres du *Quattrocento*, où les écoles florentine et siennoise ont donné leurs plus éblouissants chefs-d'œuvre. Bien sûr, les musées n'existent pas. Mais le considérable seigneur de Montaigne est reçu par les princes de l'Église et les hauts seigneurs de Vénétie et de Toscane, de Padoue et de Rome. Il est vrai qu'à Florence il signale le tombeau des Médicis par Michel-Ange, telle fresque de Vasari (mais il s'agit d'un fait d'armes de son ami Monluc), le martyre de saint Laurent par Bronzino. Mais est-ce l'artiste qui est salué ou le sujet qui le captive ?

Devant combien de Giotto, de Mantegna, de Botticelli, de Simone Martini est-il passé ? De ces « milliasses » de chefs-d'œuvre que n'ont encore commencé de piller que quelques conquérants français, espagnols ou germaniques, il ne retient qu'un nom d'auteur, celui de Michel-Ange. Pour le reste, on en est réduit à des énumérations de sujets ou d'objets qui donnent à penser qu'il avait l'œil bon, la sensibilité vive – mais, dans le domaine plastique, et pour tout ce qui ne relevait pas de la culture antique, dûment estampillée, des notions balbutiantes, lui qui avait fréquenté des palais où était familier le nom de Léonard de Vinci.

Exemple de réflexion globale après sa visite à la villa d'Este :

> L'*Adonis* qui est chez l'évêque d'Aquino ; la *Louve* de bronze et l'*Enfant qui s'arrache l'épine* du Capitole, le *Laocoon* et l'*Antinoüs* de Belvedere ; la *Comédie* du Capitole ; le *Satyre* de la vigne du cardinal Sforza ;

et de la nouvelle besogne : le *Moïse*[27], en la sépulture de San Pietro *in vincula* ; la belle femme qui est aux pieds du pape Paul III[28], en la nouvelle église de Saint-Pierre ; ce sont les statues qui m'ont le plus agréé à Rome.

Et quand, revenant de Lucques d'où on le rappelle pour gagner la mairie de Bordeaux, il repasse par Rome et y visite le palais Caprarola, ce sont moins les merveilles picturales qui le frappent que l'évocation qu'il y décèle de personnages de notre histoire : « Les personnes y sont peintes si au naturel que ceux qui les ont vues reconnaissent au premier coup d'œil, dans leurs portraits, notre connétable[29], la reine mère, ses enfants, Charles IX, Henri III, le duc d'Alençon, la reine de Navarre et le roi François II [...], ainsi que Henri II, Pierre Strozzi et autres. » Le ton de M. Prudhomme en vacances...

Convenons que le style du voyage n'est plus le même, que les instruments de culture se sont modifiés, que le musée a changé notre regard. Mais ces naïfs « comme c'est ressemblant... », « on se croirait chez nous... », « ils honorent nos grands hommes ! » déçoivent un peu, s'agissant de l'un des inventeurs de l'esprit moderne, et qui, en tant d'autres domaines, nous donne des leçons d'audace et de lucidité...

VII. *« Ars politica »*

Faut-il se résigner à ne voir en Michel, seigneur de Montaigne, qu'un voyageur valétudinaire féru de tourisme culturel et d'antiquités ? L'ami de Michel de L'Hospital, de M. de Thou et d'Henri de Navarre ne remplit-il pas, sous couleur de vagabondage et de thermalisme, quelque mission secrète ? Cette question a été souvent posée. Nul n'a proposé une réponse plus positive que l'ancien professeur de lettres à la faculté de Bordeaux Pierre Barrière, qui s'est acharné à relever les indices en ce sens, repérables dès l'entrée de la caravane en Lorraine et qui culminent avec la réception de l'avis de « ces messieurs de Bordeaux » rappelant chez lui le voyageur dont ils ont fait leur nouveau maire.

27. De Michel-Ange.
28. Curieux qu'il ne rapporte pas qu'il s'agit du portrait de Giulia Farnese, sœur de Paul III, maîtresse d'un pape précédent.
29. Anne de Montmorency, le massacreur des Bordelais.

Le périple de Montaigne peut s'expliquer par le pur souci de soigner son mal. On lui a trouvé une autre justification, l'ambition qu'a un humaniste de son temps de couronner sa culture par une visite des hauts lieux de l'Antiquité romaine. Et nous verrons l'extraordinaire intérêt de l'enquête religieuse conduite, des terres luthériennes à la capitale du catholicisme, par l'ami d'Étienne de La Boétie. Doit-on trouver aussi à l'aventure une dimension politique ?

On peut ne pas accorder une signification très forte aux contacts que le voyageur prend avec les divers ambassadeurs de France accrédités auprès de la république de Venise et du souverain pontife : dans la cité des Doges, Arnaud de Ferrier est une vieille relation de jeunesse [30] qui, converti au calvinisme, sera bientôt le chancelier du roi de Navarre ; à Rome, M. d'Abain lui fait l'accueil qu'un représentant de la France, au surplus bon humaniste, réserve à un écrivain en voyage – et son remplaçant Paul de Foix le traite comme l'ami et le voisin qu'il est. Plus curieuse est la relation qu'il établit avec le cardinal de Pelvé, intrigant qui sera un des chefs de la Ligue, et avec lequel il dut avoir de rudes explications.

Le pape ? De ce laudateur de la Saint-Barthélemy il parlera avec faveur. Échangea-t-on des idées, des projets politiques ? Pierre Barrière a une autre idée : « En 1580, Grégoire XIII a de graves difficultés financières, et, traditionnellement, la France est le pays d'où la papauté tire le plus d'argent. Du reste, la coïncidence est assez curieuse de la venue de Paul de Foix comme ambassadeur précisément pendant le séjour de Montaigne [31]. »

Faut-il s'arrêter davantage à la remarque de Mme Iagolnitzer à propos des entretiens qu'eut Montaigne à Bâle avec le calviniste Hotman en octobre 1580 ? Ce dernier ayant été chargé par Henri de Navarre d'une mission quasiment diplomatique en Suisse, leur dialogue aurait eu une signification politique autant que religieuse à propos des rapports entre la Savoie et la France [32]. Faut-il s'étonner aussi que ce passionné d'art militaire insiste à ce point sur son entretien avec le grand homme de guerre que fut le Toscan Silvio Piccolomini, et pose tant de questions à propos des fortifications au cours du voyage ?

---

30. Qu'il l'ait connu à Toulouse ou à Paris.
31. Pierre Barrière, *Montaigne, gentilhomme français*, *op. cit.*, p. 98.
32. *BSAM*, n° 24, 1971.

Voilà qui ne mène pas très loin. Pas plus que les visites au grand-duc de Toscane, aux cardinaux les plus influents comme Farnèse ou Caraffa. Ce qui restera de plus clair de son voyage en Italie, du point de vue politique, c'est la perte de ses illusions quant aux libertés régnant à Venise : il apprend par l'ambassadeur de France que les responsables de la Sérénissime République ont l'ordre de n'avoir aucun contact avec les étrangers. Ainsi se comporte cet État où aurait souhaité naître, « à raison », Étienne de La Boétie, ennemi de toute servitude...

VIII. Des religions et de leurs ministres

Beaucoup mieux que dans l'ordre politique, c'est dans le religieux (mais peut-on, à cette époque, distinguer l'un de l'autre ?) que l'on donnera un sens au voyage du gentilhomme gascon. Presque tout se passe comme si Montaigne, qui a vu le roi Henri III en faisant escale à Paris pendant l'été 1580 et beaucoup de notables au siège de La Fère, ce rendez-vous de la noblesse française, avait reçu mission d'enquêter sur les rapports entre groupes religieux catholiques et réformés aussi bien en pays luthérien que zwinglien, calviniste et, bien sûr, romain. N'y avait-il pas des leçons à tirer de ces diverses situations et pratiques, pour un pays qui entrait dans sa septième guerre de religion ?

Il est bien possible que rien de tel n'ait été formulé ou planifié avant le départ. Mais il est vrai que le voyageur se comporte avec l'adresse, l'entregent et la dignité qu'implique l'accomplissement d'une telle mission : ce qu'a montré dans un remarquable article Mme Garavini[33] : « Montaigne [...] essaie partout de mettre le doigt sur les points sensibles, sur les ruptures les plus évidentes entre catholiques et réformés. Il ne manque pas non plus de noter les divisions entre les différentes sectes de la Réforme [...]. Mais en dépit de "plusieurs disputes" que l'on dresse "sous l'autorité de Martin[34]", les villes de l'Empire offrent au voyageur une image de cohabitation civile et pacifique. » En somme, le régime dont il rêvait, semble-t-il, pour la France, une très

33. *In* colloque *Montaigne et l'Histoire* (Bordeaux, 1988), Paris, Klincksieck, 1991, p. 201-209.
34. Luther.

libre adaptation du principe « *cujus regio, ejus religio* » – « tel prince, telle religion » – qui inspirait la pratique d'outre-Rhin.

Dans la première partie de son voyage, Michel de Montaigne a ainsi consacré le meilleur du talent défini dans le célèbre chapitre des *Essais* intitulé « De l'art de conférer » (III, 8) à une enquête sur les rapports entre sociétés catholiques et protestantes, et entre les divers courants de la Réforme. La compétence déployée au cours de cette série d'entretiens doit-elle quelque chose à celui qu'au tout début du voyage, à Épernay, Montaigne eut avec le jésuite Juan Maldonado, ou Jean Maldonat, qui avait conquis la célébrité quelques années plus tôt en enseignant la philosophie au collège de Clermont à Paris [35] ? Qu'une vive amitié soit née ensuite entre le prêtre et le philosophe, qui se revirent longuement à Rome en compagnie d'un autre éminent jésuite, le révérend père Toledo, ne prouve pas que la conversation champenoise permit d'établir un programme d'enquête, le questionnaire qui semble structurer tous les dialogues du voyageur avec ses interlocuteurs réformés. D'après le *Journal* tenu par le scribe, elle aurait été limitée aux questions thermales ; mais, s'agissant d'un jésuite, on dira que tant d'innocence dissimule bien des secrets... On le dira, sans convaincre.

Des deux hommes, en tout cas, le voyageur n'était pas le seul à rechercher le dialogue avec les réformés. Maldonat, si différente que fût sa démarche de celle de Luther, cherchait lui aussi à ressourcer dans les Écritures la théologie chrétienne empêtrée dans la scolastique. S'interrogeait-il sur la divinité du Christ, à l'exemple des sociniens [36] ? Le fait est que son orthodoxie fut mise en cause, et que cet esprit en état d'interrogation permanente était fait pour fasciner Montaigne, aiguiser et armer son génie de la « conférence ».

D'où l'importance, dans cet itinéraire plus ou moins concerté, de l'étape de Bâle : la cité où était mort Érasme restait un foyer de complexité religieuse, où le voyageur pouvait rencontrer les tenants des divers courants réformés, de Grynäus à Zwingli et à Platter, le grand médecin, à François Hotman surtout, l'un de ces polémistes huguenots qui avaient en quelque sorte détourné pour les besoins de leur cause le

---

35. Y attirant tant d'auditeurs qu'il vida la Sorbonne.
36. Disciples du théologien italien Socin, qui tenait pour l'unitarisme de Dieu, contre la Trinité.

Discours de la servitude du cher La Boétie. On sait que l'auteur des *Essais* condamne cet usage du texte de son ami : mais il semble en avoir tenu si peu rigueur à Hotman que des semaines après leurs entretiens de Bâle il lui écrira d'Italie, comme à un confident.

Très importante aussi la rencontre à Kempten avec Johannes Tilianus, ancien moine augustin comme Luther, auteur d'une nouvelle formule de la « confession d'Augsbourg », plus conciliante à l'égard du catholicisme, et qui se proclame moins éloigné de Rome que des thèses de Zwingli ou de Calvin. N'y aurait-il donc pas une voie médiane à rechercher, telle qu'avait pu la rêver Étienne de La Boétie à la veille de sa mort, après sa mission en Agenais [37] ?

Éclairé ou non par Maldonat, le voyageur n'est pas un théologien. Mais ce qu'il perçoit, au cours de cette déambulation en terres alémaniques, c'est que ces timides convergences spirituelles entre docteurs se manifestent, sur le terrain, par une pratique très sage et humaine de la coexistence. Des images dans les églises non inféodées au calvinisme, des mariages interconfessionnels, une volonté d'échange constante : fuyant une France déchirée par l'intolérance, ensanglantée de violences, notre gentilhomme gascon recueille, au fil de la route, de Suisse en Allemagne, une constante leçon de tolérance et d'intelligence sociale. Comment, incliné comme il l'est, n'en serait-il pas édifié ?

On peut y voir la raison de son très curieux comportement à l'endroit du catholicisme, une fois parvenu en pays papiste. Montaigne est catholique, plus évidemment que chrétien. Il pratique sa religion, combat à l'occasion pour elle, va très loin, on l'a vu, dans la « compréhension » des comportements de ses chefs. Il est fidèle à son camp et, si corrompue qu'il la devine, tient Rome pour la capitale de la chrétienté. Paris ne doit-il sa suprématie qu'à sa vertu ?

Or, le voyageur que l'on voit entrer dans Rome à l'aube du 30 décembre 1580 ne cessera de considérer cette société césaro-papiste de l'œil d'un désinvolte amateur d'exotisme, d'un agnostique jovial – au talent encore affiné : « C'est une ville toute cour et toute noblesse ; chacun prend sa part de l'oisiveté ecclésiastique [38]. » Qui a jamais dit

---

37. Cf. *supra*, chap. IV.
38. *Journal de voyage* (éd. Garavini), *op. cit.*, p. 218, 219.

mieux en moins de mots ? Les visites au pape, les cérémonies apostoliques, les comportements des fidèles et du clergé, les débats avec les censeurs du *Sacro Palazzo*, tout lui est matière à ironie légère : il lui faudra gagner Lorette et ses gesticulations dévotes pour se conduire comme un fils soumis – et du coup un peu niais ? – de l'Église.

Premier test : la visite à Grégoire XIII. L'ambassadeur d'Abain « fut d'avis qu'il baisât les pieds du pape. M. d'Estissac et lui se mirent dans le coche dudit ambassadeur ». Ça commence comme un chapitre de *Candide*. La suite est de la même encre :

> [...] ceux qui entrent, qui qu'ils soient, mettent un genou à terre, et attendent que le pape leur donne la bénédiction, ce qu'il fait ; après cela ils se relèvent et s'acheminent jusques environ la mi-chambre. [...] Étant à ce mi-chemin, ils se remettent encore un coup sur un genou, et reçoivent la seconde bénédiction. Cela fait, ils vont vers lui jusques à un tapis velu, étendu à ses pieds, sept ou huit pieds plus avant. Au bord de ce tapis, ils se mettent à deux genoux. Là, l'ambassadeur qui les présentait se mit sur un genou à terre, et retroussa la robe du pape sur son pied droit, où il y a une pantoufle rouge, à tout une croix blanche au-dessus. Ceux qui sont à genoux se tiennent en cette assiette jusques à son pied, et se penchent à terre, pour le baiser. M. de Montaigne disait qu'il avait haussé un peu le bout de son pied. [...]
> Le langage du pape est italien, sentant son ramage bolonais, qui est le pire idiome d'Italie ; et puis de sa nature il a la parole malaisée. Au demeurant, c'est un très beau vieillard, d'une moyenne taille et droite, le visage plein de majesté, une longue barbe blanche, âgé lors de plus de quatre-vingts ans [39], le plus sain pour cet âge et vigoureux qu'il est possible de désirer, sans goutte, sans colique [...] [40].

D'un pieux fils de l'Église ? Ou de Gobineau parlant d'un quelconque sultan de Transcaucasie ? On a évoqué déjà les propos échangés entre l'auteur des *Essais* et les censeurs du Vatican qui l'avaient convoqué [41]. On ne saurait traiter plus cavalièrement une instance jadis tenue pour redoutable, et dont le malheureux Giordano Bruno [42] allait connaître bientôt la fureur. Une fois énumérés les griefs retenus contre

---

39. Il le vieillit de deux ans.
40. *Journal de voyage* (éd. Garavini), *op. cit.*, p. 193-194.
41. Cf. *supra*, chap. VII.
42. Brûlé en 1600.

lui, notre Gascon n'a de cesse de nous assurer que ses censeurs – mis en garde contre lui par ses propres compatriotes… – se confondirent en excuses et le prièrent de ne retenir, de leurs critiques, que ce qu'il voudrait bien…

Michel de Montaigne ne nous explique pas pourquoi un dilettante de la foi tel que lui s'imposa le pèlerinage de Lorette. Mais une fois parvenu au site où est supposée avoir atterri la maison natale de la Vierge Marie, son comportement n'a rien de surprenant : il n'est pas de moulin à prière qui, une fois mis en branle, ne débite sa leçon. Au surplus, la créance de ce pyrrhonien est faite de l'accumulation de ses doutes : un point sur lequel Pascal l'a rejoint.

A Lorette, donc, où sa visite choqua tant de « philosophes » d'avant-hier [43] et de naguère, il se comporte en pèlerin banal, en apparence cuirassé de certitudes, assuré d'en revenir ruisselant d'indulgences – et n'en proposant pas moins cette conclusion qui dut enchanter Renan : « Il y a là plus d'apparence de religion qu'en nul autre lieu que j'aie vu […] » – donnant, pour conforter cette déclaration, un argument qui aujourd'hui en surprend de plus sceptiques : « pour la confesse, pour la communion […] ils ne prennent rien [44] ».

Mais le plus admirable, à propos de Lorette et de l'éventuel miracle qu'il a pu y attendre, après celui dont aurait été gratifié l'un de ses amis, c'est dans les *Essais* (III, 9) qu'on le trouve : « Jusqu'à cette heure, tous ces miracles et événements étranges se cachent devant moi. Je n'ai vu monstre et miracle au monde plus exprès que moi-même. » Écrit au XVIᵉ siècle, durant la septième guerre de religion !

Le juge-t-on abusivement désinvolte à propos de la religion de ses pères ? Que l'on se reporte à ce qu'il écrit sur celle des ancêtres de sa mère… Tout ce qui est ironie légère et distanciée à l'égard de la religion dominante, prospère, quasi exclusive, sonne de façon plus aigre, sinon désobligeante, dès lors qu'il s'agit d'une population et d'une foi minoritaires, et même minorisées, sinon pourchassées. On a quelque gêne à citer telle notation, cruelle à force de flegme, relative au *palo* romain, où, entre autres déshérités, sont contraints à courir sous les yeux de la foule ricanante quelques juifs traités comme du bétail ; et

---

43. Les encyclopédistes, qui venaient de faire de Montaigne leur héros quand parut l'ouvrage…

44. *Journal de voyage* (éd. Garavini), *op. cit.*, p. 249.

l'évocation des sermons d'un rabbin « renié », que doivent écouter, pour leur édification, quelques dizaines de ses anciens coreligionnaires...

Quant à la relation faite par le seigneur de Montaigne d'une circoncision dont il fut témoin dans un pauvre quartier romain, elle a quelque chose de déplaisant, dans sa crudité vaguement « pittoresque » et « gourmande ». On imagine l'usage qui pouvait être fait d'un tel texte, en chaire, par un capucin échauffé :

> [...] le ministre vient, à belles ongles, à froisser encore quelque autre petite pellicule qui est sur cette gland et la déchire à force, et la pousse en arrière au-delà de la gland. Il semble qu'il y ait beaucoup d'effort en cela et de douleur ; toutefois ils n'y trouvent nul danger, et en est toujours la plaie guérie en quatre ou cinq jours. Le cri de l'enfant est pareil aux nôtres qu'on baptise. Soudain que cette gland est ainsi découverte on offre hâtivement du vin au ministre qui en met un peu à la bouche, et s'en va ainsi sucer la gland de cet enfant, toute sanglante, et rend le sang qu'il en a retiré, et incontinent reprend autant de vin jusques à trois fois. Cela fait, on lui offre, dans un petit cornet de papier, d'une poudre rouge qu'ils disent être du sang de dragon, de quoi il sale et couvre toute cette plaie [45]...

IX. *Des pierres et des eaux*

Quelle qu'ait pu être la « mission » confiée ou la recommandation faite au voyageur par quelque grand personnage ou influent jésuite à propos des relations interconfessionnelles en Allemagne, en Suisse ou en Italie, c'est tout de même sa gravelle qui avait jeté Montaigne sur les routes d'Europe au printemps 1580. Sa première étape est Plombières ; la dernière, Lucques et les bains de La Villa. Entre-temps, les développements consacrés à ses « pierres » et aux effets produits par les diverses eaux minérales auxquelles il a recours, s'y baignant ou les buvant, occupent un bon dixième des pages du *Journal*.

Consulté par l'abbé de Prunis, « inventeur » du manuscrit, sur l'opportunité d'une publication, d'Alembert lui avait enjoint d'en retrancher les « détails dégoûtants et inutiles [46] » relatifs au corps de Mon-

---

45. *Ibid.*, p. 205.
46. Claude Blum et François Moureau, *Études montaignistes en hommage à Pierre Michel*, Paris, Champion, 1984, p. 185.

taigne : ce qui était mal juger l'entreprise globale de l'auteur des *Essais*, témoin de lui-même en son intégralité, et assuré, contre l'enseignement de l'Église, de l'éminente dignité des choses du corps. D'où la saine réaction du premier éditeur, Meunier de Querlon, qui, confiant dans le bon sens des montaignistes, rendit justice aux « pierres » comme aux eaux.

Le lecteur du *Journal* s'y voit mêlé dès la septième page du texte, sitôt que la caravane parvient à Plombières. Des dix journées passées dans la station lorraine, nous apprenons que le voyageur, au terme d'une « colique, très véhémente, et plus que les siennes ordinaires [...] au côté droit, où il n'avait jamais senti de douleur [...] rendit deux petites pierres qui étaient dedans la vessie, et depuis parfois du sable [...] [47] ».

Un mois plus tard, au Tyrol, le voilà ressaisi par la colique : « [...] à son lever, [il] fit une pierre de moyenne grosseur, qui se brisa aisément. Elle était jaunâtre par le dehors, et, brisée, au-dedans plus blanchâtre. [...] Dès le chemin, il se plaignait de ses reins, qui fut cause, dit-il, qu'il allongea cette traite, estimant être plus soulagé à cheval qu'il n'eût été ailleurs. »

On pourrait citer ainsi vingt épisodes du combat que le gentilhomme gascon livre à son mal, de bains en auberge et en longues chevauchées. Nous n'ignorons rien de la taille, de la forme, de la couleur et de la consistance de ces « pierres », ces calculs rénaux qu'il évacue dans la douleur à Baden ou à Abano. Les descriptions qu'il en donne avec le concours de son scribe sont d'une telle précision clinique qu'on s'étonne un peu de lire, sous sa propre plume, cette fois, au moment où il arrive à La Villa, où sont les bains dont il attend le plus grand secours, qu'il se juge un peu court à ce propos et va enfin s'« étendre et [se] mettre au large sur cette matière ». Pauvre d'Alembert...

> Le 21, je continuai mon bain après lequel j'avais les reins fort doulou-reux : mes urines étaient abondantes et troubles, et je rendais toujours un peu de sable. Je jugeais que les vents étaient la cause des douleurs que j'éprouvais alors dans les reins parce qu'ils se faisaient sentir de tous côtés. Ces urines si troubles me faisaient pressentir la descente de quelque grosse pierre : je ne devinai que trop bien. [...]
> Enfin, le 24 au matin, je poussai une pierre qui s'arrêta au passage. Je

---

47. *Journal de voyage* (éd. Garavini), *op. cit.*, p. 86.

restai depuis ce moment jusqu'à dîner sans uriner [...]. Alors je rendis ma pierre non sans douleur ni effusion de sang avant et après l'éjection. Elle était de la grandeur et longueur d'une petite pomme ou noix de pin, mais grosse d'un côté comme une fève, et elle avait exactement la forme du membre masculin. Ce fut un grand bonheur pour moi d'avoir pu la faire sortir. Je n'en ai jamais rendu de comparable en grosseur à celle-ci [48] [...].

A qui serait, comme d'Alembert, écœuré par tant de « détails dégoûtants et inutiles » on conseillera de tourner la page et de lire ceci, où se manifeste le plus grand Montaigne, on veut dire celui qui, bien loin de cacher les misères de son corps, les a douloureusement recensées – pour mieux se hausser sur le plan d'une sagesse où chacun choisira à son gré de retrouver le ton du stoïcisme ou l'accent du christianisme :

> Il y aurait trop de faiblesse et de lâcheté de ma part, si, certain de me retrouver toujours dans le cas de périr de cette manière, et la mort s'approchant d'ailleurs à tous les instants, je ne faisais pas mes efforts, avant d'en être là, pour pouvoir la supporter sans peine quand le moment sera venu. Car enfin la raison nous recommande de recevoir joyeusement le bien qu'il plaît à Dieu de nous envoyer. Or, le seul remède, la seule règle et l'unique science, pour éviter tous les maux qui assiègent l'homme de toutes parts et à toute heure, quels qu'ils soient, c'est de se résoudre à les souffrir humainement, ou à les terminer courageusement et promptement [49].

Ici, mieux que partout ailleurs, le *Journal* fait bien figure de brouillon, d'esquisse du livre III des *Essais*. Comment ne pas juxtaposer cette notation avec plusieurs des développements du quatrième chapitre de cet ouvrage, « De la diversion » – où sont puissamment évoquées la mort de Socrate, mieux que jamais pris ici pour modèle, et les souffrances du gentilhomme : « L'opiniâtreté de mes pierres, spécialement en la verge, m'a parfois jeté en longues suppressions d'urine, de trois, de quatre jours, et si avant en la mort que c'eût été folie d'espérer l'éviter, voire désirer, vu les cruels efforts que cet état apporte » ?

Il a toujours revendiqué, contre les stoïciens fanatiques, le droit de

---

48. *Ibid.*, p. 329, 331.
49. *Ibid.*, p. 331.

se plaindre – dès lors que la plainte, ou la confidence, peut alléger sa « douleur[50] ». Il lui est arrivé de revendiquer le droit au suicide[51]. Mais, passé la cinquantaine, confronté aux deux épreuves majeures, il choisira de surmonter l'angoisse du trépas par la conscience claire de la mort : « Je voyais nonchalamment la mort, quand je la voyais universellement, comme fin de la vie ; je la gourmande en bloc [...] » (III, 4).

C'est à La Villa que s'achève, si noblement exalté par la philosophie, ce cycle thermal. Sur un constat d'échec. Parti de Montaigne malade, le voici, à l'entendre, plus mal en point encore : « Je commençais à me trouver incommodé de ces bains », note-t-il en date du 1er septembre 1581, avant de citer ces propos décourageants d'un vieillard indigène qui, lui faisant observer que, pas plus que les voisins de Lorette n'y allaient en pèlerinage, les Toscans n'usaient des bains de La Villa (parallèle audacieux, sous la plume de cet interlocuteur du Saint-Office...), ajoutant que ces soins étaient « plus nuisibles que salutaires » et « qu'à ces bains il mourait plus de monde qu'il n'en guérissait [...] ». Bigre !

Comment s'étonner après cela que notre baigneur ait décidé, avant même de recevoir certaine lettre de Bordeaux, de prendre le large ? C'est à quoi il se prépare quand, le 7 septembre 1581, on lui apporte une lettre de l'un de ses amis bordelais, M. de Tauzin, l'informant qu'il a été le 1er août élu maire par les jurats de Bordeaux, « d'un consentement unanime[52] ».

Ces cinq cents jours à travers tant de pays, de sociétés, de confessions, de paysages et de climats, du lac de Constance aux plages adriatiques, des défilés du Tyrol au mont Cenis, des temples de Bâle aux ex-voto de Lorette, des courtisanes vénitiennes aux jolies filles de Toscane, de la mule du pape aux curistes de La Villa, comment n'auraient-ils pas changé notre gentilhomme vagabond ?

Il était dans la nature de Montaigne de se modeler aux aspérités du

50. *Essais*, III, 13.
51. *Ibid.*, II, 3.
52. *Journal de voyage* (éd. Garavini), *op. cit.*, p. 336.

monde, de s'emplir de ses merveilles et de ses humeurs. Pascal ou Hegel peuvent pérégriner indemnes. Pas plus que ne le pourra Goethe ne le veut l'auteur des *Essais*. C'est un homme nouveau qui, en novembre 1581, retrouve Montaigne, et Françoise, et Léonor, avant de s'installer à la mairie de Bordeaux.

En témoigne son livre, avec un éclat qui fait notre bonheur. L'érudit fantasque qui tricote son œuvre d'audaces profondes et de banalités marginales, balançant du défi des « cannibales » au conformisme qui nourrit sa misogynie à éclipses, revient d'Allemagne et d'Italie infiniment plus libre, ou « délié ». Aurait-il osé dix ans plus tôt écrire « Sur des vers de Virgile », éloge de l'érotisme, « De l'utile et de l'honnête », éloge du machiavélisme, « De l'expérience », éloge de l'épicurisme ?

Une indication qui ne trompe pas : les deux premiers livres des *Essais* ont été accueillis avec bienveillance. Ils ne gênaient ou troublaient que par plaques ou fusées soudaines. Et les censeurs romains n'y voyaient pas malice. Le troisième livre choquera, effraiera, scandalisera. Bon signe. L'érudit s'est fait philosophe, le retraité combattant. La déambulation cavalière à travers la Rhénanie, la Suisse, la Bavière, le Tyrol et les Italies aura contribué à accoucher le Montaigne qui va agir sur l'histoire de son temps.

Un maire à tous risques

Mais qu'est-ce au vrai que Bordeaux, au temps des grandes convulsions du XVIe siècle ? Et qu'est-ce qu'un maire de Bordeaux, alors qu'émerge l'État national ?

Laissons à un indigène quasi contemporain le soin d'évoquer la capitale de la Guyenne, non sans enflure ni suffisante gloriole :

« La ville de Bordeaux est reconnue de toutes les nations d'Europe l'une des plus illustres, populeuses et fameuses villes du royaume en France [...]. Les maires et jurats commandant à cette communauté portent de toute antiquité le titre de régents et gouverneurs, sont en possession de précéder en tous actes, non seulement les nobles de cette province, mais aussi tous autres nobles du royaume [...]. Le maire de ladite ville a été choisi et élu des plus nobles, vaillants et capables seigneurs du pays[1] [...]. »

Pour si contrariée qu'elle soit par les guerres de religion, une exubérante activité économique se développe, l'afflux des métaux précieux venus d'Amérique stimulant une croissance d'ailleurs fragile. Bordeaux connaît alors son deuxième âge d'or, après celui que lui a assuré l'administration anglaise, avant celui que lui vaudra l'ère coloniale.

---

1. Jean Darnal, *Chroniques de la noble cité de Bordeaux*, Bordeaux, Millanges, 1666.

Mais ce qui fait alors l'importance de la ville, c'est moins son génie du négoce et les merveilles de son vignoble que sa situation politique et militaire au carrefour des deux pouvoirs – au nord celui des Valois catholiques, au sud celui des Bourbon protestants. Entre les Pyrénées, l'Atlantique et une ligne qui relie La Rochelle aux Cévennes se joue l'avenir du pays. Bordeaux est au cœur du débat, et des opérations : d'où les missions qui, de Paris, parfois conduites par la reine mère elle-même, se multiplient en direction d'Agen, de Nérac et du Béarn. Dix ans après les massacres de 1572, la ville compte encore un réformé sur sept habitants et reste l'un des rares terrains où pourrait s'amorcer cette coexistence dont Montaigne vient d'admirer la pratique dans quelques cités alémaniques.

C'est pourquoi le maire de Bordeaux ne saurait être, en cette fin de siècle, un édile décoratif ou un gestionnaire dévoué à sa communauté urbaine comme l'avait été, vingt-cinq ans plus tôt, Pierre Eyquem. Ce n'est pas pour rien que le prédécesseur de Michel de Montaigne à la mairie était un maréchal de France, comme le serait son successeur – Biron avant Matignon. La mairie de Bordeaux, au cœur des convulsions, est devenue un poste stratégique et diplomatique. Homme de guerre chevronné, Armand de Gontaut-Biron, parrain du futur cardinal de Richelieu, avait fait de cette ville un bastion anti-huguenot : mais le pouvoir monarchique souhaitait maintenant voir Bordeaux jouer un autre rôle.

Après la longue période convulsionnaire ouverte par la Saint-Barthélemy, les accords de Beaulieu, puis de Bergerac, puis du Fleix ont ouvert la voie à une sorte de coexistence, peut-être de tolérance. A peine oublié le cauchemar de 1572, Catherine de Médicis rêve pour son fils préféré, « Monsieur », duc d'Anjou, d'un trône en Flandre – qui suppose un minimum d'accord avec ses futurs sujets, c'est-à-dire les réformés. Mais un tel virage diplomatique ne peut aller sans une relève des cadres.

La stratégie d'affrontement avec le roi de Navarre, qui est aussi, au nom du roi catholique, le gouverneur nominal de la province, a été incarnée par Biron. Exaspéré par ces harcèlements, ces « bironnades », dit-il, Henri, qu'on appelle encore en pays d'oc le « reyot » (« petit roi ») ou « nousté Henric », a signifié à la Cour de Paris qu'il n'y aurait pas d'entente avec lui tant que Biron tiendrait Bordeaux. Et il a les moyens, le « reyot de Nabarra », de bloquer tout progrès vers la paix.

C'est dans ce climat qu'il faut situer la désignation (mieux que l'« élection ») de Michel de Montaigne à l'hôtel de ville de Bordeaux. L'auteur des *Essais* nous assure que c'est en souvenir de son père, et en hommage à ses talents et à son dévouement, qu'il fut élu par les jurats de Bordeaux. Il se moque de nous, sachant très bien de quoi il retourne et pourquoi on l'a fait revenir d'Italie : la lettre comminatoire qu'il reçoit du roi – sur laquelle on reviendra – n'est pas adressée au fils du bon M. Eyquem, mais à un homme de confiance et d'envergure agréé par les négociateurs pour substituer à l'activisme anti-huguenot du maréchal de Biron l'esprit de la paix en question.

Le châtelain de Montaigne est bien connu des maîtres du jeu : recommandé par son imposant voisin le marquis de Trans (chez qui ont été signés les accords du Fleix), il est chevalier de la chambre du roi Henri III mais aussi celui d'Henri de Navarre, qui a un penchant pour lui, comme sa femme « Margot » et sa maîtresse Corisande... Catherine de Médicis a apprécié son entregent sagace ; Henri III admire les *Essais* et le maréchal de Matignon, choisi pour faire équipe avec lui comme lieutenant du roi (de France) en Guyenne, l'a vu d'un bon œil au siège de La Fère : il est vraiment l'homme de la situation – habile, modéré, respecté, et gascon...

S'attendait-il, quoi qu'il en dise, à cet appel ? S'y préparait-il ? Compte tenu de ses contacts de 1580 à Paris, à La Fère, et de son enquête plus ou moins improvisée auprès des réformés allemands, puis des princes de l'Église romaine, on peut l'imaginer. Ce qui est clair, c'est que, lorsqu'il reçoit, entre deux bains en Toscane, l'avis de son élévation à la mairie, il n'est peut-être pas si surpris qu'on le dit couramment : quelques jours plus tôt, il a noté dans son *Journal* que s'il avait « reçu de France les nouvelles qu'[il] attend[ait] depuis quatre mois [...], [il serait] parti sur-le-champ[2] ».

Cette indication mystérieuse semble viser quelque secret politique, plutôt que familial. S'il était ainsi aux aguets, c'est qu'on lui avait laissé entendre quelque chose : l'élection à la mairie de Bordeaux était depuis des mois à l'ordre du jour, et cette longue déambulation sanitaire était peut-être façon de ménager son personnage, dédaignant

---

2. *Journal de voyage* (éd. Garavini), *op. cit.*, p. 334.

brigue et intrigues autour de Biron qui, à Bordeaux, s'accrochait à son poste ou le réservait pour son fils.

Les commentaires à propos de l'« acceptation » de Montaigne – certains lui feraient, pour un peu, prononcer le monologue de Hamlet (« Être ou ne pas être maire… »), n'ont de sens qu'à titre introspectif : quand on vit en régime monarchique et en un temps où les rois disposent de tous les moyens de coercition[3], il n'est pas question de balancer quand on reçoit du souverain la lettre suivante, adressée à Rome et qu'il trouve à son retour à Bordeaux :

« Monsieur de Montaigne, pour ce que j'ai en estime grande votre fidélité et zélée dévotion à mon service, ce m'a été un plaisir d'entendre que vous ayez été élu mayor[4] de ma ville de Bordeaux, ayant eu très agréable et confirmé ladite élection, et d'autant plus volontiers qu'elle a été sans brigue et en votre lointaine absence.

« A l'occasion de quoi mon intention est, et vous ordonne et enjoins bien expressément que sans délai ni excuse reveniez au plus tôt que la présente vous sera rendue, faire le dû et service de la charge où vous avez été si légitimement appelé. Et vous ferez chose qui me sera très agréable, et le contraire me déplairait grandement, priant Dieu, Monsieur de Montaigne, qu'il vous ait en sa sainte garde. Henri. »

Moyennant quoi, libéré quatre ans plus tard de la charge municipale, l'auteur des *Essais* glosera magnifiquement sur ses rapports ambigus avec les responsabilités publiques :

[…] Je m'engage difficilement. […] Mon opinion est qu'il se faut prêter à autrui et ne se donner qu'à soi-même. […] Si quelquefois on m'a poussé au maniement d'affaires étrangères[5], j'ai promis de les prendre en main, non pas au poumon et au foie ; de m'en charger, non de les incorporer […].

Messieurs de Bordeaux m'élurent maire de leur ville, étant éloigné de France et encore plus éloigné d'un tel pensement[6]. Je m'en excusai, mais on m'apprit que j'avais tort, le commandement du roi aussi s'y

---

3. Henri III avait à sa disposition les « Quarante-Cinq », dont il est dit, dans les *Mémoires* de Beauvais-Nangis : « On les appelait les 45 fendants ; ils avaient 1 200 écus de gages, bouche à la Cour et avaient seuls la garde de la personne du Roi » (1585).

4. Curieux usage du mot espagnol par le roi, qui veut précisément faire pièce à la politique de Madrid.

5. A moi-même…

6. Hum…

interposant. C'est une charge qui en doit sembler d'autant plus belle qu'elle n'a ni loyer, ni gain autre que l'honneur de son exécution. [...]
A mon arrivée, je me déchiffrai fidèlement et consciencieusement, tout tel que je me sens être : sans mémoire, sans vigilance, sans expérience, et sans vigueur ; sans haine aussi, sans ambition, sans avarice et sans violence ; [...]. Nous ne conduisons jamais bien la chose de laquelle nous sommes possédés et conduits [...]. Celui qui n'y emploie que son jugement et son adresse, il y procède plus gaiement [...] (III, 10).

« Gaiement »... Voilà un beau précepte pour un maire que nous allons voir confronté à de rudes, parfois terribles défis, et qui saura à l'occasion mettre sa vie en jeu, en stoïcien et grand serviteur de l'État. « Gaiement » ? Peut-être. Il a déjà écrit : « J'en sers plus gaiement mon prince [...] par libre élection de mon jugement [...] » (III, 9). Il a beau dire que « la plupart de nos vacations sont farcesques », que « le maire et Montaigne ont toujours été deux », qu'il importe de « distinguer la peau de la chemise », que « c'est assez de s'enfariner le visage, sans s'enfariner la poitrine », nous le verrons tout au long de ces quatre années vaillamment engagé sur la brèche – au moins jusques et non compris l'épisode final, celui de la peste de juillet 1585, où son comportement relèvera d'ailleurs moins des responsabilités publiques du maire que du jugement moral du seul Montaigne.

A partir de cette étonnante expérience d'écrivain hédoniste mué en rempart de l'ordre, puis en accoucheur de la paix, il serait plaisant d'élaborer une théorie du « gai pouvoir », fondée sur la distinction entre la « main » d'une part, « le poumon et le foie » de l'autre, sur la différence entre peau et chemise, entre visage et poitrine. Personnage d'« acteur non engagé », antithèse du « spectateur engagé » de Raymond Aron... Pouvoir distancié et « joué », si l'on peut dire (« farcesques »), mais qui n'ira pas sans risques ni conséquences, nous le verrons. Un comédien « distancié » n'en est pas moins qu'un autre aux prises avec les périls du monologue de Hamlet ou des stances du Cid ; et, d'Alcibiade à Talleyrand ou Disraeli, l'usage du sarcasme ou de l'ironie n'a pas atténué les dangers qu'implique le grand jeu du pouvoir.

Cette partie parfois mimée fut, plus souvent, vécue dans le fracas des compétitions dynastiques et confessionnelles : n'oublions pas que le moment où il accède aux responsabilités est aussi celui où Henri de Guise supplie Philippe II de lui envoyer des renforts, à quoi le roi d'Espagne répond qu'il lui dépêchera un contingent de guerriers albanais dont il ne sait que faire… Il tient parole. De ce singulier renfort le catholicisme, en Guyenne, ne manque pas de tirer grand profit ! Mais albanais ou pas, notre « mayor » philosophe n'aurait pu jouer cette partie périlleuse s'il n'avait trouvé à ses côtés un homme d'une stature et d'une compétence exceptionnelles : le maréchal de Matignon, nommé lieutenant général du roi pour la Guyenne peu après sa propre accession à la mairie.

Jacques de Goyon de Matignon était l'un des meilleurs hommes de guerre de son temps : il avait aidé Henri III, alors duc d'Anjou, à battre les huguenots à Jarnac et à Moncontour avant de s'emparer de Metz et de La Fère, à l'issue du siège où avait paru Montaigne. Bien que sa famille fût bretonne, on le disait normand : il se recommandait en effet par l'équilibre du jugement et la prudence. Brantôme le dit « très fin et trinquat[7] »… Partageant l'essentiel des points de vue du nouveau maire de Bordeaux – attachement à la légitimité monarchique et à l'ordre de succession qui allait faire d'Henri de Navarre l'héritier de la couronne, reconnaissance des qualités (civiles et militaires) hors de pair du Béarnais –, il bénéficiait en outre d'un crédit illimité à la Cour, dont il était par excellence l'homme de confiance[8], disposant, à la différence du maire, des moyens de mettre ses projets à exécution.

On ne saurait confondre les idées et moins encore les démarches du maire et du maréchal. Montaigne, passionné pour la paix, vrai méridional, profondément tolérant, est aussi amateur de grands personnages à la Plutarque et penche pour Navarre ; si fidèle à la couronne qu'il soit, il met son génie à amadouer le souverain de Nérac. Le second est avant tout un grand serviteur de l'État, point ennemi de l'usage de la force, mais préférant l'économiser. Il ne ménagera jamais Navarre, n'ayant point pour lui la sympathie qu'éprouve Montaigne. Mais il ne le « cherchera » pas, comme faisait Biron – le traitant tantôt en partenaire, tantôt en adversaire, tantôt en allié.

Tout au long de ces quatre années, en tout cas, on verra opérer avec harmonie ce binôme composé du grand notable militaire, impeccable

---

7. « Rusé ».

8. Non seulement parce qu'il avait été le compagnon d'armes d'Henri III, mais encore parce qu'il avait capturé et livré à Catherine de Médicis celui qui avait tué en tournoi son mari, Henri II – le comte de Montgomery, qui fut supplicié incontinent.

serviteur de l'État et de la légitimité, apparemment insensible aux passions religieuses et aux intérêts locaux, et de l'ingénieux magistrat municipal, expert subtil des affaires du cru, plus enraciné mais volontiers absentéiste, aussi attiré par sa tour périgourdine quand il est cloué à Bordeaux qu'aspiré par la passion du voyage quand il croit s'être barricadé dans sa librairie.

« Certain renard gascon, d'autres disent normand […] » : La Fontaine évoquera ainsi, un siècle plus tard, par un hasard du génie, le couple Matignon-Montaigne – dont on apprécierait mal ce qu'il eut de quasi miraculeux si l'on n'évoquait, complétant ce bestiaire historique, le troisième renard, celui de Nérac, Henri de Navarre.

« Ce Gascon endiablé, cet aîné de Gascogne aux chemises rares et au pourpoint troué qui n'en fait qu'à sa tête et selon ses intérêts [9] » donne parfois le tournis à Matignon. Pas à Montaigne le mouvant, qui sait ondoyer dans les mêmes eaux, couleur d'orage, où s'ébat furieusement Navarre. L'Histoire propose-t-elle souvent de pareilles configurations du talent et des horizons du génie et du soleil ? Sans compter les autres atouts de ce Michel ami des femmes, qui sait jouer de ses relations avec la « grande Corisande », Diane d'Andoins, comtesse de Guiche et de Gramont, pour lors maîtresse souveraine d'Henri aux odeurs fortes...

Non, vraiment non, le mandat municipal de Montaigne ne saurait être la gestion paisible de l'héritage du diligent Pierre Eyquem honoré *post mortem* par ses concitoyens en la personne d'un fils nonchalant mais notoire, présidant en somnolant à quelques conseils consacrés à l'évacuation des eaux, à la voirie ou à la régulation des ventes de châtaignes. Encore que la première partie de cette histoire, l'exercice du premier mandat (1581-1583), ait pu faire penser, bien à tort, qu'il ne s'agissait que de cela...

Il est vrai que ces deux années-là ne jetèrent pas Michel de Montaigne au créneau. Les affaires qu'il eut à traiter, jusqu'à la veille de sa réélection, ne furent pas de celles qu'il eût évoquées au chapitre « De la gloire » (II, 16) ou « De la grandeur romaine » (II, 24). Mais il y trouva matière à écrire plus tard sur l'« art de conférer » (III, 8), à

---

9. Claude-Gilbert Dubois, *Politique et Liberté. Montaigne maire de Bordeaux*, Caen, 1992, p. 96.

propos de « ménager sa volonté » (III, 10) et, bien sûr, de la « vanité » (III, 9).

Dans une affaire au moins, on le retrouve au meilleur de lui-même, à propos du traitement à réserver aux enfants ; et il se montre, en quelques autres, bon défenseur de principes relatifs à l'équilibre entre le pouvoir, l'État et l'autonomie municipale, et à cette liberté du commerce qui fera beaucoup pour l'épanouissement de Bordeaux.

Michel de Montaigne n'est pas plus tôt installé, au début de décembre 1581, dans l'hôtel de la rue des Ayres, la résidence du maire ou « mairerie » – alors que les délibérations se déroulent dans les salles voûtées du beffroi, la Grosse Cloche, symbole des franchises municipales – qu'il doit mettre son prestige local au service d'une opération royale fort mal appréciée par les notables de la ville : l'installation à Bordeaux d'une Cour de justice composée de quatorze juristes, en majorité parisiens et faisant évidemment concurrence au parlement de Guyenne, de plus en plus « noyauté » par les ligueurs de l'ultra-catholicisme[10].

Montaigne n'en pouvait mais. Quels que fussent ses sentiments – probablement favorables à la nouvelle cour en tant que conciliateur, défavorable en tant que Bordelais attaché aux franchises locales –, il présida en janvier 1582 la séance d'installation de cet organisme impopulaire où siégeaient des hommes qu'il admirait ou aimait de longue date, les plus éminents de l'époque. On peut dire que l'État, pour mieux se rattacher Bordeaux, lui avait délégué en l'occurrence les meilleurs des siens : le président Pierre Séguier, l'avocat général Antoine Loysel, le procureur général Pierre Pithou[11], l'historien Jacques-Auguste de Thou, qui incarnaient, comme Montaigne et Matignon, la politique de conciliation prônée par la couronne.

C'est Antoine Loysel qui prononça le discours inaugural, sous ce titre significatif : « De l'œil des rois et de la justice » – comme pour bien rappeler que celle-ci doit être rendue, en droit comme en politique, sous le regard du souverain, synonyme, alors, de modération... Montaigne lui en ayant fait compliment, Loysel répliqua six mois plus tard, lors de la clôture de la session de la cour, par un second

---

10. La création de la nouvelle Cour avait été décidée, lors de la paix du Fleix, pour équilibrer les tendances peu loyalistes du parlement de Guyenne.

11. Qui sera l'un des auteurs de la *Satire Ménippée*, pamphlet contre la Ligue.

discours dans lequel il citait le nouveau maire de Bordeaux comme l'un des hommes qui, au cours des âges, avaient le mieux honoré la Guyenne…

Importante, en dépit de sa brièveté, cette session : elle fut comme le concile des Sages, le rendez-vous des hommes d'élite qui allaient fonder la paix sur l'avènement d'Henri IV, cette « *intelligentsia* d'époque, groupe d'intellectuels progressistes et réalistes de la fin du siècle, connus sous le nom de "politiques", convaincus que c'était autour de l'idée de nation et de son représentant symbolique, un roi reconnu de tous, qu'il fallait restaurer la paix civile[12] ».

De cette convergence fructueuse et du rôle que joua Montaigne en l'occurrence on trouve un écho significatif dans les *Mémoires* de son ami Jacques-Auguste de Thou, assurant qu'il avait alors « tiré bien des lumières de Michel de Montaigne, alors maire de Bordeaux [...] un homme libre en esprit et étranger aux factions [...] fort instruit de nos affaires, principalement de celles de Guyenne, sa patrie, qu'il connaissait à fond[13] ». Ainsi se noua entre le philosophe et l'historien une amitié qui connaîtrait son épanouissement lors des états de Blois de 1588[14].

Cette adhésion à la politique de conciliation incarnée, au nom de la couronne, par la nouvelle cour de justice et ses inspirateurs ne manqua pas d'aviver les rancunes que nourrissait la majorité des notables bordelais, et surtout du parlement, contre le nouveau maire : on en verra les effets. Mais avant d'en venir aux affrontements électoraux de 1583, il convient de rappeler les succès remportés par Montaigne, gestionnaire et garant des intérêts collectifs.

On a mis l'accent sur l'excellence des relations entretenues par Montaigne avec les jésuites, où il voit une pépinière de « grands hommes en tous domaines », à commencer par son ami Maldonat. Mais, entre tous les membres de cette flamboyante société, il était dit que les Bordelais, ou ceux qui exerçaient leur ministère en cette ville, seraient les moins dignes de son admiration ou de son amitié. Edmond Auger, le prédicateur de la Saint-Barthélemy bordelaise, nous ne savons pas ce qu'il en pensait. Mais nous connaissons les mesures qu'il prit contre les « bons » pères qui laissaient dépérir

---

12. Claude-Gilbert Dubois, *Politique et Liberté…*, *op. cit.*, p. 103.
13. Jacques-Auguste de Thou, *Mémoires*, VII, p. 39.
14. Cf. *infra*, chap. XII.

les enfants du prieuré Saint-James confiés indirectement à leurs soins.

Le prieuré avait été mis en 1573[15] à la disposition de la Compagnie de Jésus pour y établir leur collège de la Madeleine – à condition qu'ils s'acquittassent des obligations inhérentes à cette institution, en premier lieu l'entretien des enfants trouvés. Les jésuites s'étaient déchargés de ce soin, moyennant redevance, sur un certain Noël Lefèvre – lequel, sous prétexte de l'enchérissement des denrées, laissait dépérir les nourrices, qui elles-mêmes... Bref, des nouveau-nés étaient morts : un scandale.

Montaigne réunit jurats et prudhommes moins de quatre mois après son entrée à la mairie, et cette délibération aboutit, précise l'historien bordelais Paul Courteault, à une série de décisions très en avance sur les pratiques de l'époque : les jésuites étaient sommés de faire connaître les revenus du prieuré ; les salaires des nourrices devaient être indexés sur le mouvement des prix ; les cadavres des enfants devaient être examinés en vue de déterminer les responsabilités de leur mort. Décisions audacieuses – qui revenaient à substituer à la pratique de la « charité » un droit social.

Claude-Gilbert Dubois a judicieusement relevé que cette intervention du maire de Bordeaux est bien dans le droit-fil de la pensée de l'auteur des *Essais*, pédagogue et défenseur du « droit de l'enfant », fût-il pauvre et abandonné[16]. D'autant que les décisions alors prises à son initiative faisaient prévaloir l'intérêt collectif sur des intérêts privés, et en l'occurrence ecclésiastiques : prendre position pour ces petits parias, quitte à s'aliéner la prestigieuse Compagnie de Jésus n'était pas d'un pleutre...

Il revenait aussi au maire de Bordeaux de restaurer les droits anciens de la ville, notamment en matière fiscale, la pression de Paris ne cessant de s'accroître. En août 1582, il enfourcha de nouveau son cheval pour aller plaider cette cause auprès de ses amis parisiens « avec amples mémoires et instructions ». Entre autres requêtes, il était chargé d'obtenir pour Bordeaux la suppression de la « traite foraine » qui pesait sur les marchés et les foires. Le succès qu'il obtint devait contribuer à prolonger l'exercice de ce mandat qu'il n'avait pas

15. Un an après la Saint-Barthélemy.
16. Mais peut-être oppose-t-il trop brutalement cette attitude à celle des jésuites, certes attentifs d'abord aux enfants de notables, mais pas toujours au détriment des pauvres.

brigué, mais dont il allait passionnément désirer et défendre le renou-
vellement – l'arrachant à la force du poignet.

C'est pourquoi l'observateur a tendance à considérer que l'histoire
de Montaigne, maire de Bordeaux, prend son sens avec la bataille pour
la réélection[17]. Jusqu'en juillet 1583, et en dépit de l'intérêt des décisions que l'on vient d'évoquer, la mission de l'auteur des *Essais* à la
« mairerie » semble surtout négative – du point de vue de la « Grande
Histoire » : Montaigne semble jouer surtout le rôle du paisible notable
chargé d'occuper, sans « faire de vagues », la place de l'encombrant et
intempestif maréchal de Biron. Symbole par défaut, plutôt que fauteur
de paix.

Mais, pendant l'été 1583, ce « lieu-tenant » devient capitaine ; cette
quasi-potiche passe à l'action et, dans la campagne pour la réélection
comme dans le combat contre la Ligue, affirme des qualités d'homme
d'action dont ses concitoyens et ses contemporains pouvaient encore
douter – avant la postérité, qui n'a guère été incitée à retenir de lui le
souvenir de ce type de vertus.

C'est en 1583 enfin que Montaigne assume avec tout son éclat le
rôle politique éminent que lui ont confié deux ans plus tôt les stratèges
de Paris et ses amis modérés, en association avec Matignon : faire
barrage à la poussée des catholiques extrémistes qui, à Bordeaux, ne
cessent de fourbir leurs armes et de placer leurs pions.

Montaigne n'était pas depuis six mois (et pour dix-huit mois encore)
installé sous les voûtes de la Grosse Cloche qu'une campagne se
préparait contre lui, animée par les chefs du parti « ultra », Jacques
d'Escars de Merville et le sire de Vaillac – le premier grand sénéchal[18]
de Guyenne et commandant du fort du Hâ, au cœur de Bordeaux,
le second gouverneur du Château-Trompette, la citadelle riveraine
du fleuve –, tous deux patronnés par l'archevêque Prévôt de Sansac et
encouragés par la majorité du parlement.

Son premier mandat municipal décemment rempli, Michel de Montaigne eût-il « rempilé » en sollicitant une réélection si cette cabale ne
s'était pas dressée contre lui et ce qu'il représentait ? Il était poussé à
ce nouveau combat par ses compagnons de la jurade, qui se félicitaient

17. A laquelle Roger Trinquet a consacré une étude très fouillée, *BSAM*, 5e série,
nos 10-11, 1974.
18. Officier royal doté de pouvoirs judiciaires.

de sa judicieuse bonhomie, et surtout par le maréchal de Matignon, enchanté de leur coopération : on parlerait mieux de la complémentarité entre l'homme de l'État et l'homme de la Ville, initié aux arcanes de cette province agitée. Le défi qu'il voyait lancé contre lui décida Montaigne. En ce combat n'engagea-t-il que « la main », pour reprendre ses images, ou bien « le poumon et le foie » ? Rien de tel qu'un pacifique pour combattre sans timidité.

Tout de suite, deux « partis » se manifestèrent : pour éliminer Montaigne et assurer sa propre élection, Merville pouvait compter sur Vaillac, sur l'archevêque de Sansac, sur le président par intérim du parlement[19] Jean de Villeneuve et la majorité de cette assemblée, gagnée aux idées et intérêts de la Ligue – autrement dit l'Église, les militaires (locaux) et la plupart des parlementaires.

Mais pourquoi cette hostilité de ses anciens collègues ? Indépendamment des dissensions politiques (ou politico-religieuses), ce qui dressait tant de gens de robe contre l'ancien conseiller, c'était évidemment les terribles pages des *Essais* sur les hommes de loi et leurs pratiques, contre les lois elles-mêmes. Tous n'avaient pas lu le livre : mais, dans ces cas-là, les bons amis savent faire circuler quelques morceaux choisis qu'il n'est pas besoin de triturer pour rendre nocifs.

Coalition formidable en tout cas, soudée par la haine de la Réforme et la rancune corporative, à quoi s'ajoutent les venins du « nœud de vipères » familial : le président Jean de Louppes de Villeneuve est le cousin germain de la mère de Michel, Antoinette. De là à attribuer un rôle à cette rancunière personne…

Le maire peut certes compter sur la fidélité de ses jurats et le soutien de Matignon, derrière lequel se profile la couronne – et, plus distant, mais aussi plus compromettant, d'Henri de Navarre, dont l'effervescence gasconne et les coups de tête mettent souvent ses amis dans l'embarras. Ce dont profitent ses ennemis papistes pour dénoncer l'activisme huguenot. Au surplus, Montaigne est souvent absent, cédant aux charmes de son domaine, travaillant à la réédition des *Essais* – mais mettant aussi ses absences à profit pour prendre des contacts utiles avec l'« autre côté » : Sainte-Foy et Bergerac sont, à quelques

---

19. Lagebaston l'était encore en titre, mais très âgé et incapable de remplir sa charge.

lieues de chez lui, des places protestantes où les amis de Navarre l'écoutent volontiers.

Avertis des préparatifs de l'offensive des « ultras », le maire et ses amis choisirent de frapper les premiers : les deux commandants des forts, Merville et Vaillac, ayant, en militaires outrecuidants, brimé la circulation sur le fleuve et, usant de passe-droits, exempté tels de leurs amis des gardes et corvées municipales, les jurats adressèrent à Matignon, à la fin de 1582, un mémoire de « remontrance » dénonçant ces pratiques.

Ainsi mis en cause, les deux officiers, qui ne demandaient qu'à en découdre et étaient conseillés par un éminent juriste, Thomas de Ram, lieutenant du grand sénéchal et conseiller de l'archevêque, décochèrent contre Montaigne un violent mémoire l'accusant de se faire bâtir une maison sur un terrain à vocation municipale et dont il avait acquis un lopin, l'esplanade des Chartrons, qui servait de glacis aux défenseurs du Château-Trompette : double violation, des intérêts publics et de la sécurité de la ville… Matignon se refusant à prendre au sérieux cette argumentation, Vaillac s'en fut à la Cour et présenta son mémoire au roi lui-même, qui ne laissa pas d'en être ébranlé – écrivant à Matignon d'interdire à Montaigne de procéder à aucune construction, « bien que, précise Henri III, je ne désire faire aucun tort audit maire [20] ».

On imagine à quel point Montaigne dut être blessé que le roi, en cette apparente neutralité, pût le croire capable de faire prévaloir son intérêt sur celui du public. Il réagit durement en décochant contre Merville et Vaillac un nouveau factum, les accusant cette fois de favoriser la pénétration dans Bordeaux des vins du haut pays. Cette fois, il avait planté sa flèche au cœur de la cible : les gouverneurs des forts trahissaient la cause sacrée du vin de Bordeaux, favorisant – en échange de quoi ? – celle des misérables Bergerac ou autres Buzet…

C'est dans le climat ainsi retourné en sa faveur par un maire qui pouvait, on le voit, s'inspirer de Machiavel en ses moindres affaires, que se déroula, le 1ᵉʳ août 1583, la réélection du fils de Pierre Eyquem. Si les registres de la jurade ne font pas mention de la cabale montée par le sénéchal de Merville et ses amis, ils font état de la fureur des

---

20. Cité par Xavier Védère, in *Revue historique de Bordeaux*, t. 36, p. 88-97.

adversaires de Montaigne, notamment de son cousin Villeneuve, portée à son comble et manifestée par une requête en annulation du scrutin formulée auprès du Conseil d'État. La haute juridiction confirma le résultat de l'élection, s'agissant de Montaigne, mais décida la suspension temporaire de celle des jurats – qui ne fut enfin levée que sur l'intervention personnelle et très pressante du maréchal de Matignon.

Guerre picrocholine ? Oui et non. Oui, parce qu'elle mettait en cause des intérêts mineurs, des mœurs banales, des personnages de second ordre (Montaigne excepté). Non, parce qu'elle était le prodrome des grandes batailles qu'allait avoir à livrer le maire réélu, de 1583 à 1585, à propos des équilibres politiques en Guyenne et des orientations dynastiques – justifiant amplement le choix que la couronne, le clan Navarre et le marquis de Trans avaient fait pendant le voyage en Italie : on allait voir ce que peut un sage quand la folie prétend imposer sa loi…

En attendant, l'épisode de sa réélection avait marqué profondément la mémoire du châtelain de Montravel. En témoigne cet hommage rendu du livre III des *Essais* à « ce [bon] peuple [de Bordeaux], qui employa tous les plus extrêmes moyens qu'il eut en ses mains à me gratifier, et avant m'avoir connu et après, et fit bien plus pour moi en me redonnant ma charge qu'en me la donnant premièrement » (III, 10).

Il est évident que les vaincus du scrutin du 1er août 1583 n'ont pas désarmé et guettent l'occasion de se débarrasser de Montaigne. Mais le maire réélu va soudain porter son effort sur un tout autre terrain que celui, le plus brûlant, de la tolérance religieuse : celui, tout aussi honorable, de la justice sociale.

Est-ce tactique, pour déplacer les lignes de force du débat ? Ou appétit foncier de justice, déjà relevé par ailleurs, et que nul ne songeait à mettre en doute ? Alors qu'il sort à peine d'une bataille qui a dressé contre lui la majorité des notables de la ville, l'auteur des *Essais* ose adresser au roi de France – son meilleur appui dans le combat qu'il mène sur le terrain bordelais – une « remontrance » d'une hardiesse incroyable.

Il faut largement citer ce texte où se manifeste un précurseur de la réforme sociale, ou mieux fiscale, parce qu'il ridiculise à jamais la thèse qui fait de Montaigne un conservateur égoïste et frileux, incurablement enfermé dans sa tour de malade et ses privilèges :

> Sire,
>
> Les maires et jurats gouverneurs de votre ville [...] de Bordeaux [...] vous remontrent très humblement [...] leurs plaintes et doléances concernant les foules [21] et surcharges qu'ils ont souffertes et souffrent journellement [...]. Toutes impositions doivent être faites également sur toutes personnes, le fort portant le faible [il est] très raisonnable que ceux qui ont les moyens plus grands se ressentent de la charge plus que ceux qui ne vivent qu'avec hasard et de la sueur de leur corps ; toutefois il serait advenu depuis quelques années et même en la présente, que les impositions qui auraient été faites par votre autorité [...] les plus riches et opulentes familles de ladite ville en auraient été exemptes pour le privilège prétendu par tous les officiers de justice [...]. De façon que désormais quand il conviendra imposer quelque dace ou imposition, il faudra qu'elle soit portée par le moindre et le plus pauvre nombre des habitants des villes, ce qui est du tout impossible [...].
>
> Comme par la justice les rois règnent et que par icelle tous États sont maintenus, aussi il est requis qu'elle soit administrée gratuitement et à la moindre foule du peuple que faire se peut. Ce que Votre dite Majesté connaissant très bien et désirant retrancher la source du principal mal aurait, par son édit très saint, prohibé toute vénalité d'offices de judicature ; toutefois pour l'injure du temps, la multiplication des officiers serait demeurée, en quoi le pauvre peuple est grandement travaillé [...] d'autant que ce qui ne coûtait qu'un sol en coûte deux, et pour un greffier qu'il fallait payer, il en faut payer trois [...], de façon que les pauvres, comme n'ayant le moyen de satisfaire à tant de dépenses, sont contraints le plus souvent quitter la poursuite de leurs droits [...] [22].

Texte admirable, où se fait entendre déjà la sonorité des cahiers de doléances de 1789 – mais où se manifeste un courage singulier, compte tenu de l'époque, des pouvoirs qui s'affrontent, des puissances à ménager, des alliances possibles. Alors qu'il vient à peine de préserver son mandat face aux grands notables de l'Église, de l'argent et du

---

21. « Peines » (de « fouler »).
22. Cité dans *Montaigne maire de Bordeaux*, Bordeaux, L'Horizon chimérique, 1992, p. 50-55.

droit, Montaigne pose deux revendications proprement révolutionnaires : répartition de l'impôt en fonction des moyens, à l'exclusion
des privilèges nobiliaires ; gratuité et égalité de la justice. Déjà le Tiers
État, déjà la voix de Mirabeau…

La grandeur de ce texte, la beauté des formules (« le fort portant le
faible », « par la justice les rois règnent et par icelle tous États sont
maintenus ») interdisent de voir là un simple propos de circonstance,
visant à désarçonner ses adversaires de la haute bourgeoisie bordelaise
qui viennent d'essayer d'« avoir la peau » du petit seigneur de Montaigne : la plupart de ces suggestions ou critiques se retrouvent dans
les *Essais*, refondues ou réajustées, mais, surtout pour ce qui a trait à
l'exercice de la justice, encore aiguisées et, si l'on peut dire, moder-
nisées.

Ce Montaigne passionné de justice et même réformateur social
que mettait en lumière Colette Fleuret dans le remarquable article
d'*Europe* déjà cité, Géralde Nakam le voit se manifester mieux encore
dans une série de notes marginales écrites à propos d'un projet
de réforme élaboré par les syndics du Béarn et soumis à son appré-
ciation par son ami Duplessis-Mornay au nom du roi Henri. Il n'est
aucune de ces notes qui ne fasse éclater son sens de l'équité : que
ce soit sur le principe de la gratuité de la justice, à propos de la
pluralité des juges ou de l'égalité à préserver entre justiciables, on
retrouve le meilleur Montaigne, et enfin dans la note finale qui est
comme le paraphe de sa consultation au Béarnais : « Tenir la main à
ce que gens de vertus, doctrine et prudhomie détiennent la justice.
Montaigne. »

C'est pourtant sur le terrain le plus ample, celui où se jouent, en
Guyenne et alentour, l'avenir de la paix et l'unité du royaume, que l'on
attend le maire de Bordeaux, le compagnon de Matignon, celui sur qui
(entre autres) les Valois ici et là les Bourbon ont misé pour couper
la voie à la grande aventure « guisarde », qui ne vise à rien de moins
qu'extirper la Réforme de France, éliminer Henri de Navarre et placer
sur le trône sinon « le Balafré » ou son frère le cardinal de Lorraine, au
moins quelque homme de leur clan.

En cet été 1583, le vent semble souffler dans le sens de la conciliation : Matignon a pour charte une lettre d'Henri III qui l'incite à assainir
les rapports de la couronne avec la Cour de Nérac et à faire bon accueil
aux éventuelles ouvertures venues de son cousin Navarre. Montaigne
est là pour inciter son associé à la modération et, du côté du Béarnais,
Philippe Duplessis-Mornay pousse dans le même sens.

Mais trois crises vont coup sur coup dresser les uns contre les autres
ces hommes qui semblent prêts à l'entente. Il est vrai que l'intrication
des affaires personnelles, religieuses, dynastiques, des positions sur
le terrain, des responsabilités entre Henri le Béarnais, gouverneur de
Guyenne[23] et chef d'une armée dont les positions rappellent une peau
de léopard, et Matignon, lieutenant du roi pour la même province, à la
tête de forces militaires apparemment faites pour s'opposer à celles du
chef huguenot, n'est pas faite pour favoriser l'harmonie.

En août 1583, cet Henri III qui se dit en quête d'un accord avec son
cousin le Béarnais ne trouve rien de mieux que de chasser du Louvre
la femme de celui-ci (et sa propre sœur), la célèbre reine « Margot »,
sous prétexte de l'inconduite de deux de ses dames d'honneur – et
de la naissance, en ses appartements du Louvre, d'un enfant que
la rumeur lui attribue. Henri III, professeur de morale ! Le fait est
que « Margot » est ignominieusement renvoyée à Nérac, où Henri est à
la fois dérangé (peu…) dans ses amours avec Corisande, mais surtout
humilié par la sanction infligée à sa femme, et rugit sous l'insulte.

Le conciliateur Montaigne était bien placé, ici, pour faire entendre
raison aux protagonistes : ami de Corisande, estimé de Marguerite,
admiré par les deux rois Henri, hédoniste déclaré, fin négociateur, il
était l'homme de la situation. C'est pourtant la seule de ces crises en
chaîne où l'on n'entend pas l'écho de sa voix…

… Qui se fait très sonore en revanche à propos de l'« affaire de
Mont-de-Marsan ». Cette place landaise, que le Béarnais tient pour
un fleuron de sa couronne, est tombée sous la coupe des catholiques. Il
réclame à Matignon qu'elle lui soit rendue. Mais le lieutenant général,
qui a subi quelques incartades du « reyot de Nabarra », préfère conserver ce gage. N'y tenant plus, Henri reprend la place, avec la complicité
d'un gentilhomme catholique, le baron de Castelnau. Si bien que Mati-

---

23. Qui refusent de reconnaître pour tel la plupart des catholiques.

gnon met la main, lui, sur Bazas et Condom – tout près de Nérac… En reviendrait-on aux « bironnades » de naguère ?

Non. Sitôt la place prise, le roi de Navarre a tenu à se justifier auprès de Montaigne. Sa lettre a disparu – mais non celle de son plus proche collaborateur, Duplessis-Mornay, qui y fait référence :

« Du 25 novembre 1583. Monsieur, le roi de Navarre vous a écrit comme il est entré en la ville du Mont-de-Marsan. L'insolence extrême de ses sujets et les remises sans fin de M. le Maréchal lui ont fait prendre cette voie. Vous savez que toutes nos affections ont quelque borne ; il était malaisé que sa patience n'en eût, puisque leur folie n'en voulait point avoir. Cependant Dieu nous a fait la grâce que tout s'est passé avec fort peu de sang et sans pillage… »

Désormais, Montaigne, ici, et, là, Duplessis-Mornay vont servir de tampons – le second écrivant au premier qu'il lui fait confiance, parce qu'il n'est « ni remuant ni remué […] ».

A la demande de Matignon, Montaigne gagne Mont-de-Marsan, où il est bien reçu par le Béarnais, et mande à son associé : « Je fis bien la révérence à ce prince ; pour la première charge, nous n'avons pas grande espérance […]. Il veut se servir de tous les moyens pour être payé […]. Nous n'avons que Bazas aux oreilles… » Autrement dit, « ce prince » auquel on réclame la restitution de Mont-de-Marsan réplique : rendez-moi d'abord Bazas !

La vie de Montaigne devient alors un tourbillon ou, mieux, une cavalcade, le maire de Bordeaux se muant en agent de liaison entre le roi et le maréchal, entre Bergerac et Bordeaux, Montaigne et Nérac, Sainte-Foy et Le Fleix… Filtrées ou interprétées par Duplessis-Mornay, ses démarches portent leurs fruits : il peut bientôt porter à Matignon une lettre de Navarre qui salue la « bonne volonté au repos du royaume » dont fait preuve le maréchal, qui lui procure la « satis-faction » dont il lui « sait gré ». Entre Montaigne et Duplessis et, au-delà, entre le roi et le maréchal, se tisse la toile.

Et, quelques semaines plus tard, au retour d'une ambassade en zone huguenote, c'est sur un autre ton que le maire de Bordeaux écrit à Matignon. Il ne s'agit plus des agissements du « reyot de Nabarra », du corsaire chapardeur de places, mais de l'héritier légitime du trône de France : le duc d'Anjou, frère du roi, est mort à trente ans de la tuberculose, le 10 juin 1584, et les « politiques » comme Matignon,

Montaigne et, sur l'autre rive, Duplessis-Mornay, sont désormais commis à préparer l'avènement du chef de la maison de Bourbon, qui ne peut passer, pensent les premiers, que par un retour du Béarnais au catholicisme. Et déjà – une lettre de Montaigne à Matignon en témoigne – Henri III a dépêché son favori, le duc d'Épernon, auprès du nouvel héritier du trône pour le convaincre d'abjurer. Sans succès...

Ce n'est plus seulement la Guyenne que nos personnages sont en voie d'arracher aux convulsions mortelles, c'est tout bonnement le royaume. Mais avant que le roi béarnais puisse joindre, sur sa tête, les deux couronnes, les fauteurs de paix de Bordeaux devront déjouer le grand complot qu'ont fomenté contre eux, dans la cité même, les vaincus de l'élection du 1er août 1583.

Le parti catholique militant, dit « guisard », ne peut évidemment accepter sans réagir un processus qui, Henri III restant sans héritier, conduira tôt ou tard à l'accession au trône d'un prince protestant. Lequel ne semble pas prêt à abjurer une deuxième fois[24], si tendrement que l'en prie Corisande, catholique délectable.

L'argument confessionnel serait peut-être allégué avec moins de fureur contre lui s'il ne recouvrait les ambitions d'Henri de Guise et de son frère le cardinal de Lorraine, qui ont choisi pour prétendant au trône le vieux cardinal de Bourbon, un homme lige. Pour soutenir les prétentions de ce prince de l'Église, en mars 1585 se mobilise solennellement la Ligue, la « Sainte-Ligue » qui va – désormais avec l'appui déclaré du pouvoir espagnol – tenter de faire prévaloir le catholicisme le plus intolérant sur la conciliation méditée et mûrie par Montaigne et ses amis.

A Bordeaux comme ailleurs, « la Ligue montrait ses cornes » (Paul Courteault), ayant choisi pour chef, avec la bénédiction de l'archevêque de Sansac, un personnage bien connu – ce sire de Vaillac, gouverneur du Château-Trompette, que nous avons vu aux prises avec Montaigne lors de la « campagne électorale » du printemps 1583, marquée par l'échange de mémoires venimeux entre le maire et ce capitaine...

Les derniers épisodes du « grand jeu » entre Navarre, la Cour et Matignon, entre religions et ambitions dynastiques, ne pouvaient

---

24. La première fois, c'était au cours de la nuit de la Saint-Barthélemy, sous la menace des poignards.

qu'animer plus violemment encore les ligueurs bordelais contre le maire réélu en 1583 : le rôle apaisant de Montaigne était notoire, ses efforts pour ménager l'entente entre le Béarnais et le pouvoir manifestes : et chacun savait qu'à la fin de novembre 1584 il avait reçu en son château le roi de Navarre et une suite de plusieurs dizaines de grands seigneurs huguenots [25]. Aux yeux des « guisards », ce traître sournois était l'homme d'un double jeu qui ne pouvait servir que l'ennemi, l'« hérétique puant » de Nérac.

Au début d'avril 1585, Vaillac croit venu le moment d'agir et, à partir de son Château-Trompette, de s'emparer de Bordeaux en éliminant Matignon et le maire. Celui-ci, très actif en sa « mairerie » à la fin de 1583 et au début de 1584 [26], s'est ensuite retiré à Montaigne. Simple besoin de repos ? Découragement de la lenteur des progrès faits par les siens auprès de Navarre, qui s'opiniâtre dans l'entêtement confessionnel ?

Averti des manigances de Vaillac, le maréchal de Matignon presse le maire de regagner la ville pour l'aider à faire face au péril. Le rapport de forces n'est pas favorable aux légalistes : gens d'armes, gens d'Église et parlementaires s'accordent dans leur opposition à la politique de ralliement à Navarre, incarnée, à Bordeaux, par le maire et le maréchal.

Les nouvelles qui parviennent de Paris donnent d'ailleurs à penser que le roi, effrayé par le dynamisme des ligueurs, incline à leur faire des concessions : il va même signer avec eux la « paix de Nemours » (juillet 1585), qui le mettra à la merci de Guise. D'où l'arrogance croissante de Vaillac, qui monte la tête à ses partisans et jure à Guise de lui livrer Bordeaux. Au début du printemps 1585, la ville est en ébullition.

Montaigne n'est pas homme à se « coniller », comme il dit, à se terrer comme un lapin face au péril. A la fin de février 1585, il prévient Matignon qu'il s'apprête à « monter à cheval » pour le rejoindre mais qu'« en raison des eaux débordées » il ne pourra pas gagner Bordeaux en un jour et devra faire escale à Podensac pour y recevoir ses instruc-

---

25. Cf. *infra*, chap. XI.

26. Il patronne un nouveau règlement des études au collège de Guyenne, intitulé *Schola aquitanica*, établi par son ancien maître Élie Vinet, devenu « principal » de cet établissement prestigieux, et signe avec l'ingénieur Louis de Foix le contrat pour la construction, à l'embouchure de la Gironde, du célèbre phare de Cordouan.

tions – non sans préciser que Navarre tourbillonne de plus en plus à travers la Guyenne et que « Mme de Gramont [27] est bien mal », mauvaise nouvelle pour leur parti, celui des « modérés », car la maîtresse du prétendant est leur meilleure alliée en vue de son éventuel ralliement au catholicisme...

Maintenant flanqué de Montaigne, Matignon va passer à l'attaque pour prévenir les initiatives dont Vaillac ne fait pas mystère. L'opération que le vainqueur de La Fère conduit à Bordeaux le 21 – ou 22 – avril a été bien racontée par Paul Courteault : elle rappelle que ce qui fait la grandeur d'un acte n'est pas l'ampleur des masses engagées ou du champ de bataille, mais la promptitude à décider et à exécuter.

Premier acte : flanqué du maire, Matignon convoque au palais du gouvernorat les jurats et les prud'hommes, les présidents et les parlementaires, tous les « gens du roi » et officiers de la ville – dont, bien sûr, le sire de Vaillac, qui ose se présenter. Il est si sûr de lui ! Quand tous sont assemblés, le maréchal ordonne à son capitaine des gardes, un certain Londel d'Auctoville, de fermer les portes et de boucler le palais.

Alors le maréchal, au nom du roi, signifie à l'auditoire, fort mêlé, que la ville est en danger. Et, se tournant vers Vaillac, il le déclare « suspect au roi » (qui s'apprête pourtant à signer le traité de Nemours avec la Ligue !) et le somme de remettre le Château-Trompette entre ses mains. Stupéfaction du chef des ligueurs, qui, pris au piège, se contente d'élever une protestation contre le « déshonneur » qu'implique une destitution.

« Déshonneur » ? Matignon, tout prudent et « trinquat » qu'il soit, tranche dans le vif : si Vaillac ne se soumet pas, s'il ne rend pas sa forteresse, il sera tenu pour rebelle et « aura la tête tranchée à la vue de toute la garnison ». Compte tenu du rapport de forces qui prévaut dans la ville, la sentence est plus facile à prononcer qu'à faire exécuter... Mais Vaillac est dans la nasse, c'est à l'intérieur du palais que se joue la partie : appréhendé, désarmé, le chef des ligueurs est conduit sous bonne garde au Château-Trompette, qu'il doit livrer aux hommes de Matignon.

Montaigne est si heureux qu'il envoie le soir même un message à

27. Corisande

Navarre – lequel, transporté, mande dès le 24 à Matignon : « Mon cousin, j'ai été bien aise de recevoir de vos nouvelles par Monsieur de Montaigne. Je l'ai chargé […] de vous assurer de mon entière amitié […]. » Nous voilà loin de l'affaire de Mont-de-Marsan. La communauté devant le péril est un bon trait d'union.

La Ligue avait perdu une bataille, pas la guerre ; le Château-Trompette, pas la ville. On allait bien voir, lors de la grande « montre », ou revue des troupes, prévue en mai, de quel côté était la force. Et il se trouve qu'à cette date le maréchal de Matignon était appelé à Agen, où l'agitation avait repris. Si bien que, au milieu de mai, les gens d'armes bordelais, y compris les « compagnies bourgeoises » noyautées par la Ligue, étant rassemblés pour la grande revue des troupes, Montaigne se retrouvait seul responsable du maintien de l'ordre dans la ville.

Jamais peut-être ses capacités d'homme public n'avaient été mises à pareille épreuve. Fallait-il, Matignon absent, annuler la périlleuse manifestation ? Mais il avait en tête le souvenir du malheureux gouverneur Tristan de Moneins, assassiné en 1548 au même lieu, pour ne pas avoir assez crânement affronté la foule en colère. Il prit donc le parti contraire et décida de faire face – ce qu'il raconte ainsi au livre III des *Essais* :

> On délibérait de faire une montre générale de diverses troupes en armes (c'est le lieu des vengeances secrètes, et n'est point où, en plus grande sûreté, on les puisse exercer) ; il y avait publiques et notoires apparences qu'il n'y faisait pas fort bon pour aucuns […]. Il s'y proposa divers conseils […]. Le mien fut, qu'on évitât surtout de donner aucun témoignage de ce doute, et qu'on s'y trouvât et mêlât parmi les files, la tête droite et le visage ouvert, et qu'au lieu d'en retrancher aucune chose […], au contraire on sollicitât les capitaines d'avertir les soldats de faire leurs salves belles et gaillardes en l'honneur des assistants, et n'épargner leur poudre. Cela servit de gratification envers ces troupes suspectes, et engendra dès lors en avant une mutuelle et utile confiance (I, 24).

Ah ! cette « tête droite et […] visage ouvert », ah ! ces « salves belles et gaillardes », comme nous les aimons, lecteurs des *Essais*, fidèles de Montaigne attaché à cette fermeté d'âme si intimement liée à la lucidité de l'esprit. Ici nous paraît « au sommet de sa forme », dirait-on, le machiavélien socratique, l'homme de la *virtù*, qui est faite de finesse psychologique autant que de caractère...

Intimidés, les ligueurs le sont, au point de ne pas oser passer par les armes ce maire qu'ils exècrent et vient s'offrir à leurs coups de dague ou d'arquebuse. Mais ce n'a été que le temps d'une « montre » et d'un défilé en ville. Leur parti ne cesse de s'enhardir et de recevoir de partout des renforts. Deux de leurs chefs, les ducs de Mayenne et d'Elbeuf, s'approchent de Bordeaux. Et, de nouveau, Matignon court la province, où des incidents se multiplient. Le 22 mai 1585, Michel de Montaigne mande ceci à son chef de file :

> On fait bruit que les galères de Nantes [28] s'en viennent vers Brouage [29] [...]. Nous sommes après nos portes et gardes, et y regardons un peu plus attentivement en votre absence. Laquelle je crains non seulement pour la conservation de cette ville, mais aussi pour la conservation de vous-même, connaissant que les ennemis du service du roi sentent assez combien vous y êtes nécessaire [...].
> Jusques à cette heure, rien ne bouge. monsieur du Londel [30] m'a vu ce matin et avons regardé à quelques agencements pour sa place... monsieur d'Elbeuf est au deçà d'Angers [...] tirant vers le bas Poitou, avec quatre mille hommes de pied [...]. Le bruit court aussi que monsieur du Maine [...] se rendra en Rouergue et à nous, c'est-à-dire vers le roi de Navarre contre lequel tout cela vient [...]. Je vous dis ce que j'apprends, et mêle les nouvelles des bruits de ville que je ne trouve vraisemblables avec des vérités, afin que vous sachiez tout, vous suppliant très humblement vous en revenir incontinent [aussitôt] que les affaires le permettront [...], nous n'épargnerons cependant ni notre soin, ni s'il est besoin notre vie, pour conserver toutes choses en l'obéissance du roi [...].

Et c'est là l'homme qui se dit ailleurs « mol à s'engager » et assure qu'il ne faut que « se prêter à autrui » !...

Voici donc notre maire sur le qui-vive, face au péril, le 27 mai, mandant à Matignon :

> Le voisinage de monsieur de Vaillac [31] nous remplit d'alarmes [...]. J'ai passé toutes les nuits, ou par la ville en armes ou hors la ville sur le port,

---

28. Des précurseurs des chouans ?
29. Petit port fortifié proche de Rochefort, donc de Bordeaux.
30. Ce capitaine qui a capturé Vaillac.
31. Qui a rendu la forteresse, mais sauvé sa peau et repris sa liberté...

et, avant votre avertissement, y avais déjà veillé une nuit sur la nouvelle d'un bateau chargé d'hommes armés qui devait passer. [...] mais rien ne vint [...]. J'espère que vous trouverez [la ville] en l'état que vous nous la laissâtes. J'envoie ce matin deux jurats avertir la cour de parlement de tant de bruits qui courent et des hommes évidemment suspects que nous savons y être [...].

Il n'a été jour que je n'aie été au château Trompette [...]. Je vois l'archevêché tous les jours aussi.

Front extérieur, front intérieur (ce que nous appellerions la « cinquième colonne ») : il n'est pas de combat que ne livre ce maire à hauts risques – pour être en mesure de remettre à Matignon la ville « en l'état que vous nous la laissâtes », l'état où les Bordelais seront fiers de la retrouver quand le maréchal de Matignon succédera, en 1585, à Michel de Montaigne.

Le maire allait enfin couronner son mandat sur le plan diplomatique par un succès décisif : à force d'en assourdir Matignon de demandes, obstinément repoussées par ce Normand parfois trop « trinquat », il a fini par obtenir que le maréchal rencontre le roi de Navarre en juin, sur les bords de la Garonne, du côté de Marmande. Ainsi Montaigne ne s'était pas contenté de faire barrage à la Ligue en sa ville de Bordeaux : il avait préparé les voies à la réconciliation entre le parti du roi de France et celui du roi de Navarre, qui, quatre ans plus tard, les circonstances aidant, n'allaient faire qu'un.

On le sait porté aux « gasconnades à l'envers » qui l'inclinent à se faire plus mou, incertain et ignorant qu'il est en bon nombre de domaines matériels. Mais le ton sur lequel il évoque l'exercice de son mandat municipal, dans les *Essais*, défensif, presque penaud, comme pour s'excuser de la médiocrité de sa prestation, en vient à étonner et en a floué plus d'un :

> Aucuns disent de cette mienne occupation de ville [...] que je m'y suis porté en homme qui s'émeut trop lâchement et d'une affection languissante ; et ils ne sont pas du tout éloignés d'apparence. [...] De cette langueur naturelle on ne doit pourtant tirer aucune preuve d'impuissance (car faute de soin et faute de sens, ce sont deux choses), et moins de méconnaissance et ingratitude envers ce peuple [...], si l'occasion y eût été[32], il n'est rien que j'eusse épargné pour son service. Je me suis

32. Ici, Montaigne pousse le paradoxe un peu loin...

ébranlé pour lui comme je fais pour moi. C'est un bon peuple, guerrier et généreux, capable pourtant d'obéissance et discipline, et de servir à quelque bon usage s'il y est bien guidé. Ils disent aussi cette mienne vacation s'être passée sans marque et sans trace. Il est bon : on accuse ma cessation, en un temps où quasi tout le monde était convaincu de trop faire.

« Sans marque et sans trace » ? Et a-t-on assez dit pour faire paraître l'absurdité de ce jugement ? Peut-être la « cessation » eût-elle été méritoire. Peut-être eût-il été louable d'en faire peu quand d'autres en faisaient trop. Mais ce ne fut pas le cas. Montaigne n'a dressé aucun arc-de-triomphe à Bordeaux, ni élevé aucune forteresse, ni ouvert de boulevard, ni bâti de pont, ni modifié le cours du fleuve – mais il a modifié le cours des choses [33].

Un Bordeaux tenu par d'Escars ou Vaillac, aux jours tumultueux du printemps 1585, fût devenu un bastion « guisard » contre Navarre et les siens, bientôt contre le roi Henri IV. Qui peut tenter d'en mesurer les conséquences – dès lors que le roi d'Espagne n'entendait que trop bien les appels à l'aide que lui adressait la Ligue ? Quelle belle tête de pont eût été Bordeaux pour l'excroissance de la puissance espagnole..

Si bien que le bilan de Montaigne maire de Bordeaux serait admirable – et dans l'esprit, tendant à la justice et à la conciliation, et dans les faits, en vue du maintien de Bordeaux dans la légitimité et la paix – si n'était venu le ternir un épisode qu'il faut bien rattacher à cette séquence historique et que l'on résume en un mot : la peste.

Rien n'est si exaspérant, pour qui s'est attaché à mettre en lumière la vie publique de Michel de Montaigne patiemment camouflée jusqu'à la seconde moitié du XIXᵉ siècle [34], que d'entendre objecter à toute évocation de ces services rendus et de ces risques pris : oui, mais il a abandonné ses administrés victimes de la peste... C'est comme écrit sur le mur. Montaigne a pu se démener, à tous risques, pour arracher

---

33. Il écrit d'ailleurs avec une pointe d'amertume : « Le marbre élèvera vos titres tant qu'il vous plaira, pour avoir fait rapetasser un pan de mur ou décrotter un ruisseau public, mais non pas les hommes qui ont du sens » (III, 10).
34. Quand lui rendirent justice Grün et Bonnefon, avant Strowski.

Bordeaux à la guerre civile ou rétablir la paix et l'unité du royaume, rien n'y fait. Un mot suffit, comme « cassette » à Harpagon : « La peste ! » vous dis-je...

La grande majorité des montaignistes rejettent l'accusation et opposent à ce réquisitoire obsédant deux arguments : que le mandat municipal du seigneur périgourdin était venu à son terme et qu'aucun des contemporains – responsables politiques ou chroniqueurs – n'a fait à Montaigne le moindre reproche à ce sujet [35] : ce serait le trop sensible, le « stupide » XIXe siècle qui se serait indigné, anachroniquement, de cette carence que chacun avait en son temps jugée normale ou vénielle.

Nous ne prendrons pas ce parti. Montaigne est assez grand pour n'être pas apprécié à la seule aune des pratiques et mœurs de son temps. Quand on est capable, à propos de la justice, de la tolérance, du racisme ou de la colonisation, de précéder les mœurs et les idées de son temps de plusieurs siècles, on peut être estimé indépendamment des considérations d'époque ou de mode.

En juin 1585, deux mois avant que s'achève son second mandat municipal, Michel de Montaigne, épuisé par les semaines tragiques qu'il vient de vivre, a regagné son château. A Bordeaux cependant réapparaissent les signes de l'épidémie qui menace tous les ans, au début des chaleurs, ce port où accostent des navires venus de tous les horizons, cette ville où l'hygiène, notamment à l'entour d'un marécage nommé *palu*, est particulièrement négligée, ce qu'il faut d'ailleurs (en tenant compte des négligents usages et des moyens du temps...) mettre au débit d'un édile qui vient d'exercer sa charge pendant quatre ans...

Quand la peste surgit à Bordeaux, l'auteur des *Essais* ne passe certes pas à Montaigne d'aimables semaines de détente : l'épidémie menace aussi la vallée de la Dordogne, et des bandes de « picoreurs » pillent les demeures isolées de la région : le maire de Bordeaux est aussi le maître d'un domaine sur lequel vivent des dizaines de personnes dont il a la charge.

Vers le milieu de juillet, Montaigne reçoit des nouvelles de l'aggravation de l'épidémie : on parlera bientôt de quatorze mille morts, pour

---

35. Argument allégué même par l'impeccable Trinquet...

une ville qui n'en compte guère plus de cinquante mille. Le jurat M. de La Motte lui mande que « dans le menu peuple, on meurt comme mouches ».

Matignon, resté sur place, écrit au roi : « La peste augmente de telle façon en cette ville qu'il n'y a personne qui ait moyen de vivre ailleurs qui ne l'ait abandonnée [36] et n'y a pour aujourd'hui que les sieurs premier président et de Gourgues qui y soient demeurés pour l'affection particulière qu'ils ont à votre service, dont je me trouve fort empêché tant pour la garde d'icelle que des châteaux où la peste est déjà, dans celui du Hâ et à la maison de la ville [37]. »

Le 25 juillet – une semaine avant l'expiration du mandat... –, les deux jurats (sur six) qui sont restés à Bordeaux écrivant à leur maire pour lui demander de revenir, en vue de passer ses pouvoirs à son successeur – qui sera, chacun le sait, Matignon, concentrant en ses mains lieutenance royale et mairie : et, dans ces circonstances, nul Vaillac ne se présente contre lui...

La réponse que leur fit Montaigne, le 30 juillet [38], est peut-être le seul des textes de ce grand homme qu'on eût préféré ne pas lire :

> Messieurs, j'ai trouvé ici, par rencontre, de vos nouvelles par la part que monsieur le maréchal m'en a fait. Je n'épargnerai ni vie ni autre chose pour votre service, et vous laisserai à juger si celui que je vous puis faire par ma présence à la prochaine élection vaut que je me hasarde d'aller en la ville, vu le mauvais état en quoi elle est, notamment pour des gens qui viennent d'un si bon air comme je fais. Je m'approcherai mercredi le plus près de vous que je pourrai [...] à Feuillas [39], si le mal n'y est arrivé, auquel lieu, comme j'écris à monsieur de la Motte [40], je serai très aise d'avoir cet honneur de voir quelqu'un d'entre vous, pour recevoir vos commandements [...] priant Dieu vous donner, messieurs, longue et heureuse vie.
>
> De Libourne, ce 30 juillet 1585.
> Votre humble serviteur et frère, Montaigne [41].

---

36. Allusion à Montaigne ?
37. Cité par Alphonse Grün, *La Vie publique de Michel de Montaigne, op. cit.*, p. 290.
38. La preuve qu'il ne tenait pas son mandat pour expiré, et que ce message n'était pas « pour solde de tout compte », c'est qu'il écrivit encore le lendemain, 31 juillet, aux jurats une lettre très « professionnelle ».
39. Hameau situé sur les hauteurs de la rive droite de la Garonne, à côté de Cenon.
40. L'un des deux jurats restés sur place.
41. Montaigne, *Œuvres complètes, op. cit.*, p. 564.

Le silence eût mieux valu... Est-ce parce qu'ils en jugèrent ainsi que les deux braves jurats restés à leur poste ne répondirent pas – et que le rendez-vous de Feuillas n'eut pas lieu ?

Qui peut se permettre de « juger » Montaigne en ce domaine ? Qui peut savoir où est « ce que dois », face à la peste ? Ce n'est pas en invoquant le folklore ou les « mœurs d'époque » que l'on peut esquiver d'aussi terribles questions, ni même en rappelant que son mandat arrivant à échéance le 1er août, il n'est « presque plus » responsable le 15 juillet... Ni même en précisant que, lorsque l'épidémie se déclare, il est hors de Bordeaux, et qu'il n'a pas « fui » la peste : il a refusé d'aller à sa rencontre, de se précipiter dans le cratère...

Aucun de ces arguments ne tient, si nous l'opposons à l'image que nous nous sommes faite de Montaigne, du disciple de Sénèque, de Plutarque, de Socrate. Si nous comparons son attitude à celle du président de Thou, resté au milieu du peuple de Paris en proie à l'épidémie quand rien ne l'y obligeait ; ou de Rotrou, magistrat au bailliage de Dreux, qui, pour être demeuré à son poste en des circonstances analogues, en mourut ; ou tout simplement de Matignon à Bordeaux...

Montaigne, allègue-t-on, n'était pas un héros, il n'y prétendait pas – et aller se jeter au milieu des pestiférés pour une simple cérémonie rituelle ne relevait que de la bravade, de l'ostentation... L'héroïsme, l'auteur des *Essais* nous montre qu'il n'en faisait pas fi, et mieux encore le très actif militant de la tolérance « pelaudé » par les deux partis opposés et s'y exposant sans trêve. Au surplus, l'amitié l'avait vingt ans plus tôt conduit à donner le plus bel exemple de fermeté, restant jusqu'à la fin au côté de son ami Étienne en proie aux mêmes atteintes – et en dépit des prières du mourant soucieux de le préserver du mal qu'il portait. Admirable en tant qu'ami, il le sera moins en tant que maire.

Le meilleur argument auquel on puisse recourir pour défendre cette « sagesse » (qui ne l'eût imitée ?) est que, noblement fou, Michel de Montaigne eût sacrifié sa vie quand n'était pas rédigé le livre III des *Essais*, ses plus beaux, ses plus irremplaçables textes... Que penser d'un héroïsme qui nous eût privés de ces merveilles ? Préférons-nous un Montaigne sacrificiel, ou épanoui au faîte de sa lucidité, à jamais exemplaire en ceci plutôt qu'en cela ?

Le jugement que Michel de Montaigne porte sur le maire de Bordeaux est nuancé. Il s'efforce, on le sait, de les dissocier : « Le maire et Montaigne ont toujours été deux, d'une séparation bien claire » (III, 10). Mais où placer alors l'auteur du livre III des *Essais*, le tiers personnage, si marqué par ses expériences, par celles surtout de la mairie et de la vie publique ? Celui qui écrit « de ménager sa volonté », est-ce Montaigne, est-ce le maire, Montaigne-faisant-le-maire ou « se faisant » homme en assumant si bien (hormis les derniers jours) cette lourde tâche, de 1583 au début de juillet 1585 ? Montaigne et le maire sont bien deux, mais pour créer cette synthèse d'humanité féconde qu'est l'auteur du livre III...

Donnons en fin de compte la parole à cet auteur-ci qui juge trop sévèrement ce maire-là :

> Je n'avais qu'à conserver et durer [42], qui sont effets sourds et insensibles. L'innovation est de grand lustre, mais elle est interdite en ce temps, où nous sommes pressés et n'avons à nous défendre que des nouvelletés. L'abstinence de faire est souvent aussi généreuse que le faire [...] J'avais assez disertement publié au monde mon insuffisance en tels maniements publics. J'ai encore pis que l'insuffisance : c'est qu'elle ne me déplaît guère [...]. Je ne me suis en cette entremise non plus satisfait à moi-même, mais à peu près j'en suis arrivé à ce que je m'en étais promis, et ai de beaucoup surmonté ce que j'en avais promis [...]. Je m'assure n'y avoir laissé ni offense, ni haine (III, 10).

« Ni haine » ? La Ligue lui fera bien voir que s'il n'a pas conçu de haine, il en a inspiré à d'autres...

---

42. « Conserver et durer » : pour lui, comme pour Machiavel, c'est le projet politique par excellence...

CHAPITRE XI

Au jeu des trois Henri

Soit trois personnages, que le hasard a dotés du même prénom – le
Valois, le Bourbon et le Guise. Entre eux, pendant près de quinze ans,
de 1574 à 1588, se joue, au couteau, le sort du royaume – un jeu
auquel Michel de Montaigne prend part, en hardi compagnon.

Prélats et pasteurs, capitaines et financiers, féodaux, « mignons »,
courtisanes et spadassins, souverains étrangers (et la reine mère,
encore formidable) s'agitent, complotent, manœuvrent et frappent ici
et là. Mais c'est tout de même entre les trois Henri – le « troisième »,
roi de France, détenteur de la légitimité ; Navarre, dit « le Béarnais »,
chef militaire des huguenots et patron des « provinces unies [protes-
tantes] du Midi » ; et Guise, dit « le Balafré », figure de proue du
catholicisme de combat – que se dispute l'enjeu majeur, la couronne
de France.

Henri III restera, comme ses frères, sans enfant légitime [1]. Quand son
cadet, le duc d'Alençon, puis d'Anjou, meurt en 1584 de tuberculose,
Henri de Bourbon, descendant du sixième fils de Saint Louis, Robert de
Clermont et cousin du souverain régnant (au vingt-huitième degré…),
devient l'héritier légitime. Les règles de succession excluent les femmes

---

1. On appelait sa femme, Louise de Vaudémont-Lorraine (qu'il avait librement choisie),
« la Reine vierge ». A tort ou à raison…

et les bâtards, non les hérétiques – quoi que prétendent les porte-parole du catholicisme officiel auquel Henri de Guise et son frère le cardinal de Lorraine, créateurs de la violente Ligue, prêtent un bras puissamment armé.

Henri de Guise n'étant pas considéré comme « prince du sang » – bien qu'il s'affirme descendant direct de Charlemagne, il ne peut se proclamer prétendant. Mais contre le Bourbon de Navarre il pousse en avant un rival de même souche, le cardinal de Bourbon – celui-là même qui a marié, en août 1572, Henri et « Margot »… Au surplus, « le Balafré » se prévaut de l'amitié considérable du roi très catholique d'Espagne, dont les doublons d'or et les troupes, régulières ou non, sont des atouts majeurs dans le grand jeu.

C'est entre ces trois personnages contrastés que doivent agir ou s'entremettre les « politiques », tous ceux qui prétendent transcender le débat religieux ou féodal pour ne se référer qu'au principe de légitimité qui désigne pour le trône le roi de Navarre : ces hommes qui s'appellent de Thou et Pibrac, Pithou et Loysel, et Michel de Montaigne.

Le roi, troisième fils d'Henri II et de Catherine de Médicis, a succédé à son frère Charles IX en 1574, deux ans après la Saint-Barthélemy dont, en tant que duc d'Anjou, il a été l'un des responsables – avant de coiffer, pendant quelques mois, la couronne de Pologne.

Sa réputation devant l'Histoire est en cours de révision. Moins pour ce qui a trait à ses mœurs – il était, semble-t-il, bisexuel et par ailleurs stérile – ou sa cruauté, qu'attestent sa participation au grand massacre de 1572, l'assassinat du prince de Condé à Jarnac ou l'égorgement de Guise à Blois, qu'à propos de son irrésolution, de sa frivolité ou de ce qu'on a appelé sa lâcheté.

L'opération de réhabilitation du roi des « mignons » a eu un précurseur : Alexandre Dumas. Dans *Henri III et sa Cour*, en 1828, il faisait du roi un personnage à la limite du grotesque « faible et puéril avec des soudainetés de courage ». Vingt ans après (eh oui !), dans *Les Quarante-Cinq*, ayant diversifié ses lectures et pris connaissance du *Journal* de Pierre de L'Estoile, le romancier évoque la « majesté suprême » qui pouvait émaner de « sa nature si étrangement poétique »[2].

Les historiens contemporains en quête d'une approche plus équilibrée mettent volontiers l'accent sur la culture du personnage qui, même au temps de la Renaissance, faisait sensation. Nous l'avons vu féliciter Montaigne pour les *Essais*. Fondateur de l'Académie des poètes, il y tenait sa place entre Ronsard et d'Aubigné : celui-ci, qui le hait en tant que prince et le traite de « Sardanapale » et de « putain de cœur, de gestes et d'usage »[3], rend ailleurs hommage à son goût, sa « réputation d'en bien juger » et un talent poétique que « peu d'écrivains de ce temps eussent voulu désavouer »[4].

Au chef de guerre on attribue les victoires des armées catholiques à Moncontour et à Jarnac, et au politique un sens de l'État moderne qui le conduisit à poser les bases de l'administration dont Henri IV devait recueillir les fruits. Perçut-il très tôt la nécessité d'ouvrir les voies à Navarre, comme au plus capable de ses héritiers présomptifs ? A coup sûr, il haïssait Guise plus que le Béarnais, et sa bigoterie théâtrale ne l'aveuglait probablement qu'en apparence – mais ses démarches sont si chaotiques… Retenons en tout cas que Montaigne, bon royaliste s'il en fut, le méprisait, plaçant bien au-dessus de lui les deux autres Henri. S'agissant du Valois, il se contentait de répéter avec son ami Pibrac : « Il est permis de souhaiter meilleur prince. Mais tel qu'il est, il le convient porter. »

Navarre, c'est tout à l'opposé une gloire crépitante, comme ces feux d'artifice dont les fusées s'allument l'une à l'autre. Ses mots, ses gestes, ses virevoltes, ses victoires, ses amours, la constance dans l'épreuve, sa générosité dans le triomphe, la poule au pot et jusqu'au coup de couteau final : il n'est rien qui ne contribue à faire de lui le seul souverain qui trouve grâce aux yeux des sans-culottes.

2. Alexandre Dumas, *Les Quarante-Cinq*, Paris, Mercure de France, 1988, p. 1659.
3. Pierre de L'Estoile, *Œuvres*, Paris, Gallimard, coll. « Bibliothèque de la Pléiade », p. 339.
4. *Ibid.*, p. 861.

Le jeune prince élevé au trône de Navarre à neuf ans par la mort de son père Antoine au siège de Rouen (1562), converti au calvinisme par sa mère Jeanne d'Albret, qui « n'eut de femme que le sexe » (Agrippa d'Aubigné), contraint d'épouser à dix-neuf ans Marguerite de Valois et jeté ainsi dans la fournaise de la Saint-Barthélemy dont il ne sort indemne qu'en abjurant, et réduit pendant quatre ans à la condition d'otage de Catherine de Médicis, se mue à vingt-trois ans en ce gaillard mirobolant qui, délaissant « Margot », court de fille en fille et de coup d'estoc en arquebusade, puant, jurant et victorieux, nez et barbe au vent, en butte aux vertueuses remontrances des prêcheurs calvinistes, aux imprécations des maîtresses trompées, aux révoltes de sa femme et aux ruses de sa belle-mère, galopant vers le trône dans une incessante fanfare d'intrigues, d'amours, de marchandages et de combats.

Henri, comme ces taureaux qui imposent à l'homme de venir les combattre dans leur *querencia*, sur leur terrain refuge, a choisi de faire de la Guyenne – où il est en quelque sorte assiégé, et dont la capitale, Bordeaux, lui est interdite par ses prudents citoyens – son aire de combat, sa « province arsenal » (Anne-Marie Cocula). Il n'en sortira guère avant la victoire décisive de Coutras, en 1587 – ne cessant d'y croiser, bénéfique mais exigeant, Michel de Montaigne.

Entre cavaliers gascons, entre mangeurs de châtaignes et de cèpes, entre chasseurs de femmes, entre le « reyot de Nabarra » et le seigneur de Montravel qui devait bien lui aussi l'appeler « nosté Enric », le courant passe… On a vu comment le maire de Bordeaux a sinon « joué la carte » du Béarnais, au moins tout fait pour qu'elle ne soit pas déchirée par la Cour ou la Ligue – nonobstant les foucades et bravades de l'homme de Nérac.

Cet immense service rendu à Henri de Navarre, on va voir Montaigne, de 1585 à 1589, attendre impatiemment, sinon rageusement, cette abjuration qu'il estime indispensable à la totale légitimation de son ami. La longueur de l'attente, les virevoltes et tergiversations du Béarnais altéreront la confiance de Montaigne qui, faisant peu de cas du roi, en viendra à se demander si ce n'est pas le troisième Henri qu'a désigné la « fortune ».

Henri « le Balafré » (sobriquet que lui vaut une blessure de guerre) n'a guère meilleure réputation que le roi des « mignons » : dans *Henri III et sa Cour*, Dumas en fait une brute tyrannique torturant sa femme de son gantelet de fer. Le fils du duc François, que les *Essais* présentent comme un héros magnanime [5], porte devant la postérité la responsabilité majeure du massacre du 24 août 1572 – que l'on retienne la thèse du complot des grands ou celle du soulèvement populaire assumé *a posteriori* par le roi. Dans les deux cas, Guise est au cœur des atrocités. Et d'avoir fomenté ensuite la « Sainte Ligue » fanatique n'est pas un meilleur titre à l'indulgence de la postérité.

Mais la brutalité du personnage ne peut faire négliger sa grandeur. On va le voir peu enclin lui-même au fanatisme, habile à la manœuvre, propre aux grandes décisions, capable d'une magnanimité dont profitera Montaigne – lequel ne lui rendra pas seulement hommage dans son éphéméride personnel au lendemain de sa mort, mais, plus explicitement, dans les *Essais*, où, après avoir critiqué les atermoiements d'un chef en qui l'on peut reconnaître Navarre, il écrit : « J'en sais un autre, qui a inespérément avancé sa fortune, pour avoir pris conseil tout contraire. La hardiesse, de quoi ils [6] cherchent si avidement la gloire, se représente, quand il est besoin, aussi magnifiquement en pourpoint qu'en armes, en un cabinet qu'en un camp, le bras pendant que le bras levé » (I, 24).

Catherine de Médicis décrivait « le Balafré » comme « un roseau peint en fer ». Observons qu'elle dut à l'occasion, face à ce fer simulé, jouer les vrais roseaux… Ce n'est pas d'un médiocre agitateur que le roi, considérant la dépouille de Guise qu'il vient de faire « daguer » par ses quarante-cinq Gascons, dit : « Morte la bête, mort le venin » – ce qui, pour le coup, est lui faire trop d'honneur : le venin allait lui survivre…

On ne saurait apprécier l'extraordinaire complexité du « jeu des trois Henri » et des fils dans lesquels manqua s'embrouiller le subtil Montaigne lui-même si l'on ne gardait en mémoire l'étroitesse des

---

5. Bien qu'il soit responsable de la tuerie des protestants qui, à Wassy, en 1562, donna le signal des guerres de religion.
6. Les princes.

liens qui les unissaient, la multiplicité des intrigues qui tour à tour les firent complices, ennemis, alliés et bourreaux les uns des autres.

On lit dans les *Mémoires* de Nevers qu'au collège de Navarre, à la fin des années soixante, « Henri de Bourbon eut pour compagnons le duc d'Anjou, qui fut son roi quelque temps après, et le duc de Guise, qui fit tout ce qu'il put pour l'être. Ces trois Henri, qui devaient être un jour ennemis irréconciliables, étaient si étroitement unis en cette fleur de leur âge, qu'ils avaient les mêmes affections et les mêmes plaisirs ; et eurent toujours une complaisance si peu commune les uns pour les autres, qu'il ne leur arriva pas la moindre brouillerie tant qu'ils furent dans le collège [7]... »

Lors de la nuit de la Saint-Barthélemy, Anjou et Guise participent peu ou prou à l'égorgement des amis de Navarre – qui n'en réchappe que par la grâce du roi Charles et de sa propre femme. Le plus étrange est que tous les liens ne sont pas rompus pour autant. Quasi prisonnier au Louvre, et tandis que le frère du roi s'en va régner sur la Pologne, Navarre fait l'objet, de la part de Guise, d'une véritable entreprise de séduction, ainsi évoquée par Agrippa d'Aubigné dans ses *Mémoires* : « Ces deux princes couchaient, mangeaient et faisaient ensemble leurs mascarades, ballets et carrousels desquels Aubigné seul était l'inventeur [écrivant] la *Circée* [que] le roi Henri III fit exécuter aux noces du duc de Joyeuse [8] [...]. » Racontars ? Vantardise ? Presque contemporain, l'historien Pierre Mathieu confirme ainsi cette étrange accointance : « On les voyait en même chambre au Louvre, ils allaient à la chasse, faisaient des parties à la paume, jouaient aux dés, voyaient les dames ensemble, le roi de Navarre portait en croupe le duc de Guise par les rues de Paris... »

Mais Pierre de L'Estoile nuance plus finement, à son habitude, le tableau : « Le roi de Navarre jouait avec le duc de Guise à la paume, où le peu de compte qu'on faisait de ce petit prisonnier de roitelet, qu'on galopait à tous propos de paroles et de brocards, comme on eût fait un simple page ou laquais de cour, faisait bien mal au cœur à beaucoup d'honnêtes hommes qui les regardaient jouer. »

C'est, semble-t-il, à l'occasion de ce bizarre concubinage princier

---

7. Tome II, p. 576.
8. Agrippa d'Aubigné, *Œuvres*, Paris, Gallimard, coll « Bibliothèque de la Pléiade », p. 398.

entre geôlier et prisonnier – dont Navarre s'évada, en 1576, au cours d'une chasse à Senlis – que Michel de Montaigne fut appelé à intervenir dans l'imbroglio. Il est à peu près établi en tout cas qu'il fit un séjour à Paris à la fin de 1572, probablement après le massacre bordelais des premiers jours d'octobre.

Qui fit appel à lui pour jouer ainsi les intercesseurs, les médiateurs – on dirait aujourd'hui les « modérateurs » –, dans ce duel à fleurets pour un temps mouchetés, mais dès longtemps empoisonnés ? Selon Jean-François Payen, dispensateur de la documentation montaigniste postérieure au milieu du XIXe siècle, c'est Catherine de Médicis et Guise qui choisirent ce gentilhomme méridional pour panser les plaies du jeune Béarnais. Pour Roger Trinquet, le plus avisé de ses historiens contemporains, c'est peut-être de l'autre bord que vint la sollicitation. Le fait est que deux versions écrites de cette étrange mission sont proposées – l'une dans les *Essais*, l'autre dans les *Mémoires* de Jacques-Auguste de Thou.

Au chapitre premier du tome III de son livre, Montaigne évoque ces démarches de façon si ambiguë et biaisée que l'on a tendance à rapporter à l'époque des complots et palabres du Louvre les paragraphes qui s'ouvrent par « ce peu que j'ai eu à négocier entre nos princes [...] ». La grande activité diplomatique de Montaigne, celle des années 1586-1588, n'est pas encore entamée et des formules comme : « J'en ai toujours plus su que je n'ai voulu » semblent bien se rapporter à des relations intimes et personnelles, mieux qu'à la marche d'une diplomatie ordonnée ou d'une mission spécifique. C'est bien le rôle d'un intercesseur, d'un confident, d'un « tampon » qu'il évoque là, tel qu'il fut, semble-t-il, conduit à le jouer entre 1572 et 1576, tel qu'il semble ressortir des *Mémoires* (en latin) de Jacques Auguste de Thou, qui a rapporté les confidences que lui fit son ami gascon lors des états généraux de Blois, en 1588.

Évoquant le rôle de médiateur (qu'il avait rempli « autrefois ») entre le roi de Navarre et le duc de Guise, lorsque les deux princes étaient à la Cour, Montaigne soutenait que « ce dernier avait fait toutes les avances par ses soins, ses services, et par ses assiduités pour gagner l'amitié du roi de Navarre ; mais qu'après toutes ses démarches, au lieu de son amitié, il n'avait rencontré qu'une haine implacable [...] ». Ainsi, confiait Montaigne à de Thou, « la mort seule de l'un ou de l'autre pouvait la faire finir ; que le duc ni ceux de sa maison ne se croiraient jamais en sûreté tant que le roi de Navarre vivrait ; que celui-ci, de son côté, était persuadé qu'il ne pourrait faire valoir ses droits à la succession de la couronne pendant la vie du duc ».

Le point le plus curieux de la confidence de Montaigne a trait à l'aspect religieux de l'affaire :

> Tous les deux [en] font parade, c'est un beau prétexte pour se faire suivre par ceux de leur parti, mais son intérêt ne les touche ni l'un ni l'autre. La crainte d'être abandonné des protestants empêche seule le roi de Navarre de rentrer dans la religion de ses pères [9], et le duc ne s'éloignerait point de la Confession d'Augsbourg [10], que son oncle Charles, cardinal de Lorraine, lui a fait goûter, s'il pouvait la suivre sans préjudicier à ses intérêts [...] [11].

On peut penser que la première partie de la confidence de Montaigne à de Thou – vraisemblable, plutôt que véritable – a trait à une période ancienne (*aliquando* en latin), quand les deux hommes « étaient à la Cour » (entre 1572 et 1576), au lendemain de la Saint-Barthélemy, ce qui explique les efforts du bourreau – cajolant le survivant – et les réactions de celui-ci, ami des victimes, qui a de bonnes raisons de se rétracter et de se tenir sur ses gardes...

La deuxième partie, elle, doit se rapporter à une époque plus récente, quand Navarre se voit pressé d'abjurer à nouveau (en 1572, c'est par force, on le sait, qu'il s'est converti) et quand Guise pense évidemment beaucoup plus à l'aspect politique des choses – sans compter que la « confession d'Augsbourg » à laquelle il est fait ici référence a été amendée au début des années quatre-vingt au point de séduire un homme aussi intelligent que Charles de Lorraine, cardinal et mentor du « Balafré ».

C'est de cette deuxième phase de « négociation avec nos princes » menée par Michel de Montaigne qu'il va être question ici. La première, celle que l'on ne peut situer que vaguement, entre la Saint-Barthélemy et le traité de Beaulieu (1576), ne peut prendre d'autre

---

9. C'est en 1560 que sa mère, Jeanne d'Albret, avait converti les siens à la Réforme.
10. Fondement du luthéranisme.
11. Cité et traduit par Paul Bonnefon, *Montaigne et ses amis,* Paris, Armand Colin, 1898, p. 161.

forme que celle d'une opération de « bons offices » entre le Guise encore dégouttant du sang des compagnons de Navarre tentant d'envelopper le quasi-prisonnier de mille séductions, non sans le blesser par son arrogance, et le jeune souverain gascon indigné, fasciné, tout frémissant encore d'angoisse – on parlait, en effet, raconte sa femme Marguerite dans ses *Mémoires*, d'une seconde Saint-Barthélemy…

La négociation de 1586-1588 – contemporaine de la rédaction du livre III – sera plus spécifique. Il s'agira essentiellement de l'abjuration de Navarre comme étape nécessaire de son accession au trône. Compte tenu du crédit dont dispose auprès de lui Montaigne, gentilhomme de sa chambre, admiré à la fois par Catherine de Médicis sa belle-mère, Marguerite de Valois, sa femme, et Corisande, sa maîtresse, le roi béarnais ne peut rejeter d'emblée de telles suggestions. Mais entre ne pas rejeter et agréer la marge est grande, en Gascogne plus qu'ailleurs.

En ce début de 1586, six ou sept mois après la fin de son mandat bordelais, Michel de Montaigne ne fait certes pas figure d'arbitre du destin national. Il s'est remis avec gourmandise à la rédaction des *Essais*, écrivant les magnifiques chapitres du début du livre III, « De l'utile et de l'honnête », « Du repentir », « Sur des vers de Virgile »… Mais le malheur ne cesse de le guetter, que ce soit sous la forme d'épidémie ou sous celle de la guerre aux portes de sa maison. Il vit les épreuves auxquelles le chapitre 12 du livre III, « De la physionomie ». donne un écho bouleversant.

Jusqu'alors, ce catholique déclaré avait pu traverser sans trop d'encombre les orages de la guerre, tenu par les siens pour un soutien fidèle du pouvoir, par les réformés pour un notable tolérant, respectueux de leur croyance, dont un frère, une sœur et de nombreux amis avaient adhéré à la Réforme. Ses écrits sur la guerre[12], qui émaillent le premier tome des *Essais*, le montrent double : volontiers impliqué (du côté catholique) dans des opérations éloignées de son domaine, du Poitou à l'Ile-de-France, d'autant plus pacifique que la bataille intéresse ses horizons familiers, sa maison et ses gens.

12. Cf. *supra*, chap. VI.

Les progrès de la Réforme, dans la vallée de la Garonne et la Guyenne notamment, sous l'impulsion du roi de Navarre, il les a entérinés comme maire : il les redoute et s'en voit menacé, dès lors qu'il est rentré dans son château qu'encerclent, à l'ouest du côté de Castillon, à l'est dans Sainte-Foy, au nord vers Bergerac, les troupes des réformés. Situation fort inconfortable, dont il ne s'accommode pas sans appréhension : « J'échappe, mais il me déplaît [...] d'être [...] sous autre sauvegarde que la leur. [...] je vis plus qu'à demi de la faveur d'autrui[...] » (III, 9).

Les choses vont s'aggraver brusquement en juillet 1586. Un an plus tôt, par le traité de Nemours, Henri III a lié la couronne à la Ligue, contre Navarre : retournement brutal de la stratégie royale que Montaigne, maire de Bordeaux, a conduite aux côtés de Matignon. Lequel se trouve entraîné, d'ordre du roi qu'il sert en tout état de cause, dans la grande chasse aux huguenots déclenchée au début de 1586. Et l'une des premières manifestations régionales du renversement des alliances est l'opération conduite par les forces royales commandées par Matignon et Mayenne, frère du « Balafré », contre les bastions protestants proches de Montaigne.

Cette fois, la guerre est à sa porte. De son château à Castillon, moins de deux lieues. Parmi les huguenots qui défendent la petite ville, il compte des amis comme Turenne. Parmi les assaillants, son compagnon de naguère, son successeur à Bordeaux, le maréchal de Matignon – qui, convoquant pour cette nouvelle campagne le ban des gentilshommes de Guyenne, a naturellement fait appel à lui. Il s'est récusé, ce qui ne lui sera pas pardonné par certains...

Pis encore : à la fin d'août, la peste (venue de Bordeaux avec les assaillants ?) se déclare dans la ville assiégée et alentour. C'est-à-dire jusqu'aux abords immédiats de la seigneurie de Montaigne, jusqu'aux rives de la Lidoire qui la bordent et où campent des hommes de Mayenne. La situation du maître des lieux devient proprement intenable, du point de vue matériel aussi bien que politique et psychologique.

Comment s'en pénétrer mieux qu'en lisant les pages poignantes du chapitre 12 du livre III des *Essais* ?

> [...] une forte charge de nos troubles se croupit plusieurs mois, de tout son poids, droit sur moi. J'avais d'une part les ennemis à ma porte,

d'autre part les picoreurs, pires ennemis [...] ; et essayais toute sorte d'injures militaires à la fois. [...] Monstrueuse guerre : les autres agissent au-dehors, celle-ci encore contre soi se ronge et se défait par son propre venin. [...]. Elle vient guérir la sédition et en est pleine [...] ; et, employée à la défense des lois, fait sa part de rébellion à l'encontre des siennes propres (III, 12).

Le ton déjà d'un Montesquieu – qui aurait souffert dans sa chair et son âme de la corruption des lois. Mais comment interrompre le rappel de ces phrases célèbres ?

> Outre cette secousse, j'en souffris d'autres. J'encourus les inconvénients que la modération apporte en telles maladies. Je fus pelaudé à toutes mains : au gibelin j'étais guelfe, au guelfe gibelin [13] [...]. La situation de ma maison et l'accointance des hommes de mon voisinage me présentaient d'un visage, ma vie et mes actions d'un autre. [...] C'étaient suspicions muettes qui couraient sous main [...] ce qui m'advint lors, un ambitieux s'en fût pendu [...].
> Voici un autre rengrègement de mal qui m'arriva à la suite du reste. Et dehors et dedans ma maison, je fus accueilli d'une peste, véhémente au prix de toute autre [...].
> J'eus à souffrir cette plaisante condition que la vue de ma maison m'était effroyable. [...] Moi qui suis si hospitalier, fus en très pénible quête de retraite pour ma famille, une famille égarée, faisant peur à ses amis et à soi-même [...].
> Tout cela m'eût beaucoup moins touché, si je n'eusse eu à ressentir de la peine d'autrui, et servir six mois misérablement de guide à cette caravane (III, 12).

Au creux de cette vie miroitante d'aventures, de missions nobles, d'inventions verbales et de responsabilités crânement assumées, il y a cette cruelle saison de l'été-automne 1586, cette errance douloureuse et humiliante de la « caravane » des Montaigne, doublet tragique de celle qu'il guidait cinq ans plus tôt de Lorraine en Toscane. Montaigne à cheval, encore ? Mais cette fois, le fringant cavalier cajolé par les cardinaux et les courtisanes n'est plus qu'un fugitif empesté qui entraîne avec lui sa femme, sa fille Léonor, quelques-uns de ses gens, et auquel ses voisins et amis de Trans ou de Foix font comprendre

---

13. Les guelfes et les gibelins : deux partis qui se disputaient l'influence en Italie aux XIVe et XVe siècles, les premiers étant le supposé « parti des Français » (cf. *supra*, chap. IX).

qu'il serait bien inspiré de diriger ailleurs ses porteurs de miasmes et ses dysentériques...

Passe la peste, qui, sans tuer aucun de ses proches, aura en tout cas ruiné quelques illusions qu'il avait sur la fidélité de ses amis. A Castillon l'épidémie a frappé les assiégés plus que les assiégeants, livrant la cité aux catholiques. Mais la « monstrueuse guerre » s'éternise autour de Montaigne : on dit même que Mayenne va mettre le siège devant Sainte-Foy. Le châtelain, qui a refusé de rejoindre les forces royales se voit de plus en plus vilipendé. Il était quasiment neutre : le voilà ami des vaincus, errant, mal accueilli par ses amis... Disgracié ?

Le vent tourne pourtant, venu des sommets. L'alliance avec Guise et la Ligue n'a pas tardé de manifester ses fâcheux effets à la Cour, Henri III vérifiant chaque jour un peu mieux qu'en ce marché il avait acquis le cheval boiteux : au « Balafré », la consolidation tranquille de son hégémonie sur les villes et les provinces du nord et de l'est ; à lui, le roi, la charge coûteuse de combattre les huguenots au sud et à l'ouest, notamment en Périgord et en Charente. Ainsi la guerre civile était-elle ranimée, aux frais du trésor royal et au bénéfice des ligueurs de Lorraine...

Ayant compris qu'ils faisaient fausse route, Catherine de Médicis et son fils décidèrent de se rapprocher du Béarnais, au moins jusqu'à un point d'équilibre entre Navarre et Lorraine. D'autant qu'ils observaient que la cause de la Ligue allait s'altérant du fait de l'arrogance de ses chefs, mais aussi de la faute commise en septembre 1585 par le Saint-Siège : en se prononçant solennellement contre le prétendant navarrais, le pape Sixte Quint s'était rendu coupable d'une intrusion dans les affaires françaises tenue pour inadmissible par les catholiques gallicans.

Dans le même temps, le rapport des forces militaires tendait à se modifier : acculé aux portes de Nérac et de La Rochelle, Henri de Navarre avait fait appel aux princes réformés allemands, qui rassemblaient pour lui sur le Rhin une armée de reîtres [14] dont l'intervention allait tôt ou tard peser lourd dans la balance : l'héritier du trône n'était pas encore éliminé...

---

14. Le mot n'a pas encore de connotation péjorative : il signifie « cavalier », *Reiter*.

Puisqu'il faut négocier, c'est Catherine, la reine mère, qui prend les choses en main : la Saint-Barthélemy, dont les huguenots lui attribuent la responsabilité majeure, est vieille de quatorze ans. Ce qui n'implique pourtant pas l'oubli : il est même permis de penser que cette reine aux mains encore tachées de sang n'était pas la meilleure messagère de paix. Parler aux catholiques, oui. Avec celle-là ? Navarre va se faire prier pendant des mois avant d'accepter, convaincu en fin de compte par deux arguments. Sa légitimité nouvelle doit se nourrir de contacts directs avec le trône, c'est-à-dire avec sa famille. Le roi n'est-il pas son beau-frère, Catherine sa belle-mère ? Il est informé d'autre part du mécontentement des Guise, qui s'efforcent de prévenir le rendez-vous : ce qui fâche si fort « le Balafré » ne saurait qu'être bon pour lui.

Peut-être est-il informé par les « politiques », auxquels est lié son conseiller Duplessis-Mornay, comme d'autre part Montaigne, de l'extrême impatience de l'opinion, ligueurs et huguenots fanatiques exceptés. Les Français ne rêvent plus que d'entente. Roger Trinquet cite un remarquable « Discours fait à la reine, mère du roi, avant qu'elle partît traiter avec le roi de Navarre », où sont décrits les malheurs de la guerre, « les journalières ruines d'infinies illustres familles [...] réduites à l'aumône, et la plupart sous le joug de la peste et famine en tous les cantons du royaume [15] ».

Dans le camp catholique, nul n'était mieux placé que Michel de Montaigne pour approfondir le dialogue avec « lo nosté Enric », dont la statue, ainsi désignée, s'élève devant le château de Nérac où l'effigie de l'auteur des *Essais* figure au côté de celles des familiers du lieu – Théodore de Bèze, Sully, Duplessis-Mornay, La Noue, dit « Bras-de-Fer », et du Bartas, tous huguenots. Et aussi, mais oui, « ce bon M. de Pibrac »...

Nous ne savons pas à quelle époque et combien de fois le seigneur de Montaigne rendit visite à la Cour de Nérac – mais on ne peut douter qu'il y fut, surtout à l'époque où son admiratrice la reine Marguerite,

---

15. *BSAM*, 4ᵉ série, nº 11, 1967.

dite « Margot », tenta d'y pratiquer avec son volage mari une cohabitation pluraliste fondée sur les voluptés de tous ordres : l'auteur
de « Sur des vers de Virgile » ne pouvait trouver climat plus propice à
l'épanouissement de son hédonisme. Un poème de « Margot », « La
ruelle mal assortie », dut enchanter notre essayiste :

> [...] Il n'y a sur moi petite partie qui n'y participe [...]
> Et où ne furète quelque étincelle de volupté [...]
> Ha ! J'en suis hors d'haleine et m'en faut avouer
> Que si beau soit le discours, cet ébattement le surpasse [...]
> Rien de si doux, s'il n'était si court [...].

Un historien de Nérac, Patrick Tachouzin [16], assure que Montaigne y
fut le commensal de la reine en 1579 et 1580. Il est vrai que l'auteur
des *Essais*, livre fort admiré en ces lieux, y était d'autant mieux
reçu que « Margot » avait pour valet de chambre, et probablement
beaucoup mieux, le cher Guy de Pibrac, auquel les parpaillots du
cru ne semblaient pas tenir rigueur de son apologie du massacre de
1572, et pour maître spirituel un évêque d'Aire-sur-l'Adour qui s'appelait François de Foix-Candale, vieil ami, lui aussi, du châtelain
périgourdin.

On croisait des poètes comme du Bartas et d'Aubigné au bord de la
Baïse – la murmurante rivière qui longe le château, si douce et féminine qu'on ne l'appelle ici que « Baïse » – comme on dit des amoureuses du roi, Dayelle ou Fleurette, la petite jardinière qui mourra
d'amour pour « nosté Enric », ou Fosseuse, qui, sur ses quinze ans,
plutôt que de mourir pour « lou grand naz », lui donnera un fils (accou-
ché de ses propres mains par « Margot »), ou encore Jeannette, la
femme de son charbonnier de Capchicot.

Avec Henri et ses conseillers, que ce soit avant le départ pour le
voyage italien, pendant ou après la mairie de Bordeaux, l'auteur des
Essais avait d'autres sujets d'entretien. Le Béarnais pouvait entendre
avec moins d'agacement de Montaigne que d'une Médicis l'incessant
conseil de troquer, contre la fidélité huguenote, la couronne de France.

Tous deux ont mieux mesuré que d'autres la sincérité de ces affrontements « religieux ». Et tous deux ont en commun une sensibilité gasconne qui les pousse à faire de cette terre de Guyenne dont Navarre est

---

16. Patrick Tachouzin, *Henri de Navarre à Nérac. Les marches du trône*, Nérac, 1989.

l'étrange gouverneur[17] le socle de la réunification nationale. A force de sillonner ces terres, grasses ici et là caillouteuses, ces vignes et ces garennes, ces châtaigneraies et ces avoines, à force de galoper de Nérac à Castillon, de Bergerac à Libourne, ils se sont créé une ébauche de royaume, une France d'oc qui doit servir de creuset à l'État qu'il faut enfin bâtir – à la suite de ces Valois exténués auxquels la couronne échappe sans retour.

Le dialogue entre le Béarnais aux odeurs fortes et le hobereau de Dordogne qui invente la pensée moderne, nous n'en avons que quelques traces indirectes. Qui serait assez hardi pour oser le réinventer ? Mais pour faire écho à ces échanges des bords de Baïse, nous disposons tout de même d'une lettre merveilleuse, celle que le plus influent des conseillers d'Henri (Sully n'est encore, dans la pénombre, que le rugueux seigneur de Béthune), Philippe Duplessis-Mornay, lui adresse en 1585, à la veille des grandes négociations que nous allons maintenant évoquer. N'est-ce pas un appel digne de Montaigne, et qui semble – ventre-saint-gris ! – sorti de la main de l'auteur des *Essais*, à l'usage du prétendant : « Les yeux de chacun sont arrêtés sur vous […]. A vous, qui êtes né pour tous […] la réputation de vertu et de prudence sont nécessaires […]. Ces amours si découverts, et auxquels vous donnez tant de temps, ne semblent plus de saison. Il est temps, Sire, que vous fassiez l'amour, et à toute la chrétienté, et particulièrement à la France[18]. »

Il est temps, en effet…

A la fin de 1586, Montaigne est encore trop isolé, divaguant, déphasé pour être mêlé à la première phase des entretiens. Mais on peut être assuré qu'il fait tous les vœux pour l'aboutissement de la mission que s'est donnée cette Médicis ténébreuse qu'il ne se retient pas d'admirer et qui, au moment où s'achève cette année si funeste pour lui, marche vers sa Guyenne, en quête de la paix qu'il attend passionnément. Entre la reine mère épuisée d'intrigues et de veilles et le

17. Janine Garrisson le qualifie d'« impeccable », nous l'avons vu. Les meilleurs historiens ont le droit de faire sentir où vont leur sympathie…
18. Patrick Tachouzin, *Henri de Navarre à Nérac*, *op. cit.*, p. 103.

prétendant béarnais qui escalade quatre à quatre les marches du trône, sans pour autant être assuré d'y poser les fesses, est-ce l'entrevue de la dernière chance ? Certes non : il y a toujours une « autre » chance. Mais saisir celle-ci épargnerait tant de ruines...

C'est au château de Saint-Brice, proche de Cognac, que la vieille reine mère de trois rois et Henri de Navarre, son gendre, se font face, le 13 décembre 1586. Henri, le « reyot » de Navarre, pouvait être la séduction même. Il se fit, face à sa belle-mère, brutal, sinon discourtois, espérant compenser par une outrecuidance nourrie de rancune sa relative et temporaire faiblesse : à travers l'Aquitaine entière, son vieil adversaire, le maréchal de Biron, et son partenaire de naguère, Matignon – privé de l'apaisante influence de Montaigne –, lui font la chasse, d'ordre du roi. Alors que vient-elle faire, la doyenne ? (Il le sait bien, mais il faut se faire, de la méfiance, une arme...)

Trois entretiens, du 13 au 16, et c'est l'échec mais pas tout à fait la rupture : on couvre la séparation sous l'annonce d'une trêve. Henri n'a retiré, de ce tête-à-tête maussade, qu'une idée : les Valois veulent faire de lui un supplétif, un contrepoids aux Guise, rien de plus. En quoi il sous-estime la démarche de Catherine.

Loin de se cantonner à l'une de ces opérations tactiques dont elle est coutumière, la vieille dame est prête à enclencher le processus de légitimation du prétendant, qui passe, pour elle comme pour beaucoup d'autres, par sa conversion à la religion majoritaire. Faisant mine d'oublier les deux rebuffades infligées sur ce thème par le Béarnais au duc d'Épernon, venu dix-huit mois plus tôt faire la même offre de la part du roi [19], Catherine a cru que ce qui avait été refusé à un favori de son fils ne saurait lui être marchandé, à elle. Peine perdue.

Mais elle est obstinée, cette faiseuse de rois. Elle va tenter de relancer la négociation en mandant un intermédiaire plus propre qu'elle à éveiller la sympathie du partenaire huguenot. Michel de Montaigne, elle le connaît bien, et de longue date – comme le reconnaît le très prudent Donald Frame, après Strowski, après Nicolaï surtout, qui soutient, lui, que le sens profond des *Essais* est un plaidoyer pour la politique d'équilibre de la reine mère, tendant en fin de compte à la conciliation. Ce qui est tout de même aller bien loin.

---

19. A Saverdun, puis à Pamiers.

Nous nous sommes demandé déjà si c'était Catherine qui avait appelé Montaigne à la Cour, entre 1572 et 1576, pour servir de « tampon » entre son gendre huguenot et ce Guise qui avait été l'amant de sa fille avant qu'elle n'épouse Navarre. La question reste entière : mais Catherine faisait à coup sûr grand cas de Montaigne. C'est pourquoi, le 31 décembre – deux semaines après l'interruption des pourparlers de Saint-Brice –, la reine dicte la lettre suivante :

« Me Raoul Féron, mon conseiller trésorier et receveur général, pour ce que j'écris à Montaigne que lui et sa femme me viennent trouver, je veux et vous ordonne que vous lui fournissiez, outre les C écus que vous lui avez déjà baillés ces jours ici, encore cent cinquante écus, tant pour renouveler un des chevaux de sa chariotte, que pour satisfaire à la dépense extraordinaire, venant par les champs que aussi pour l'achat de quelques hardes qui leur sont nécessaires [20] [...]. »

On a mis en doute que ce Montaigne-ci fut le nôtre. Il y en avait un autre, prénommé François, dans l'entourage de la reine [21]. Et ces « quelques hardes » font bien misérable, s'agissant d'un chevalier de la chambre du roi... C'est oublier l'état pitoyable où se trouve le châtelain de Montravel à la fin de 1586, et cette « chariotte » semble bien résumer à elle seule son errance désolée, en même temps que la référence à sa femme, la dimension familiale de ses épreuves.

Rien de mieux « fléché » donc que ce message. Nous ne connaissons malheureusement pas la réponse que lui fit Montaigne, mais pouvons d'autant mieux supposer qu'elle fut plus ou moins dilatoire – il a, « sur les bras », sa famille et ses gens – que la reine lui adressa un nouvel appel plus pressant, doublé d'une allocation plus substantielle que la première, non sans en informer le roi son fils, le 18 février 1587 : « Monsieur mon fils, j'ai dit et commandé, suivant votre intention, au sieur de Malicorne ce que voulez être fait de Montaigne ; à quoi aussi je tiendrai la main et à tout autre chose concernant votre service, selon votre intention, ès provinces de deçà. »

Certains ont fait observer que l'auteur des *Essais* ne dut pas souhaiter alors servir de truchement entre Catherine et Navarre, non qu'il

---

20. Catherine de Médicis, *Lettres*, t. IX, p. 132.
21. Dont il était l'un des cent onze « secrétaires », et peut-être, selon L'Estoile, davantage. Un libelle du temps assure même qu'il « frottait son lard » contre celui de la régente...

ne jugeât pas opportunes les démarches de la première et qu'il eût renoncé à sa sympathie pour le second, mais parce qu'il ne croyait pas réalisable dès cette époque – lui, l'homme du possible – le retour dans le giron catholique de son ami de Nérac : pourquoi aller dilapider son crédit dans une tentative vaine ?

Cette objection ne tient pas. Montaigne ne se dissimulait certes pas l'extrême difficulté de l'entreprise, moins du fait de la solidité des convictions du prétendant au trône que de celle des liens qui le rattachaient à la société, aux armes, à la culture calvinistes. Comment passer d'un environnement solide et enthousiaste à un monde peuplé d'espions et d'assassins potentiels – comme au Louvre entre 1572 et 1576 ? Henri n'était pas près d'oublier l'extraordinaire renaissance qu'il avait vécue après son évasion du Louvre et la galopade de Senlis à Nérac, l'accueil enthousiaste de ses coreligionnaires béarnais, le retour à un monde protestant qui avait fait de lui, pour mille raisons, son héros.

Mais Michel de Montaigne pensait aussi que le prétendant, ayant fait du trône son objectif, sa raison d'être, avait conscience d'y être appelé par une manière de décret de la providence – une providence qui aurait la main lourde et la dague tranchante… Il savait bien que les quatre-vingts pour cent des Français qui professaient le catholicisme, de Nancy à Bayonne, ne distinguaient guère leur attachement au trône de leur fidélité à l'Église. L'auteur des *Essais*, si fort qu'il admirât le Béarnais, n'était pas loin de penser que sa grandeur et son aptitude à régner se mesureraient à sa capacité de trancher le nœud gordien, celui de la confession.

On mesure à quel point son estime pour « nousté Enric » est devenue conditionnelle à ce fragment de portrait qu'il trace d'un personnage en qui l'on a longtemps cru reconnaître Henri III, pour le ton critique qu'adopte Montaigne, fort peu favorable, on le sait, à la personne du roi – alors qu'à partir d'une indication de Florimond de Raymond, ami de l'essayiste, la plupart des érudits montaignistes y voient désormais Henri de Navarre : « J'en sais un […] de qui tous les jours on corrompt la bonne fortune par telles persuasions : qu'il se resserre entre les siens, qu'il n'entende à aucune réconciliation de ses anciens ennemis, se tienne à part, et ne se commette entre mains plus fortes, quelque promesse qu'on lui fasse, quelque utilité qu'il y voie » (I, 24).

Attribution essentielle. Parce qu'on entend à travers ces lignes un écho désolé de l'échec de la conférence de Saint-Brice et la condamnation de l'obstination (d'aucuns appellent ainsi la fidélité…) dont fait montre le fils de Jeanne d'Albret en se refusant à l'abjuration qui lui ouvrirait la voie du trône. Qu'on le veuille ou non, c'est alors[22] le point de vue de Montaigne, comme de Catherine de Médicis et des « politiques » ses amis. A l'inverse de la formule fameuse qui sera forgée pour résumer la volte-face du Béarnais en 1594, le philosophe gascon doit alors soupirer : refuser le trône et la paix pour quelques psaumes…

Le degré d'implication de Michel de Montaigne dans ce qu'on pourrait appeler les suites de l'« opération Saint-Brice » est mal connu. Mais, très réservé d'ordinaire sur les activités politiques ou publiques de l'auteur des *Essais*, Donald Frame va cette fois jusqu'à écrire : « Il semble presque certain que l'homme convoqué par Catherine pour essayer de rallier le réticent Navarre était bien l'ancien maire de Bordeaux qu'elle connaissait, respectait et à qui elle faisait confiance depuis de nombreuses années. »

On retient en tout cas cette confidence capitale de l'auteur des *Essais*, non datée mais qui se rapporte évidemment à la séquence historique en question :

> Je me prêche il y a si longtemps de me tenir à moi et séparer des choses étrangères ; toutefois, je tourne encore toujours les yeux à côté : l'inclination, un mot favorable d'un grand, un bon visage me tente. […] J'entends encore, sans rider le front, les subornements qu'on me fait pour me tirer en place marchande, et m'en défends si mollement qu'il semble que je souffrisse plus volontiers d'en être vaincu (III, 12).

Ce petit texte sinueux, si suggestivement balancé, fait paraître un Michel que l'on veut alors « tirer en place marchande », c'est-à-dire où l'on négocie et marchande, où l'on est au feu des affaires, qui résiste « mollement » et n'attend que d'être « vaincu » comme il l'a été pour devenir maire de Bordeaux.

La différence est que, cette fois, Henri III ne lui intime pas, comme en 1581, l'ordre d'accepter. Au contraire, le roi ordonne à sa mère de couper court : si Navarre veut rester hérétique, qu'il s'enferme donc à

---

22. Jusqu'en 1591 (cf. *infra*, chap. XIII).

Nérac ou à La Rochelle – et tant pis s'il laisse le champ libre à ces messieurs de Guise…

Cette humeur du roi et de sa mère ulcérée de son échec de Saint-Brice et du comportement de son gendre (dont les relations avec sa fille « Margot » ne cessent de s'envenimer, jusqu'à la guerre…), Montaigne n'est pas loin de la partager. Le penchant qu'il éprouve pour Navarre, la conscience qu'il a de sa supériorité ne le retiennent pas de penser qu'Henri a peut-être laissé passer sa chance. S'il a, comme il semble, choisi d'être parpaillot à Nérac plutôt que roi catholique à Paris, c'est à Henri de Guise que sourit désormais la fortune.

Faut-il retenir l'hypothèse formulée par Roger Trinquet [23] d'un Montaigne alors fasciné par le hardi chef de la Ligue, qui sait, lui, saisir ses chances à pleines mains, quoi qu'il pense de l'assassin de la Saint-Barthélemy – mais nous avons appris que Montaigne savait relativiser l'horreur ? Il semble en tout cas que l'auteur des *Essais* ait connu, après l'échec des entretiens de Saint-Brice, avant la relance navarraise de l'automne, une « saison guisarde » – ce qu'attestent bon nombre de réflexions sur « le Balafré » dans son livre et la notation admirative déjà relevée dans son « Beuther », en guise d'oraison funèbre, l'année suivante.

Irait-on jusqu'à dire que sans ce balancement entre Guise et Navarre, Montaigne ne serait pas Montaigne ? Que son horreur des « nouvelletés » a pu le conduire jusqu'à avoir de l'indulgence pour la Ligue, ce rempart de l'ordre établi ? Que sa tendresse pour les héros de Plutarque lui a fait voir de la grandeur chez ce « Balafré » au gantelet de fer et à l'audace intrépide ? Que, poussée à l'extrême, la tolérance tolère l'intolérance ? Allons, le jeu ne vaut pas qu'on le pousse si loin, dès lors que le cap du dialogue est vite retrouvé, menant à la synthèse.

Une lettre de juin 1587 atteste que le châtelain de Montaigne a repris contact avec les huguenots et a retrouvé son rôle de truchement entre la Cour de Nérac et le maréchal de Matignon, son successeur à Bordeaux. En août, le maréchal informera la Cour que, selon l'un de ses gentilshommes, le roi de Navarre serait maintenant mieux disposé à faire la paix [24]. Montaigne était-il ce gentilhomme ? On a envie de le

23. *BSAM*, 4ᵉ série, n° 11, 1967.
24. Patrick Tachouzin, *Henri de Navarre à Nérac*, *op. cit.*, p. 38.

croire… Envie seulement. Voici en tout cas Michel rendu à lui-même et à son rôle, celui du médiateur, du pacificateur ou en tout cas du truchement.

Mais la paix, entre les trois Henri, ne pouvait aller sans de féroces préparations. A la fin de l'été 1587, le schéma se présente ainsi : Navarre est harcelé par les gens du roi sur « son » terrain de Guyenne, en difficulté avec la couronne du fait de l'échec des pourparlers de Saint-Brice ; il voit ses orageuses amours avec Corisande d'autant plus troublées qu'il s'est entiché à La Rochelle d'une Esther d'Isambert, fille d'un bourgeois de la ville, tandis que « Margot », son épouse, porte alors la scène de ménage au rang d'épisode stratégique en soulevant Agen contre lui… Il semble en déclin.

Guise, lui, est au zénith, depuis l'accord de Nemours qui lui a donné prise sur les décisions de la Cour : mais il n'a pas compris qu'Henri III et Catherine ne sont jamais plus redoutables qu'acculés à la défense, et que le contrôle de Paris leur assure, pour longtemps semble-t-il, le rôle d'arbitres dans ce grand jeu des confessions, des provinces et des dynasties.

Très conscient de cet avantage, le roi va tenter soudain de déployer ses cartes : vers le sud, en cassant la force militaire du Béarnais ; vers le nord, en faisant s'affronter les forces des Guise et les reîtres au service du prétendant huguenot : quand celui-ci aura été vaincu par une armée commandée par son favori Anne de Joyeuse, et celui-là durement éprouvé par le choc des cavaliers allemands, l'arbitrage lui sera assuré, à lui, le souverain valois…

Rien ne se passe comme prévu : loin d'être malmené par les reîtres réformés, Henri de Guise leur inflige une cruelle défaite le 26 octobre 1587, avant de les acculer à la capitulation, quelques semaines plus tard. Mais ce sont des nouvelles bien plus cruelles encore que le roi reçoit simultanément de Guyenne Cédant aux instances des prédicateurs de la Ligue, il y a dépêché contre le huguenot son cher Anne de Joyeuse, nommé par ses soins grand amiral de France. Le favori, qui avait pour consigne de faire sa liaison dans la région bordelaise avec le maréchal de Matignon, s'est impatienté des lenteurs (calculées…) du successeur de Montaigne et, sans l'attendre, a couru sus aux réformés : à Coutras, le 20 octobre 1587, le « mignon » du roi est défait et tué par le Béarnais qui remporte là sa première grande victoire.

De cette victoire Henri de Navarre va faire un usage qui le situe bien au-dessus du statut d'heureux capitaine : se refusant à poursuivre et exterminer les vaincus, célébrant solennellement, en un culte catholique, les dépouilles de Joyeuse et de son frère Saint-Sauveur, il va courir jusqu'au fin fond de son Béarn, à Navarrenx, porter les drapeaux de la victoire à la « grande Corisande », qui est sa maîtresse[25], bien sûr, mais aussi la militante catholique la plus notoire – et influente – de son entourage. Ce qui était faire d'une alcôve un autel de la paix... Deuxième signe, après ses gestes de clémence à l'issue de la victoire, de son souci de conciliation.

Il va en donner un troisième, qui nous intéresse mieux encore : trois jours après Coutras, et avant de courir jusqu'à Navarrenx, Henri vient à Montaigne demander l'hospitalité du châtelain – pour la deuxième fois. Mais, contrairement à ce qu'il a fait trois ans plus tôt, lors de la première visite du roi, en 1584, Michel ne fait aucune mention de la présence du roi à Montaigne dans son « Beuther » : preuve qu'il s'agit cette fois d'une opération de haute politique. Sa déjà longue expérience lui a appris qu'en ce domaine la discrétion est de mise.

Auteur d'un fort bon livre sur Corisande d'Andoins[26], Raymond Ritter suggère que si le roi fit visite à Montaigne dès le lendemain de la bataille de Coutras, ce fut pour remercier son hôte, persuadé que si le maréchal de Matignon n'était pas accouru à la rescousse de Joyeuse à Coutras, depuis Bordeaux tout voisin, c'était parce que Montaigne avait convaincu son vieil ami de ne point s'en mêler...

On en est réduit ici aux conjectures. Mais il y a fort à parier que, entretenant son hôte, le châtelain revint sur l'échec de Saint-Brice et la perspective du ralliement d'Henri de Navarre à la religion de ses pères. Sa victoire de Coutras ne donnait-elle pas un autre style à sa conversion – humiliante de la part d'un prisonnier ou d'un vaincu, comme en 1572, noble chez un vainqueur ? Mais n'essayons pas de faire parler l'auteur des *Essais*, au risque d'affadir piteusement son argumentation qui dut, face au bouillant Navarre, étinceler de mille feux...

Bref, le roi s'en fut rejoindre Corisande. Qu'il n'eût pas poursuivi les vaincus de Coutras, qu'il eût tardé ensuite de regagner Nérac avait

25. Pour quelque temps encore...
26. Raymond Ritter, *Une dame de chevalerie*, Paris, Albin Michel, 1959.

fait courir le bruit de sa mort. Au point que, alléché, Henri de Guise vint s'en enquérir auprès d'Henri III. Selon Pierre de L'Estoile, quand le duc lui posa la question, le roi se chauffait auprès du feu. Il se prit à rire : « Je sais le bruit qui court ici et pourquoi vous me le demandez. Il est mort comme vous. Il se porte bien et est avec sa putain[27]. »

Qui, de ces deux Henri-là, est alors le plus marri ? Le roi, à coup sûr, dont le rire sonne faux, comme un assez piètre défi : le Béarnais a vaincu Joyeuse à Coutras, « le Balafré » a écrasé les reîtres en Lorraine, et lui se trouve pris en tenaille entre le renard et le loup – lequel, convoquant à Nancy le ban et l'arrière-ban des ligueurs et « guisards », s'apprête à dicter ses conditions à Henri III. En cette fin d'année 1587, il apparaît que si le Valois et le Béarnais ne parviennent pas à s'entendre, c'est « le Balafré » qui raflera la mise…

Pour éviter cette fâcheuse issue, pour sauver les chances de la légitimité, pour préserver la concorde dont est encore riche la France après huit guerres de religion, Michel de Montaigne va entamer, aux premiers jours de 1588, la plus grande mission politique de sa vie, qui l'eût situé au rang de ces hommes publics par la grâce de qui un peu moins de violence prévaut parmi les hommes, s'il n'y avait été mis surtout par la vertu de son livre.

27. Pierre de L'Estoile, *Journal pour le règne d'Henri III,* Paris, Gallimard, 1943, p. 510.

CHAPITRE XII

La grande mission de 1588

• Où M. de Montaigne remonte à cheval... et tombe dans une embuscade en forêt • Un mot à la reine mère • Sir Edward et don Bernardino • Échec à Montaigne • Apparition de Marie • Où les *Essais* sont mis à la Bastille • « Le Balafré » ? Non, le roi • « Plus grand mort que vivant ! »

Le 24 janvier 1588, Philippe Duplessis-Mornay, le plus écouté des conseillers d'Henri de Navarre, écrit de Montauban, seconde capitale des huguenots, à sa femme restée à Nérac : « M. de Montaigne est allé en cour. On nous dit que nous serons bientôt recherchés de paix par personnes neutres. »

« En cour... » : il s'agit évidemment de *la* Cour, celle d'Henri III et Catherine, sa mère. « Recherchés de paix... » : la grande négociation entre les deux rois qui court comme le furet, de Saverdun à Pamiers (par le truchement du duc d'Épernon) et à Saint-Brice (conduite par Catherine), reprend donc, menée cette fois par l'auteur des *Essais*.

On verra que le thème majeur n'en est peut-être pas cette fois l'abjuration du Béarnais, qui a dit et redit le dégoût que lui inspire cette procédure. Mais le dialogue entre Henri III et son beau-frère devient si tendu que Montaigne est flanqué, pour cette mission, du comte Odet de Thorigny, officier de haut rang et fils de son ami le maréchal de Matignon : résurrection de l'équipe qui a sauvé la paix cinq ans plus tôt en Guyenne.

Quant à parler de « personnes neutres », c'est beaucoup dire – et Duplessis-Mornay, qui connaît bien et estime Montaigne, sait à quoi s'en tenir : l'ancien maire de Bordeaux n'est pas « neutre » mais, pour catholique qu'il soit, convaincu que c'est entre le Valois et le Bourbon, indépendamment des implications religieuses, que la paix et l'unité du royaume doivent être trouvées.

De quelle mission sont donc chargés le philosophe impliqué dans la « chose publique » et le grand seigneur militaire ? Étrangement, ces émissaires catholiques partent des terres du huguenot pour s'en aller solliciter ce roi si féru de rituels papistes. Retournement, sinon du sens, au moins de la démarche.

Tout indique (mais les preuves manquent) que Montaigne a vu le roi de Navarre avant de piquer sur Paris. A Moissac, non loin de Montauban, d'où écrit Duplessis-Mornay et où séjourne probablement le Béarnais ? Si l'auteur des *Essais* s'emploie à renouer le fil, c'est en tout cas avec l'aval, peut-être à la demande du roi de Navarre. S'il est accompagné du fils du prudent maréchal, c'est à coup sûr avec l'approbation, voire sur les instances de la Cour – Henri III et Catherine admirent certes Montaigne, sans être certains de le contrôler tout à fait.

Mais qui demande quoi à qui ? Compte tenu de la plus récente évolution à la fin de 1587 (victoire d'Henri à Coutras mais défaite de ses alliés allemands et gestes d'apaisement du Béarnais en direction des catholiques), Montaigne est-il chargé de prévenir Henri III que son beau-frère réformé n'exclut plus tout à fait de s'orienter vers la conversion ? Il est clair en tout cas que les rumeurs défavorables sinon angoissées qui, du côté huguenot, font écho au voyage de Montaigne manifestent la vive inquiétude qui s'est emparée des plus intransigeants des compagnons du souverain de Nérac. Ne va-t-il pas céder aux exigences papistes ?

Alarmes vaines ou prématurées. Tout donne à penser au contraire qu'en ce début de 1588 la tendance de Navarre n'est pas à l'abjuration. En dépit de l'épisode des drapeaux de Coutras, sa passion pour Corisande s'est un peu émoussée, ne serait-ce qu'en raison de la liaison avec Esther – qui lui donne l'occasion de frayer, à La Rochelle, avec les plus sévères des calvinistes : si tu pèches, que ce soit au moins dans le sein de la Réforme… Montaigne est informé de cet état d'esprit. S'il avait eu quelques doutes, les entretiens de Moissac (ou de Montauban) les auraient levés.

La mission qu'accomplit alors l'auteur des *Essais* à la Cour ne tend donc pas à la capitulation religieuse de son visiteur d'octobre. Mais le sujet qui pouvait faire l'objet d'une négociation ou d'un échange, c'était le rapport du souverain régnant avec le huguenot d'une part, et de l'autre « le Balafré ». Depuis la défaite de Joyeuse en Guyenne et la victoire de Guise contre les reîtres, Henri III ne jugeait-il pas que la balance pesait trop lourdement du côté de la Ligue ? Ne se sentait-il pas trop faible, trop isolé pour ne pas chercher l'alliance de son beau-frère contre Guise, dont l'arrogance ne cessait de croître ? Navarre était trop fin pour n'avoir pas compris cela...

Tel pourrait bien être l'objet de la « grande mission » de Montaigne : une alliance militaire contre les Guise, annulant le traité de Nemours, plus vraisemblable qu'une remise à jour de la question religieuse, alors hors de propos. Nous verrons que la suite des événements montrera la pertinence de cette hypothèse[1], au moins à long terme. D'ailleurs, la présence d'un militaire auprès du philosophe-diplomate tend à l'accréditer.

Cette mission est-elle la plus importante de celles qui furent confiées à Montaigne dans le domaine public, des lendemains de la Saint-Barthélemy à la mairie de Bordeaux et des contacts avec les réformés de Bâle aux entretiens avec Navarre ? C'est en tout cas la mieux signalée par les documents, la plus « historique », si l'on peut dire. Ainsi allons-nous voir ce voyage diplomatique constamment ponctué par des dépêches d'ambassadeurs et des confidences échangées entre les différents protagonistes.

On croit pouvoir situer l'origine de l'expédition à Moissac, d'où, après avoir pris divers contacts avec l'entourage de Navarre – sinon le roi lui-même – et Matignon, qui lui offre l'assistance de son fils, Michel de Montaigne met le cap sur Paris le 23 janvier 1588. Il semble avoir fait escale le 26 ou le 27 à Montaigne – après que Duplessis-Mornay eut, comme on l'a vu, prévenu sa femme et donc la cour de Nérac (mais pas les navarristes de Paris, qui en seront offensés) de la mission qu'il accomplit.

Dès le 1ᵉʳ février, alors que l'auteur des *Essais* et Thorigny chevauchent vers Paris, l'ambassadeur d'Angleterre, sir Edward Stafford,

---

1. Soutenue, notamment, par Roger Trinquet.

naturellement lié aux milieux protestants, adresse le message suivant à son ministre, sir Francis Walsingham : « La nouvelle est arrivée aujourd'hui que le fils du maréchal de Matignon vient ici, et on l'attend d'un moment à l'autre ; qu'il amène avec lui un certain Montigny, gentilhomme très sage du Roi de Navarre, qu'il a donné sa parole de présenter au Roi. Je n'ai jamais de ma vie entendu parler de cet homme [2]. » Comme quoi on peut être un ambassadeur diligent, et bien mal informé de la vie culturelle de son temps : nous avons vu qu'en Italie, dès 1581, sept ans plus tôt, Montaigne était honoré comme l'auteur d'un ouvrage assez répandu parmi la noblesse et les notables du temps. Au surplus, Montaigne avait été par deux fois maire de Bordeaux, une ville qui ne laissait pas les Britanniques indifférents...

Le texte du diplomate anglais appelle deux autres remarques : ce « Montigny », personne n'a mis en doute qu'il ne désignât l'auteur des *Essais*, ne serait-ce que parce qu'il est décrit comme gentilhomme du roi de Navarre. Quant à « présenter » au roi un homme qu'Henri III connaissait fort bien, et depuis longtemps, c'est là une mission que ne se serait pas donnée M. de Thorigny...

Bref, voilà l'entreprise placée sous le regard des plus considérables observateurs étrangers. Mais ceux-ci ne sont pas seuls à s'intéresser à la chevauchée : peu de jours après leur départ de Guyenne, Montaigne écrit au père de son compagnon :

> Monseigneur, vous avez su notre bagage pris à la forêt de Villebois [3] [...]. La tempête est tombée sur moi qui avais mon argent en ma boîte. Je n'en ai rien recouvré, et la plupart de mes papiers et hardes leur sont demeurés [...]. Le roi a dépêché messieurs de Bellièvre et de la Guiche vers monsieur de Guise pour le semondre de venir à la Cour. Nous y serons jeudi.

Ainsi Montaigne et Thorigny sont-ils tombés dans une embuscade. Des brigands ? Bien que son « argent » et ses « hardes » soient restés aux mains des agresseurs (pour donner le change ?), il s'agit à coup sûr d'un coup de main des huguenots, avertis ou non de la mission des voyageurs. Le fait est que, dans sa lettre, Montaigne informe Matignon

---

2. Cité par Donald Frame, « Du nouveau sur le voyage de Montaigne à Paris en 1588 », *BSAM*, n° 22, juin 1962.
3. Villebois-Lavalette, près d'Angoulême.

que Thorigny et lui ont été libérés sur l'intervention du prince de Condé [4], l'un des chefs du parti huguenot, alors basé non loin de là, à Saint-Jean-d'Angély, ce qui montre bien qu'il s'agissait d'une « bavure » ou d'un excès de zèle de « religionnaires » enragés contre ces voyageurs de l'autre camp. De toute façon, rançonner les papistes est faire œuvre pie.

De la lettre de Montaigne il ressort en outre que l'un des deux cavaliers fit un détour par Montrésor, près d'Orléans, résidence de la famille du duc de Joyeuse, pour saluer les parentes des vaincus de Coutras : geste probablement politique, visant à amadouer le camp catholique, pour ne pas dire la Ligue, dont le malheureux favori du roi avait été un sympathisant déclaré.

C'est vers le 20 février que Montaigne et Thorigny parvinrent à Paris, où régnait une atmosphère peu propice à leur projet, fort défavorable au Béarnais et extrêmement agitée en faveur de la Ligue Montaigne, qui n'avait pas séjourné dans la capitale depuis plusieurs années, fut stupéfait, semble-t-il, par ce que Roger Trinquet décrit comme un climat « d'émeute, de fureur ligueuse et d'idolâtrie pour les Guise ».

Et la visite qu'il ne manqua pas de faire, dès son arrivée, à la reine mère, sa vieille interlocutrice, ne fut pas faite pour le rassurer : autour de Catherine, l'influence du « Balafré » ne cessait de s'affirmer, en dépit des sympathies contraires manifestées par le duc d'Épernon, seul survivant des favoris du roi. Il est vrai que ce seigneur gascon peut à lui seul faire pencher la balance, étant le fondateur et le chef de la redoutable phalange des « Quarante-Cinq », qui attend son heure...

Bref, c'est dans un climat hostile que Montaigne et Thorigny accomplirent leur mission parisienne – surtout s'il est bien vrai que leur véritable objectif était le renversement des alliances et la substitution au traité de Nemours d'une coalition des deux rois contre les Guise. Au surplus, ni l'une ni l'autre des deux puissances étrangères les plus impliquées dans les affaires françaises – or et armes mêlés – ne considéraient sans méfiance l'alliance projetée : l'Anglaise Élisabeth parce qu'elle voyait se préciser la menace à long terme du ralliement du

---

4. Le plus proche lieutenant de Navarre à la tête du parti réformé. Il devait mourir un mois plus tard.

Béarnais au catholicisme, l'Espagnol Philippe II parce que cette démarche ne visait pas à moins qu'à l'élimination de ses alliés et obligés de la Ligue…

La correspondance diplomatique suscitée par la grande mission de Montaigne est d'un exceptionnel intérêt, pour ce qui a trait tant au jeu des puissances dans la France des guerres de religion qu'aux méthodes utilisées alors par les professionnels et, enfin, à la personnalité de l'auteur des *Essais* vue par des observateurs étrangers.

Le jour même de l'arrivée à Paris de Montaigne et Thorigny, sir Edward Stafford, toujours aux aguets, écrivait à lord Burghley, ministre du Trésor, son plus puissant ami à la Cour de Londres :

« J'[ai] parlé à M. le secrétaire [Walsingham] dans une lettre chiffrée […] de la venue ici d'un certain Montaigne de la part du Roi de Navarre, envoyé avec le fils de Matignon ; et comment tous les serviteurs du Roi de Navarre ici sont jaloux de son arrivée, parce que d'une part il n'a pas à s'adresser à eux, et que d'autre part ils ne savent pas un iota des raisons de son voyage ; et d'ailleurs […] ils le soupçonnent d'autant plus qu'il est un grand favori de la comtesse de Bishe [5], qui gouverne, dit-on, le Roi de Navarre à sa guise ; et qui est une femme très dangereuse ; et qui gâte la réputation du Roi de Navarre dans le monde entier ; car il est tout à fait assoté [6] d'elle, comme on dit. Ils craignent, et moi aussi, qu'il ne soit venu traiter de quelque affaire particulière avec le Roi, à l'insu de tous ceux de la Religion ; car certes, personne n'en sait rien, et l'on croit que ni Duplessis-Mornay, ni le vicomte Turenne, ni aucun autre de cette religion n'en a la moindre connaissance.

« D'ailleurs, l'homme dont il s'agit est catholique, homme très capable, a une fois été maire de Bordeaux, et n'est pas homme à accepter la charge d'apporter au Roi quelque chose qui ne lui plaise pas. Et le maréchal de Matignon n'aurait pas entrepris de le faire escorter par son fils, s'il n'avait été bien sûr que sa commission […] ne déplaise pas au Roi. Je n'ai pas écrit sans but […] que je craignais que le Roi de Navarre ne se trouvât contraint, bon gré mal gré, de satis-

---

5. Évidemment « Guiche », autre nom de Corisande d'Andoins, puis de Gramont. L'erreur vient peut-être de ce qu'on disait volontiers de Navarre, grand chasseur en tous genres, qu'il « courait la biche »…
6. « Rendu sot » ou « fou »…

faire le Roi ; ce que je ne verrais pas volontiers arriver à l'insu de la Reine, et sans qu'elle eût en quelque sorte sa part de l'affaire[7]. »

En dépit de son ignorance littéraire, voilà un ambassadeur qui fait bien son métier ! Quelle intelligence, et quelle information – bien qu'il crût que Duplessis-Mornay n'était pas au courant de l'affaire, ce que nous savons inexact, et qu'il semblât craindre que la mission n'ait pour objet l'abjuration du Béarnais ! Mais, à part cela, sir Edward, qui connaît bien son monde, dénoue la plupart des fils de la pelote avec une admirable sagacité. Nous verrons qu'il n'avait pas que des vertus : mais cet homme-là est bien de ceux dont la finesse et le « métier » ont fondé la suprématie du renseignement anglais pendant des siècles.

C'est cinq jours plus tard seulement (le 25 février) que l'ambassadeur d'Espagne à Paris, don Bernardino de Mendoza, écrit de son côté à son roi, Philippe II :

« Aujourd'hui j'ai des lettres nouvelles d'Érac[8] qui disent que le Béarnais a conféré avec Memoranci[9]. Le résultat de leur réunion est que le Béarnais ne pourra déclarer sa décision avant la fin de mars ; et qu'à la réunion se trouvaient comme messagers deux gentilshommes de M. de Matignon, Gouverneur de Bordeaux, avec lettres et messages ; ce qui donne à entendre que la communication secrète continue que ce Roi [Henri III], dit-on, maintient avec le Béarnais. Et en cet endroit-ci [Paris] est arrivé, dit-on, M. de Montaigne, qui est gentilhomme catholique et qui suit le Béarnais sous la direction de Matignon ; et parce que ceux qui conduisent les affaires du Béarnais ne savent pas la cause de sa venue, ils soupçonnent qu'il a en main quelque commission secrète[10]. »

Qui s'étonnerait de telle ou telle coïncidence entre les télégrammes de l'Anglais et de l'Espagnol doit être instruit d'un détail : que celui-là vendait ses informations à celui-ci. Invraisemblable, à cette époque de tension extrême entre les deux royaumes (celle de l'expédition de « l'Invincible Armada », tentative de conquête de l'Angleterre par

---

7. Lettre publiée par Donald Frame, « Du nouveau... », art. cit.

8. S'agit-il de Nérac ?

9. Montmorency, généralement appelé « Montmorency-Damville », gouverneur du Languedoc, qui, bien que catholique, était très favorable à Navarre, dont il flanquait à l'est, en bonne intelligence, les « provinces unies » protestantes.

10. Cette lettre de Mendoza et la suivante sont citées *in* Raymond Ritter, *Une dame de chevalerie, op. cit.*

l'Espagne)? Le fait est que « traître » ou pas (peut-être bon gestionnaire de ses talents), le diplomate anglais recevait de forts pourboires
de son rival espagnol en échange de « tuyaux » que le premier devait
juger éventés, en tout cas précédés par ce qu'il avait déjà transmis à
Londres...

La suite de l'affaire montre que Mendoza ne faisait pas toujours le
meilleur usage de ces informations de seconde main. Le 28 février est
posté de Paris ce message pour Philippe II :

« Monsieur de Montaigne, de qui j'ai écrit à Votre Majesté dans
une de mes lettres du 25, est tenu pour un homme d'entendement,
quoiqu'un peu brouillon. On me dit qu'il gouverne la comtesse de
La Guisa[11] – qui est une dame très belle, et vit chez la sœur[12] du Béarnais parce qu'elle est la dame de son frère – et que le Béarnais est
en relation avec lui. Et pour cela on juge qu'il a en main quelque commission, et que le Roi veut se servir de Montaigne pour qu'il intercède
auprès de ladite comtesse de La Guisa pour persuader au Béarnais
d'en venir à ce que désire le Roi.

« Les huguenots affirment que dans la réunion [d'Henri de Navarre
avec] Memorenci a confirmé de nouveau le pacte qu'il a avec lui, et l'a
même juré. »

Cette dernière indication est erronée : Montmorency rencontrait
quelquefois son voisin Navarre, mais précisément pas à cette époque.
Et la thèse de l'abjuration d'Henri de Navarre en échange de l'alliance
contre la Ligue est reprise avec une insistance un peu balourde : depuis
le début de la mission de Montaigne, la nouvelle avait bien dû percer
les murailles du Louvre, que cette exigence du roi vis-à-vis de son
beau-frère n'était pas (pas encore ?) de saison...

En fait, la mission du philosophe et du capitaine avait d'ores et déjà
échoué. Henri III, si vive fût sa haine pour l'outrecuidant « Balafré »,
était trop bien encadré par sa mère, ses « mignons » et ses confesseurs
pour transiger sur la question religieuse : pas d'abjuration, pas d'alliance. Même si le Béarnais suggérait (ce qui n'est pas certain) qu'une
fois Guise vaincu il serait mieux disposé à reconnaître les vertus de
la religion romaine...

---

11. « Guiche », bien entendu. (Elle n'a pas de chance avec son nom !)
12. Catherine de Bourbon, sœur d'Henri, grande amie de Corisande.

En tout cas, le refus du roi de transiger sur la question religieuse en acceptant l'alliance militaire avant l'abjuration de son beau-frère intervint assez rapidement après l'arrivée de Montaigne à Paris pour qu'un émissaire, chargé d'en faire l'annonce au Béarnais, partît du Louvre dès la fin du mois : on signalera sa présence le 5 mars à Nérac.

On ne sait pourquoi ce ne sont pas les mêmes messagers qui furent chargés de porter la réponse de la Cour au Béarnais. Le roi et sa mère préférèrent-ils épargner à Montaigne la « corvée » de remettre une décevante réponse à son ami ? Étaient-ils trop fatigués pour reprendre la route ? Montaigne est dans sa cinquante-sixième année et souffre de la crise de goutte qui – rapporte son ami Pierre de Brach – devait s'ajouter cette année-là aux souffrances dues à la gravelle.

Le fait est que l'émissaire – cette fois François de Montesquiou, sire de Sainte-Colombe, proche compagnon du roi de Navarre – ne fut pas seulement chargé de signifier à son maître que l'abjuration était le préalable à toute alliance avec la Cour, mais aussi d'insister une fois encore en ce sens auprès du souverain de Nérac pour qu'il s'y décidât.

Il fut dit alors à la Cour de Navarre que, pressé par les membres catholiques de son entourage – dont Corisande, bien sûr –, Henri avait incliné à l'acceptation, ses conseillers huguenots le contraignant fina-lement au rejet, sous peine d'être par tous abandonné : moyennant quoi Corisande faisait valoir à Henri que bon nombre de catholiques étaient autant « à sa dévotion » que ceux de son propre parti...

Une lettre du Béarnais à sa maîtresse, datée du 8 mars, au cœur même de la tempête, manifeste bien le désarroi où il est alors plongé :

« Le Diable est déchaîné. Je suis à plaindre et est merveilles que je ne succombe sous le faix. Si je n'étais huguenot, je me ferais turc ! Ha ! les violentes épreuves par où l'on sonde ma cervelle ! Je ne puis faillir d'être bientôt ou fou ou habile homme [...]. Toutes les géhennes que peut recevoir un esprit sont sans cesse exercées sur le mien[13]. »

Le fait est que Montesquiou de Sainte-Colombe adressa le même jour à Henri III un message dans lequel le roi de Navarre remerciait le souverain du Louvre de sa « bonne volonté », réitérait l'offre trans-mise par Montaigne de l'« aider à combattre la Ligue pour pacifier l'État » et, en conclusion, faisait valoir qu'il ne pouvait « étouffer sa

---

13. *Recueil des lettres-missives d'Henri IV*, II, p. 342, lettre du 8 mars.

conscience ». Sur quoi Montesquiou demandait à Paris de nouvelles instructions pour le cas où la négociation pourrait être reprise[14].

En un mot comme en cent, la mission de Montaigne, la plus prestigieuse qui lui eût été confiée, avait échoué. Le messager commenta cet échec avec une certaine amertume dans les *Essais*. Réservant en apparence son indulgence aux ligueurs qui faisaient le siège d'Henri III et surtout de Catherine, il en rejetait la responsabilité principale sur l'entourage huguenot du roi de Navarre : « Ceux qui prêchent aux princes la défiance si attentive, sous couleur de leur prêcher leur sûreté, leur prêchent leur ruine et leur honte. Rien de noble ne se fait sans hasard [...] » (I, 24). Mais peut-être cette forte sentence vise-t-elle aussi ceux qui, au Louvre, chambraient l'héritier des Valois.

Un échec ? Bien sûr. Mais le seigneur de Gascogne savait mieux que personne à quel point les « hasards » de la vie publique sont multiformes ; que tel qui entre en maître au Sénat peut en sortir percé de coups ; que tel proscrit sera demain empereur, et que seule compte la libre lucidité du sage face aux « hasards » de la fortune et aux caprices du pouvoir.

Aussi bien n'est-il pas venu à Paris à seule fin de négocier le retournement des alliances entre les rois et les princes. Au-dessus de tout, Michel de Montaigne est l'auteur des *Essais* – osera-t-on écrire du livre III des *Essais* ? S'il a entrepris, dans l'état physique où il est, cette nouvelle chevauchée à travers le royaume, ce n'est pas « seulement » en tant que messager de la conciliation. C'est aussi en tant qu'écrivain, pour veiller à la publication par son éditeur parisien Abel l'Angellier[15] (substitué, pour plus d'éclat, au Bordelais Simon Millanges) de la nouvelle édition des *Essais*[16], enrichie des treize chapitres qui forment le livre III – où l'on a pu retrouver tour à tour

14. Philippe Duplessis-Mornay, « Réponse du roi de Navarre aux propositions du sieur de Sainte-Colombe, envoyé vers lui par le roi Henri III », *Mémoires et Correspondances*, IV.

15. L'une des orthographes possibles.

16. Juin 1588.

Le Prince, les *Pensées*, les *Confessions* et les *Mémoires d'outre-tombe* de ce gentilhomme gascon.

Homme de lettres ? Montaigne va se voir au cours de ce voyage confirmé, sacralisé en ce rôle par le signe qui sublime, surtout en France, le statut d'écrivain : l'adoration d'une femme très jeune, qui, à vingt-deux ans, se « jette à la tête » de l'auteur des *Essais* comme d'autres aux genoux de Chateaubriand ou Hugo.

Marie Le Jars de Gournay n'a pas très bonne réputation auprès des historiens des lettres [17]. « Femme savante », « bas-bleu » abusive, « vieille fille de naissance » (Donald Frame), accaparant la mémoire d'un homme illustre rencontré sur le tard et s'insinuant dans son mausolée à coups de citations douteuses... Ainsi est-elle traitée.

Le seul portrait d'elle que l'on tienne pour fidèle la montre dotée d'un nez pointu, le teint pâle, le front bombé, l'œil piquant : une petite raisonneuse de la Fronde, déjà, plus forte sur la grammaire que sur la bagatelle, moins exaltée que sûre de son goût. Comment un Gascon vieillissant n'aurait-il pas été flatté ? Sitôt reçue à Paris la lettre par laquelle Marie se proclamait sa disciple, il accourut et ne dut pas être consterné par le face-à-face, comme il arrive parfois en pareille occurrence. Il choisit de faire de Marie sa « fille d'alliance » : jolie formule, mais, s'agissant de l'auteur de « Sur des vers de Virgile », bien chaste.

L'écho qui est donné à Marie dans les *Essais* est faible. Sauf cette notation saisissante, que ne peut affaiblir telle ou telle de ces retouches que pratiquait sans scrupules excessifs cette diligente adoratrice : « [...] j'ai vu une fille, pour témoigner l'ardeur de ses promesses et aussi sa constance, se donner, du poinçon qu'elle portait en son poil, quatre ou cinq bons coups dans le bras, qui lui faisaient craquetter la peau et la saignaient bien en bon escient » (I, 14).

Les éditions publiées du vivant de Montaigne ne désignent pas cette « fille ». C'est dans une version posthume que Marie de Gournay précisa que l'auteur avait vu cette fille « en Picardie », ce qui la désigne à coup sûr – Montaigne ayant passé quelques semaines chez elle, à Gournay-sur-Aronde, au cours de l'automne 1588. Le trait est beau. Mais elle eut manifesté plus de *virtù* en ne revendiquant pas pour sienne cette « peau craquettée »...

17. Mis à part l'historien anglais Isley, l'auteur d'*A Daughter of the Renaissance*.

Pour un montaigniste du XXe siècle – (et nonobstant l'autocomplaisance des ajouts qu'elle pratique, les façons qu'elle a de citer, au-delà de la mort du grand homme, les louanges qu'il faisait d'elle –, la Picarde au nez pointu apparaît surtout comme une bonne desservante des ouvrages de l'homme qu'elle aima avec assez d'exaltation pour faire jaillir son sang avec le « poinçon qu'elle portait en son poil » (une épingle à chignon ?). Manifestation qui dut rebuter d'abord l'hédoniste avant d'émouvoir le vieux gentilhomme des lettres…

Plus discrète que celle de Marie, que celle, bientôt, de Pierre Charron, évangéliste quelque peu abusif du maître des *Essais*, est l'amitié que lui porte Pierre de Brach, poète bordelais et compagnon de route du seigneur de Montravel, auprès duquel il chevaucha, sinon entre Bordeaux et Paris, en tout cas entre Paris et Rouen en cet automne-là – lors de l'hégire du roi Henri III.

C'est par Pierre de Brach que nous connaissons [18] la terrible épreuve de santé que dut surmonter l'essayiste-diplomate pendant l'été 1588 à Paris ; alors que, « les médecins désespérant de sa vie et lui n'espérant que sa fin », Montaigne déploya une « fermeté de courage pour assurer les plus peureux […] sans que la faiblesse de son corps eût rien rabattu de la vigueur de son âme ». Et Pierre de Brach de conclure par ce trait à la Plutarque : « Il avait trompé la mort par son assurance, et la mort le trompa par sa convalescence » [19].

Faisant lui-même allusion à sa maladie, l'essayiste la définit comme « une sorte de goutte ». Mal fort douloureux, on le sait, surtout s'il s'ajoute aux atteintes récurrentes de la gravelle. Mais il ne passe pas pour conduire aux portes de la mort. On ne s'acharnera évidemment pas sur l'aspect clinique de la question, retenant surtout que notre gentilhomme a abordé en piteux état une nouvelle période critique : celle qui, des barricades parisiennes à la fuite du roi, de retraites stratégiques en galopades pour survivre, de palinodies royales en révolution de palais, va les conduire, lui à la Bastille (eh ! oui…), Henri « le Balafré » au guet-apens fatal dans les appartements royaux du château de Blois, et Catherine à la cérémonie des adieux.

---

18. Les *Essais* n'y font qu'une brève allusion, cf. *infra*, p. 294.
19. Cité par Jean-François Payen, « Recherches sur M. de Montaigne », *Bulletin des bibliophiles*, 1862, p. 1293.

En avril, écrasant de sa masse altière le colloque de Soissons, Guise a dicté au roi ses conditions : proscription absolue de la Réforme dans toutes les provinces, rétablissement de l'Inquisition, et, pour lui, lieutenance générale du royaume : un *diktat* de vainqueur. Exaspéré, las de plier, Henri III interdit au « Balafré » l'accès à la capitale. Moins de huit jours plus tard, le 5 mai, le chef de la Ligue est dans Paris, où le peuple lui fait un triomphe. Le 10 mai, les barricades se dressent. La dynastie agonise. Le roi n'a plus que deux issues : une capitulation qui le placerait sous le joug d'un maire du palais tout-puissant ou la retraite en quelque cité fidèle.

C'est ce dernier parti qu'il prend. Roger Trinquet, pour une fois mal inspiré, le qualifie de « méprisable et peu dangereux, à son habitude ». « Méprisable » ? La retraite, de grands hommes ont su et sauront en faire usage, de César à de Gaulle. Et, sous la plume de l'excellent témoin qu'est Pierre de L'Estoile, Henri III fait plutôt ici figure de stratège avisé. Vaincu par les « guisards » et les « ligueux » campés sur leurs barricades et qui lui font la chasse jusqu'au-delà des guichets du Louvre, il réussit, flanqué de sept ou huit gentilshommes, à leur glisser entre les mains et à gagner, à bride abattue, Chartres – où le rejoint bientôt Montaigne.

Si le roi avait été si « méprisable », que serait donc allé faire notre philosophe gascon auprès d'un fuyard sans honneur ni espérance, qu'au surplus il n'aimait guère et qu'il pouvait, retiré à Montaigne, négliger ? Certains suggèrent qu'il le fit à la demande de la reine mère, pour maintenir un lien entre elle, Guise et le roi. Croyons plutôt que l'auteur des *Essais* venait de constater qu'en refusant de se laisser humilier, en préférant prendre le large, le Valois manifestait enfin son aptitude à régner – tandis qu'à Nérac, informé des péripéties parisiennes, Navarre sautait de son « lit vert » en s'écriant : « Ils ne tiennent pas encore le Béarnais [20] ! » Les pièces du « jeu » de Montaigne restent bien en place.

Guise a gagné la bataille de Paris. Mais comme le fera la Fronde contre Mazarin : ses rivaux ont pris le large et bientôt, à Chartres où l'a

20. *Journal, op cit.*, p. 557

rejoint aussi Matignon, puis à Mantes et à Rouen, le roi traite de haut les délégations parisiennes, l'une conduite par la reine mère, qu'il renvoie sèchement parce qu'elle s'est inféodée à la Ligue, l'autre par Henri de Guise lui-même – qu'il reçoit à sa table. Trinquant avec l'homme qui l'a chassé de sa capitale, le roi boit « à nos bons amis les huguenots... » un temps « ... et à nos bons barricadeux de Paris ! » se riant de la mine de son vainqueur [21]. Voici décidément un homme qui grandit...

Moyennant quoi, Henri III, qui a accepté de signer en juillet l'« édit d'union » avec la Ligue, nomme « le Balafré » lieutenant général de ses armées, ressuscitant ainsi pour lui la charge de connétable. Mais comme l'écrit superbement L'Estoile, c'est « en lui donnant un rayon de sa splendeur »... Et, pour montrer que la couronne n'a pas encore changé de tête, Henri III convoque les états généraux à Blois en septembre. Le vaincu mène le jeu...

Montaigne a donc suivi le roi à Chartres, puis de Mantes à Rouen. On peut y voir l'un des gestes les plus hasardés, les plus significatifs, les plus admirables aussi de sa vie publique. Il est, nous le savons, ébloui par la superbe audace de Guise et voit probablement en lui le vainqueur à venir. Mais le principe de légitimité l'emporte en lui sur toute autre considération. Il flanque donc le roi. Ce parti étant pris sans ambages, Michel de Montaigne croit pouvoir regagner le Paris des « barricadeux », qui reste la capitale du royaume. Mal lui en prend...

Le 10 juillet, s'étant mis au lit pour une douleur qu'il avait au pied – début de cette attaque de goutte qui va le mettre au supplice et en danger de mort –, le seigneur de Montravel, résidant alors au faubourg Saint-Germain, est soudain appréhendé par des hommes de Guise :

> Je revenais de Rouen où j'avais laissé Sa Majesté et fus mené à la Bastille sur mon cheval. La reine mère en ayant été avertie par le bruit du peuple au conseil avec le sieur de Guise, obtint de lui de me faire sortir [...]. Il en donna un commandement par écrit [...]. A huit heures de ce même jour, un maître d'hôtel de la reine apporta lesdits mandements, et fus mis hors, d'une faveur inouïe [...]. C'était la première prison que j'eusse oncques vue [...] [22].

21. *Ibid.*, p. 569.
22. Jean Marchand, *Le Livre de raison de Montaigne sur l'Ephemeris historia le Beuther*, 1948, p. 264. Une autre version de cette notation est publiée *in* Montaigne, *Œuvres complètes, op. cit.* Elle mentionne d'autres détails, mais ne comporte pas le joli trait final.

Montaigne devait apprendre que cet embastillement lui avait été infligé « par droit de représailles » pour venger l'arrestation à Rouen d'un parent du duc d'Elbeuf, ligueur fameux. « La première prison que j'eusse oncques vue » ? Regrettons que cette « vue » nous soit dérobée : « une journée à la Bastille » par M. de Montaigne, quel sujet, quelle page à savourer...

Bref, voici notre doux philosophe saisi dans l'œil du cyclone – pris pour cible sinon pour otage par les ligueurs, objet d'une « faveur inouïe » de Catherine et même de Guise. Notre douillet gentilhomme, bientôt « dorloté » à Gournay-sur-Aronde par la dévote Marie, ne peut décidément plus désormais se tenir à l'écart : il lui faudra être témoin du dernier acte de la tragédie aux états généraux (assemblée des trois états) que le roi a convoqués à Blois.

Henri III, décidément en verve, a fait précéder d'un geste éclatant cette assemblée aussi fameuse que les troubles qui l'ont motivée : le renvoi, d'un coup, de tous ses ministres – Villeroy, Bellièvre, Cheverny, Pinart, qui sont plutôt d'ailleurs les hommes de la reine mère. Cette rupture globale avec de tels personnages ne peut signifier qu'une révision radicale de la politique qu'ils conduisaient : le rapprochement avec la Ligue – renouant avec la vieille complicité de la Saint-Barthélemy dont Catherine de Médicis avait si bien su se démarquer depuis quinze ans. Ainsi se manifeste un nouvel Henri III, troquant son aboulie contre l'activisme. Ce dissimulé a abattu ses cartes : Guise sait désormais à quoi s'en tenir.

Il est difficile de savoir ce que Montaigne pensa de ce coup, porté par un homme qu'il jugeait « mol ». Surprise ? A coup sûr. Déception de voir disgraciés des hommes qu'il estimait ? Peut-être. Angoisse de voir le souverain légitime se lancer dans pareille aventure, bravant la fortune contre les avis de l'experte Catherine, sa mère ? Le fait est que, lorsque l'auteur des *Essais*, venant de Gournay, arrive à Blois, en novembre, les états généraux, d'abord paisibles, sont entrés dans la phase des affrontements.

Il trouve la ville plongée dans la fièvre. Le château bruisse de rumeurs sinistres. Il n'est pas de jour où l'on ne chuchote, où l'on ne clame que l'un des deux Henri va tenter de supprimer l'autre. La duchesse de Montpensier, sœur du « Balafré », se promène dans les couloirs du château, portant ostensiblement à sa ceinture des ciseaux d'or en vue, dit-elle très haut, de « raser le roi avant de l'enfermer en un couvent [23] ». Guise, pour sa part, reçoit avis et billets qui le préviennent de se tenir sur ses gardes, le roi préparant contre lui quelque embuscade. Il reçoit ces avertissements avec des ricanements : « Il est trop poltron ! »

S'il est certain que l'auteur des *Essais* fut bien à Blois lors des états généraux de l'automne 1588, les plus fameux avant ceux de 1789, on ne sait à quel titre. De représentant de la noblesse – ou du tiers état – de Guyenne ? Son nom ne figure pas au registre. L'un de ses premiers biographes assure que s'il n'y fut point député, ne l'ayant point souhaité, « il prit quelque part aux négociations ». Mais qu'y avait-il encore à négocier entre deux hommes qui n'attendaient que l'occasion de sortir le premier la dague du fourreau ? Le choix des armes ?

Il faut donner ici la parole à Alphonse Grün : « Montaigne a pu être, à Blois, non l'instrument, mais l'objet de quelque intrigue. Le duc de Guise le connaissait d'ancienne date ; il appréciait sa valeur et savait son dévouement, sinon au roi, du moins à la royauté ; il a pu tenter de le rattacher à sa cause ; car il s'appliquait sans cesse à recruter des partisans aux dépens du roi. Peut-être fit-il alors auprès de Montaigne les mêmes démarches qu'auprès de De Thou. » Lequel raconte que « malgré les compliments et les caresses du duc, il le quitta le plus tôt qu'il put. Il ne pouvait approuver les différents continuels que le duc avait avec Sa Majesté ; au reste, on ne voyait autour du duc de Guise que les gens les plus corrompus du royaume [...] » [24].

Le statut de Montaigne à Blois, il faudrait probablement le définir comme celui de l'un de ces grands observateurs – historiens, diplomates, juristes, écrivains, chroniqueurs ou philosophes – qui hantent les conciles et les congrès de tous ordres, riches d'expertises, de conseils et d'informations, aptes aux consultations et aux médiations, acteurs à l'occasion. Ce que furent, à ses côtés, en ces journées historiques, un de Thou ou un Pasquier, consciences et grands témoins de la France en convulsions.

Le gentilhomme gascon était-il d'accord avec Guise sur la « poltronnerie » du roi ? Le jeu périphérique du Valois depuis son évasion de

23. Pierre de L'Estoile, *Journal…, op. cit.*, p. 369.
24. *Ibid.*, p. 369.

Paris et le renvoi du ministère avait dû l'éclairer sur les vertus réactives, sinon actives, de ce personnage tenu si longtemps par lui et ses amis pour aboulique autant qu'extravagant. Henri III allait-il se hausser au niveau de son destin ? Beau sujet d'entretien pour ces sages que Pasquier a décrits arpentant la cour du château de Blois et devisant sur les perspectives du combat qui se déroulait, feutré encore, sous leurs yeux de lecteurs de Tacite et de Machiavel.

C'est alors que l'auteur des *Essais* raconte à ses amis – c'est de Thou qui le rapporte [25] – son intercession entre Guise et Navarre après la Saint-Barthélemy, les tentatives de séduction du premier, les esquives du second, l'aveu fait par l'un et l'autre de la flexibilité de leurs convictions religieuses – le Navarrais se disant séduit par la religion catholique, le Guise s'avouant tenté par la confession d'Augsbourg manifeste du luthéranisme.

Tandis que les sages faisaient les cent pas « dedans la cour du château », Étienne Pasquier incitant vainement son ami à retrancher des *Essais* ce « je ne sais quoi de ramage gascon » auquel Montaigne tenait si fort, les fous se préparaient, dans les galeries royales, à la cérémonie funèbre.

Le 23 décembre de bon matin, le roi mande Henri de Guise et son frère le cardinal dans son « vieux cabinet ». Le duc accourt, seul, en pourpoint gris. Au moment d'entrer chez le roi, il ne peut dissimuler un malaise que Pierre de L'Estoile – qui d'ordinaire se garde de « viser bas » – attribue à « un excès de nuit qu'il avait fait avec une dame assez commune du royaume [26] ». Sitôt qu'il a franchi le seuil, une dizaine des quarante-cinq spadassins du roi cachés derrière une tenture se jettent sur lui et le percent de coups, avant d'abandonner son corps sur un méchant tapis...

Sortant de son cabinet, le roi « donna un coup de pied sur le visage de ce pauvre mort, tout ainsi que le duc de Guise en avait donné au feu amiral [27]... L'ayant un peu contemplé, le roi dit tout haut : "Mon Dieu, qu'il est grand ! Il paraît encore plus grand mort que vivant" » (Pierre de L'Estoile). Le cardinal de Lorraine, que le roi avait semble-t-il voulu d'abord épargner, fut enfermé dans un cabinet, et poignardé

25. Jacques-Auguste de Thou, *Mémoires, op. cit.*
26. Mme de Sauve.
27. Coligny, la nuit de la Saint-Barthélemy.

le lendemain. Commentaire de L'Estoile : « Telle fut la fin de ce cardinal qui ne souffrait que la guerre et n'haletait que sang »²⁸.

Si fermement qu'il ait pris le parti du roi, Montaigne ne laissa pas de déplorer l'assassinat du « Balafré ». Après l'avoir salué, dans son éphéméride, comme l'un des « premiers hommes de son âge », il devait lui rendre, dans les *Essais*, un très solennel hommage :

> Il est des morts braves et fortunées. Je lui ai vu trancher le fil d'un progrès de merveilleux avancement, et dans la fleur de son croît, à quelqu'un, d'une fin si pompeuse qu'à mon avis ses ambitieux et courageux desseins n'avaient rien de si haut que fut leur interruption. Il arriva sans y aller où il prétendait, plus grandement et glorieusement que ne portait son désir et espérance. Et devança par sa chute le pouvoir et le nom où il aspirait par sa course (I, 19).

Nous voilà bien revenus au cœur du débat sur l'« utile » et l'« honnêteté » – fût-il troublé, dans l'esprit du philosophe, par les sentiments qu'il éprouvait pour le roi, détesté mais servi parce qu'il le jugeait aussi utile que déshonnête, et pour Guise, qu'il admirait dès avant qu'il fût sacralisé par « une fin si pompeuse ».

Et ce Montaigne qui tend si ardemment à la lucidité fondée sur l'usage de la raison et qui aura été, après Machiavel, l'un des inventeurs du positivisme en politique, le voici pris à contre-pied autant qu'à contrecœur par l'événement, en raison de l'envoûtement où l'a jeté le puissant personnage de Guise, en qui ce lecteur de Plutarque retrouve des traits de César ou de Sylla. Ce qui incite Roger Trinquet à écrire : « Au cours de cette année [1588] coexistait chez l'ancien maire de Bordeaux, à côté de l'homme raisonnable, prudent […], un poète de l'action, qui confondait parfois, dans une évocation incessante des grandes figures antiques, la politique positive et le lyrisme historique²⁹. »

Déconcerté, désarçonné par le « merveilleux » duc de Guise, le sage Michel de Montaigne ne l'aura pas été moins, en ces épisodes, par le roi. Le servant jusqu'au-delà du crime, il ne cessera de le juger aberrant, lunatique, « indevinable ». Et parce qu'il met si haut l'art de « comprendre » – dans tous les sens du mot –, il ne pardonnera pas au

---

28. Pierre de L'Estoile, *Journal…, op. cit.*, p. 582.
29. *BSAM, op. cit.*, p. 19.

roi cette complexité zigzagante qui, rendant sa conduite opaque, lui aura fait connaître, à lui, le subtil Montaigne, bien des erreurs de jugement. Mais pas de conduite. Si le « politologue » s'est trompé en ce temps-là dans ses analyses et ses pronostics, l'homme public n'a pas bronché dans sa fidélité au trône et son attachement aux démarches de paix.

Le Montaigne qui, ayant laissé Blois et ses pièges mortels, regagne la Guyenne au début de 1589 (peut-être chargé d'un message du roi à Matignon[30]) ne cesse de méditer sur les rapports entre l'« utile » et l'« honnête ». Il sait bien sûr que le répugnant guet-apens de Blois risque fort de s'avérer utile à ce qu'il appelle le « bien public ». Pour un temps.

Les perspectives dynastiques, encombrées par l'emprise qu'exerçait la maison de Lorraine, semblent dégagées : mais la Ligue, tout ébranlée qu'elle soit, n'en poursuit pas moins la lutte sous la direction du frère du « Balafré », Charles, duc de Mayenne, dont la fureur au combat ne peut faire oublier la force – on dirait aujourd'hui le « charisme » – qui émanait encore du gisant de Blois.

Allons, de tout ce maelström sanglant où les égorgeurs font la loi, seul émerge le principe de légitimité monarchique, que les mois qui viennent vont faire paraître dans sa nudité implacable. D'autant que, peu de jours après l'assassinat d'Henri de Guise, meurt Catherine de Médicis.

Henri III, débarrassé de Guise – faut-il dire : et aussi de sa mère ? – croit pouvoir régner seul, enfin. Mais les armées de la Ligue, désormais conduites par Mayenne et animées par l'esprit de revanche, sinon de vengeance, l'assiègent dans son pré carré de Touraine. Si bien qu'il ne trouve bientôt plus d'autre solution que cette alliance avec Henri de Navarre qu'étaient venus lui offrir, un an plus tôt, Montaigne et Thorigny.

30. C'est l'hypothèse que formule le prudent Donald Frame

Le 30 avril 1589, les deux rois, réunis à Plessis-lès-Tours, signent le pacte qui unifie leurs forces et leurs droits. Ainsi peuvent-ils déclencher peu après la grande contre-attaque contre la Ligue. Au coude à coude, catholiques et huguenots poussent vers Paris, où s'est constitué un gouvernement des « barricadeux ». Valois et Bourbon comptent s'emparer d'un coup de la capitale. Mais, enflammée par les ligueurs, elle leur tient tête. Il faut mettre le siège.

Au matin du 1er août, à Saint-Cloud, en la maison des Gondi où réside le roi [31], le moine jacobin Jacques Clément demande audience à Henri III, encore en tenue de nuit. « Laissez-le entrer ! Que diraient les Parisiens si je repoussais un moine ? » Lequel, sitôt entré, plonge un couteau « droit dans le petit ventre » du souverain. L'agonie dure près de vingt heures.

Aux gentilshommes armés qui se pressent autour de son lit le mourant déclare en désignant Henri de Navarre : « Voici votre roi ! » Le Béarnais est aussitôt « proclamé roi de France en l'armée ». Mais le duc d'Épernon, le dernier des grands favoris du roi assassiné, celui qu'il avait choisi pour négocier avec Navarre la normalisation du processus successoral liée à son abjuration, déclare très haut en quittant la place, tout cuirassé, que, « pour un roi hérétique, son épée ne pouvait bien trancher » [32].

Au lendemain du meurtre, un libelle intitulé « Contre les deux Henri » a couru Paris, encore aux mains des ligueurs :

> Tous deux sales, paillards, incestes et pour le mal
> Tous deux frappés par la foudre papale
> Mais l'un cachait son vice et l'autre en fait la montre
> L'un par un moine est mort et l'autre mourra
> Par la main d'un bourreau, qui le couronnera..

Décidément, ni les tueurs de Blois ni l'assassin de Saint-Cloud n'ont suffi à faire un roi. Pour Henri de Navarre, la voie est bien ouverte. Mais il revient au souverain légal de légitimer sa couronne. Par les

---

31. Pour mieux souligner le caractère « infiniment merveilleux » de cet épisode, Pierre de L'Estoile rapporte qu'il se déroula « au lieu même, au logis même, à l'heure même [...] où [dix-sept ans plus tôt] le massacre de la Saint-Barthélemy avait été conclu et arrêté [...] ce pauvre roi, qu'on appelait alors "Monsieur", présidant au Conseil, le 1er août 1572 dans la même chambre [...] le déjeuner qui était de trois brochées de perdreaux attendait les conspirateurs en bas. Gloire soit à Dieu [.] ».

32. Pierre de L'Estoile, *Journal...*, op. cit.

armes ? Certes – et il frappe un grand coup dès septembre 1589 à Arques, près de Dieppe. Mais aussi par l'adhésion de ceux qui, comme Épernon, dont l'épée ne peut encore « trancher pour un roi hérétique ».

La tâche dévolue aux « politiques » reste immense, et parmi eux celle des amis critiques d'Henri de Navarre, comme le sont de Thou, Loysel ou Matignon, comme l'est Montaigne.

CHAPITRE XIII

L'adieu au roi

• Retour aux affaires bordelaises • La remontrance du roi •
Rêver à l'éminence grise • Où « nousté Enric » fait appel à
M. de Montaigne... qui prend la mouche ! • « Ses pertes lui sont
plus glorieuses que ses victoires » • Derniers « allongeails »,
derniers temps • Mort aphone • « Me donner à autrui sans m'ôter
à moi ».

Michel de Montaigne est dans sa tour. Pour peu de mois – le temps
seulement de reprendre souffle et de glisser quelques centaines
d'« allongeails » dans les marges de son livre.

Dans l'incertaine « branloire » qu'est la France en cette fin de 1589,
peu de choses sont sûres, le comportement de beaucoup vacille : mais
ce dont on peut être assuré, c'est que notre essayiste est une fois de
plus rappelé aux « affaires », comme en témoignent Marie de Gournay
et l'historien de Thou. Non plus dans la posture officielle d'un maire,
ou du diplomate de 1588, négociateur à grandes guides, intermédiaire
entre deux rois, mais dans celle d'un expert et d'un sage, flanquant
et conseillant cet homme clé qu'est plus que jamais le maréchal de
Matignon, à la fois maire de Bordeaux et lieutenant général du roi
pour la Guyenne – un roi qui est maintenant Henri IV.

Souverain cruellement contesté. Règne-t-il seulement sur le tiers
du royaume ? Il a fait de Tours sa capitale provisoire. Chevauchant de
Béarn en Normandie, il rayonne certes sur plus de provinces que ne le
faisait son prédécesseur. Mais Paris est encore pour cinq ans aux mains
des « barricadeux » de la Ligue, eux-mêmes passés sous la coupe
d'une armée espagnole commandée par Alexandre Farnèse, qui dirige
la défense de la ville contre le roi légitime.

Quand, en novembre 1589, Henri IV écrit à Corisande[1] qu'il compte bien entrer à Paris avant trois mois, il tient mal compte, lui si réaliste, du rapport de forces qu'il lui faudra bouleverser, à Ivry, en mars 1590. Pour être éclatante, alors, la défaite de Mayenne ne sera encore qu'une étape, une péripétie à effets lents. La Ligue reste bien enracinée.

Le sort du royaume ne se joue pas seulement sur les champs de bataille de Touraine, d'Ile-de-France ou de Normandie, mais aussi dans chacune des provinces où s'affrontent, avec ou sans armes, ceux qu'on peut encore appeler les « navarristes » (protestants et catholiques de plus en plus mêlés) et les ligueurs, qui souffrent de la disparition de leur chef charismatique et du poids de la tutelle espagnole qui ne s'exerce jamais sans dommage en pays gallican.

Bordeaux et la Guyenne restent des enjeux majeurs entre les bastions catholiques et les « provinces unies [réformées] du Midi » – où, d'Aquitaine en Languedoc, le huguenot béarnais et les catholiques Matignon et Montmorency-Damville ont esquissé, au cœur des pires troubles, un modèle de coexistence dont s'inspireront les reconstructeurs du royaume.

Cité-pivot, cité-témoin, Bordeaux reste piloté par le grand serviteur de l'État qu'est Matignon, qui va mettre au service de la nouvelle légitimité incarnée par Henri de Bourbon le judicieux dynamisme qu'il a déployé au service des derniers Valois. Le plus notoire chroniqueur local de l'époque, Jean Darnal, lui rend ainsi hommage dans sa *Chronique bourdeloise* : « Ledit seigneur, par sa prudence et sage conduite, sauva la ville de Bordeaux. »

La capitale de la Guyenne, en grande majorité catholique, est globalement légitimiste. Mais contre l'« hérétique », un ardent parti ligueur y fait bouillonner les passions et fleurir les intrigues, toujours agité par ceux qui, en 1585, face à Montaigne, entretenaient la subversion : l'archevêque, les parlementaires, les militaires fidèles à l'obstiné sire de Vaillac.

Monseigneur Prévôt de Sansac n'a rien oublié, et appris moins encore. Contre le huguenot, on le voit en transes, refusant de reconnaître pour légitime un souverain hérétique et excommunié par Rome. En dépit du loyalisme du président Daffis, la majorité du parlement

---

1. Qui n'est plus sa maîtresse mais reste sa confidente.

de l'Ombrière reste en état de dissidence morale. Quant à Vaillac, il a récupéré le Château-Trompette, d'où il défie les pouvoirs réguliers.

Contre tant de trublions, Matignon a souhaité s'aider des avis de Montaigne, revenu à ses côtés à la fin de 1589. On ne sait à quel titre et à quelles conditions. Mais nous savons le seigneur de Montravel fort à l'aise du point de vue matériel, grâce à la diligence de Françoise de La Chassaigne. S'il sert le roi, ce n'est pas pour quelque profit que ce soit : il le lui rappellera bientôt, sans ambages, ni modestie. Quel délice au surplus pour le philosophe, d'être ainsi rappelé pour n'être que conseil et entremise, suggestion et avis ! Dans la pénombre, mais de nouveau à tous risques.

Bref, c'est au coude à coude que les deux partenaires – on a failli écrire les deux complices – du débat des années quatre-vingt affrontent le haut clergé, la majorité parlementaire et les forces de Vaillac. Faute de pouvoir mettre au pas l'archevêque qui s'est refusé à faire chanter le *Te Deum* pour la victoire du roi à Ivry (pardi ! c'est aux dépens de ses amis à lui, Sansac...) ou son entrée dans Chartres, Matignon choisit d'expulser de Bordeaux les jésuites qui s'y sont faits les propagandistes de la Ligue.

Tout « jésuitophile » qu'il soit, et ami du père Maldonat, l'auteur des *Essais* ne songe certainement pas à intercéder en leur faveur, tant leur comportement, sur le plan local, est nuisible à la paix civile. Est-ce lui qui a suggéré au maréchal de leur substituer, en tant que prédicateurs, les feuillants, bons légitimistes ? Deux ans plus tard, en tout cas, c'est dans l'église bordelaise de ces religieux que Montaigne sera enterré, évidemment à sa demande. Et tant pis pour les jésuites...

Pour dompter la fronde parlementaire, Matignon recourut à une tout autre procédure. Les messieurs de l'Ombrière refusant de procéder à la reconnaissance officielle du roi huguenot, le maréchal fait frapper un sceau à l'effigie d'Henri IV qu'il substitue à celui du Valois assassiné, toujours utilisé par les magistrats bordelais, qui se retrouvent soudain en train de porter sur leurs actes l'effigie de l'hérétique... Les robins ne peuvent plus que ratifier l'arrêt du 20 janvier 1590, qui achève de légitimer, en Guyenne, le nouveau roi, avec leur complicité involontaire.

Entre Henri IV et celui qui, depuis 1577, n'avait jamais cessé d'être le chevalier de sa chambre – au titre de la Navarre – les relations reflétaient une profonde convergence d'idées, sinon l'approbation par le

305

philosophe des procédés du prince. Il est vrai que « le roi ne reconnaît pas toujours les dettes du dauphin », et que l'auteur des *Essais* ne pouvait manquer d'être marri de l'inconstance amoureuse du Béarnais, qui délaissait alors son amie Corisande pour entamer une liaison tumultueuse avec Gabrielle d'Estrées – charmante personne à coup sûr, mais qui eût gagné à s'inspirer du désintéressement et de la tendre sagacité de la dame de Gascogne.

La relance vint-elle du roi ou de l'écrivain ? Ce maillon de la correspondance s'est perdu : mais tout indique que c'est Montaigne qui renoua le dialogue, offrant ses services au roi avant d'aller s'installer à Bordeaux au côté de Matignon. Une phrase de l'une de ses lettres donne à penser qu'il s'y reprit à plusieurs fois. Il est fâcheux qu'ait disparu la réponse que, le 30 novembre 1589, lui adressa Henri IV. On sait seulement qu'il le pressait de le rejoindre à Tours.

A quel effet ? Pour quelle mission ? Durable, circonstancielle ? Nous ne disposons que de la réponse de l'essayiste. C'est l'un des plus beaux textes de Montaigne, homme public. On ne se retiendra pas de la citer largement, tant elle est riche d'informations, et évocatrice des rapports (à vrai dire surprenants) entre l'écrivain et le souverain.

L'exorde est classique, du sujet au souverain, reconnu pour tel :

> Sire,
> C'est être au-dessus du poids et de la foule de vos grandes et importantes affaires, que de vous savoir prêter et démettre aux petites [...] Votre Majesté a daigné considérer mes lettres et y commander réponse, j'aime mieux le devoir à la bénignité qu'à la vigueur de son âme.

Mais voici que l'écrivain-diplomate hausse le ton, rappelle les services rendus, les risques pris face aux divers fanatiques, fait entendre que les services que Matignon et lui-même rendent dans Bordeaux à la cause royale valent bien les victoires que remporte le roi sur les champs de bataille :

> J'ai de tout temps regardé en vous cette même fortune où vous êtes, et vous peut souvenir que, lors même qu'il m'en fallait confesser à mon curé, je ne laissais de voir aucunement de bon œil vos succès. A présent avec plus de raison et de liberté je les embrasse de pleine affection [...]. Nous ne saurions tirer de la justice de votre cause des arguments si forts

à maintenir ou réduire vos sujets, comme nous faisons des nouvelles de la prospérité de vos entreprises ; et puis assurer Votre Majesté que les changements nouveaux qu'elle voit par deçà à son avantage, son heureuse issue de Dieppe [2] y a bien à point secondé le franc zèle et merveilleuse prudence de monsieur le maréchal de Matignon, duquel je me fais accroire que vous ne recevez pas journellement tant de bons et signalés services, sans vous souvenir de mes assurances et espérances […].

C'est en se fondant sur de tels services passés et présents que Montaigne ose faire la leçon au roi, sur le ton de la remontrance. Celui, presque, de Sénèque à Néron :

Les inclinations des peuples se manient à ondées ; si la pente est une fois prise à votre faveur, elle s'emportera de son propre branle jusques au bout. J'eusse bien désiré que le gain particulier des soldats de votre armée et le besoin de les contenter ne vous eût dérobé, nommément en cette ville principale [3], la belle recommandation d'avoir traité vos sujets mutins en pleine victoire avec plus de soulagement que ne font leurs protecteurs et qu'à la différence d'un crédit passager et usurpé vous eussiez montré qu'ils étaient vôtres par une protection paternelle et vraiment royale. A conduire telles affaires que celles que vous avez en main, il se faut servir de voies non communes. Si s'est-il toujours vu qu'où les conquêtes, par leur grandeur et difficulté, ne se pouvaient bonnement parfaire par armes et par force, elles ont été parfaites par clémence et magnificence, excellents leurres à attirer les hommes spécialement vers le juste et légitime parti. S'il y échoit rigueur et châtiment, il doit être remis après la possession de la maîtrise. Un grand conquérant du temps passé se vante d'avoir donné autant d'occasion à ses ennemis subjugués de l'aimer, qu'à ses amis. Et ici nous sentons déjà quelque effet de bon pronostic de l'impression que reçoivent vos villes dévoyées, par la comparaison de leur rude traitement à celui des villes qui sont sous votre obéissance. Désirant à Votre Majesté une félicité plus présente et moins hasardeuse, et qu'elle soit plutôt chérie que crainte de ses peuples, et tenant son bien nécessairement attaché au leur, je me réjouis que ce même avancement qu'elle fait vers la victoire l'avance aussi vers des conditions de paix plus faciles.

2. Victoire que les historiens ont située à Arques, où Henri IV manqua de bien peu d'être capturé et tué. D'où l'« heureuse » issue…
3. Allusion aux premiers assauts du roi sur Paris, et au « droit de pillage » dont usaient les combattants.

Sire, votre lettre du dernier de novembre n'est venue à moi qu'asteure, et au-delà du terme qu'il vous plaisait me prescrire de votre séjour à Tours. Je reçois à grâce singulière qu'elle ait daigné me faire sentir qu'elle prendrait à gré de me voir, personne si inutile, mais sienne plus par affection encore que par devoir. [...] Il lui a plu avoir respect non seulement à mon âge mais à mon désir aussi, de m'appeler en lieu où elle fut un peu en repos de ses laborieuses agitations. Sera-ce pas bientôt à Paris, Sire, et y aura-t-il moyens ni santé que je n'étende pour m'y rendre.

De Montaigne, le 18 de janvier [1590[4]].

Votre très humble et très obéissant serviteur et sujet, Montaigne.

Étonnante leçon ! A ce souverain qu'il a appelé de ses vœux – encore que le « de tous temps » soit un peu abusif et eût été avantageusement remplacé par « depuis plus de douze ans », formule qui eût suffi à signaler l'ancienneté des services rendus par lui au Béarnais à travers tant de périls vécus à Bordeaux, sur tant de routes et jusqu'en la Bastille ! – le philosophe-précepteur distribue ainsi bonnes et mauvaises notes, ne se gênant pas pour dénoncer la brutalité des soudards du roi qui maltraitent les Parisiens assiégés aussi cruellement que le font les ligueurs maîtres de la « ville principale »...

Henri était bon homme, à sa façon cavalière. Mais du hobereau périgourdin au chef de la maison de Bourbon devenu, tout réformé qu'il fût, le roi très-chrétien, il n'était pas sans risque de traiter de pair à compagnon ou de maître à élève. Quelle éminence grise – du gris des perles – eût fait aux côtés de l'éblouissant Béarnais le Montaigne que fait paraître ce texte, comme celui, plus fameux, des *Essais* où l'auteur se rêve et se dépeint en conseiller du Prince :

[...] j'eusse dit ses vérités à mon maître, et eusse contrôlé ses mœurs, s'il eût voulu [...] pièce à pièce, simplement et naturellement, lui faisant voir quel il est en l'opinion commune, m'opposant à ses flatteurs [...]. J'eusse eu assez de fidélité, de jugement et de liberté pour cela. Ce serait un office sans nom ; autrement, il perdrait son effet et sa grâce [...].
Je voudrais à ce métier un homme content de sa fortune [...] et né de moyenne fortune [...], d'une part, il n'aurait point de crainte de toucher vivement et profondément le cœur du maître pour ne perdre par là le cours de son avancement, et d'autre part, pour être d'une condition moyenne, il aurait plus aisée communication à toute sorte de gens.

---

4. De bons auteurs donnent 1589. Le contexte historique nous fait choisir 1590.

Ayant ainsi tracé, en ce minutieux autoportrait, celui du conseiller idéal – et conseiller d'un prince qu'il estime, à la différence de Machiavel considérant César Borgia –, on n'en finit pas de s'étonner que Michel de Montaigne n'ait pas fini sa vie au botte à botte avec le roi empanaché qui combattit à Arques et s'empara d'Ivry.

D'autant qu'un autre passage des *Essais* nous donne un aperçu plus précis encore des rapports vécus entre le souverain et son mentor d'occasion :

> C'est une douce passion que la vengeance [...] ; je le vois bien, encore que je n'en aie aucune expérience. Pour en distraire dernièrement un jeune prince [5], je ne lui allais pas disant qu'il fallait prêter la joue à celui qui vous avait frappé l'autre [...] ; ni ne lui allais représenter les tragiques événements que la poésie attribue à cette passion. Je la laissai là et m'amusai à lui faire goûter la beauté d'une image contraire : l'honneur, la faveur, la bienveillance qu'il acquerrait par clémence et bonté ; je le détournai à l'ambition. Voilà comment on en fait (III, 4).

Ainsi devait parler Fénelon au grand dauphin ; mais de Montaigne au prince béarnais, le rapport est plus savoureux, pris dans le mouvement même de l'Histoire, entre une ruse de Catherine, une palinodie d'Henri III ou une incartade du « Balafré ». Quand l'auteur des *Essais* parle de vengeance, ici, ou d'ambition, c'est de la survie immédiate de chacun et du proche avenir du royaume qu'il s'agit...

Ainsi va ce couple de Gascogne, de génie à génie, d'essai en victoire, de Nérac à Montaigne et d'invitation en rendez-vous manqués. Car si la tentation est évidente, chez le philosophe, de remplir aux côtés du roi cet « office sans nom » plein de « grâce » et de risques qu'il a décrits dans son livre et ses lettres, ce désir n'est pas seulement combattu en lui par le souci adverse de goûter, malade et « envieilli », les douceurs de sa colline au bord du fleuve. Une cascade de contretemps, lettres tardives, péripéties guerrières, chevauchées et batailles, va reporter ou interdire les rendez-vous offerts par le roi et acceptés par l'essayiste. Quand l'un est à Tours, l'autre est à Bordeaux. Et quand celui-ci se bat sous les portes de Paris, celui-là galope entre Libourne et Sainte-Foy, au service de Matignon.

---

5. Écrit probablement en 1585, alors qu'Henri a trente-deux ans.

Le 20 juillet 1590, le roi écrit à son ami, non plus cette fois pour lui fixer un rendez-vous – agacé qu'il est de ne jamais pouvoir faire coïncider les haltes de Montaigne avec les siennes –, mais pour le presser de prêter plus que jamais son concours au maréchal de Matignon. En Guyenne, en effet, les affaires du souverain subissent le contrecoup du piétinement de ses forces devant Paris. Forts du soutien croissant de l'Espagne, les ligueurs, ici et là, se reprennent à espérer. Les lieutenants de Mayenne entretiennent la fièvre dans le Midi, Périgueux tombe en leur possession et une armée espagnole envahit le Languedoc.

La lettre du roi est très « professionnelle », dirait-on, moins intime que les précédentes : elle va pourtant avoir sur Montaigne un effet destructeur. Pourquoi ? Parce que le roi Henri, d'ordinaire un peu « pingre » et qui regarde les efforts accomplis à son service comme allant de soi, lui propose de le défrayer des dépenses occasionnées par cette mission. La réaction de Montaigne, dont nous savons les rapports à l'argent très fluctuants, tour à tour marqués par son éducation de fils de commerçants et ses goûts de seigneur hédoniste, est d'une vivacité étonnante.

Ayant signalé qu'il souffre d'une « fièvre tierce » et qu'il a plusieurs fois proposé sans succès à Matignon de le rejoindre à Bordeaux, Montaigne en vient promptement à l'affaire qui le blesse et va reporter indéfiniment la soudure entre le souverain et lui :

> [...] Votre Majesté me fera, s'il lui plaît, cette grâce de croire que je ne plaindrai jamais ma bourse aux occasions auxquelles je ne voudrais épargner ma vie. Je n'ai jamais reçu bien quelconque de la libéralité des rois, non plus que demandé ni mérité, et n'ai reçu nul paiement des pas que j'ai employés à leur service, desquels Votre Majesté a eu en partie connaissance. Ce que j'ai fait pour ses prédécesseurs, je le ferai encore beaucoup plus volontiers pour elle ; je suis, Sire, aussi riche que je me souhaite. Quand j'aurai épuisé ma bourse auprès de Votre Majesté à Paris, je prendrai la hardiesse de le lui dire et lors si elle m'estime digne de me tenir plus longtemps à sa suite, elle en aura meilleur marché que du moindre de ses officiers [...]. (2 septembre 1590.)

Surprenante « sortie ». Après tout, il ne s'agissait que de frais de mission, et Montaigne en avait reçu, semble-t-il, de Catherine de Médicis, en des circonstances et à des fins plus hasardeuses, moins claires, moins « légitimes » peut-être. On imagine que le Béarnais dut lever les sourcils, qu'il avait bien fournis, en lisant cette leçon de vertu publique. Si la suggestion faite ensuite par Montaigne de le rejoindre à Paris – qui leur est fermé pour longtemps encore, à l'un comme à l'autre – n'eut pas de suite, c'est bien entendu parce que l'auteur des *Essais* avait entre-temps disparu. Mais si le couple formé par le prince et le philosophe ne se reconstitua plus, c'est peut-être parce que le premier jugea bien susceptible, et vétilleux, et donneur de leçons abusives, ce Gascon qui préférait ici jouer les Cyrano que les honnêtes serviteurs de l'État, d'autant plus honnêtes qu'honorés selon leurs mérites et en toute clarté...

Ainsi s'accomplit l'adieu au roi, sur une dissonance ou une malséance. Manquer l'accouplement historique qui eût étroitement associé l'auteur des *Essais* à la préparation de l'édit de Nantes pour une affaire de note de frais, quelle dérision ! Il est vrai que toute la grandeur de la politique du premier des rois Bourbon est déjà en germe dans les rapports noués entre lui et l'auteur des *Essais*, lors des rencontres de 1584 et 1587, à Montaigne et dans les échanges et les lettres qui suivirent. Sur la route sanglante qui va de la Saint-Barthélemy à l'édit de 1598, Montaigne a chevauché, pour le meilleur, au côté du roi, du temps qu'il n'était que Navarre, concourant, comme il l'écrit, à muer l'esprit de vengeance en ambition noble.

Se trouvera-t-il un jour quelque bon montaigniste pour reconstituer comme un puzzle le magnifique portrait à la Plutarque que, d'un essai l'autre, Montaigne a tracé du roi Henri de Navarre devenu roi de France – portrait souvent allusif mais fouillé, contrasté, on l'a vu, fort peu servile et parfois souligné d'un trait cruel, d'une allusion rageuse à telle faiblesse, telle folie, tel dérèglement des mœurs ? Mais l'emporte l'admiration que traduisent, après vingt traits déjà cités, ces deux-ci :

> J'en sais un qui aimerait bien mieux être battu que de dormir pendant qu'on se battrait pour lui, qui ne vit jamais sans jalousie ses gens mêmes faire quelque chose de grand en son absence (II, 21). [...]
> [...] il voit le poids des accidents comme un autre, mais qu'à ceux qui n'ont point de remède, il se résout soudain à la souffrance ; aux autres, après y avoir ordonné les provisions nécessaires, ce qu'il peut faire promptement par la vivacité de son esprit, il attend en repos ce qui s'en peut suivre. De vrai, je l'ai vu à même, maintenant une grande noncha-

lance et liberté d'actions et de visage au travers de bien grandes affaires et épineuses. Je le trouve plus grand et plus capable en une mauvaise qu'en une bonne fortune : ses pertes lui sont plus glorieuses que ses victoires, et son deuil que son triomphe (III, 10).

La cohésion de l'« équipe » formée par le roi combattant et le philosophe rural tenait à la convergence entre leurs objectifs, plutôt qu'à une pratique vécue. Cheminant désormais sur une voie écartée en apparence de celle où galope le roi, Michel de Montaigne va apporter, quelques mois avant sa mort, une nouvelle contribution, très significative, à la pacification des esprits et des conduites dans le royaume, un royaume dont personne, en 1591, n'est encore assuré qu'il n'est pas en train de glisser, du fait de la ligue, dans l'orbite espagnole ou de tomber dans ce que l'auteur des *Essais* appelle « sa dissipation et divulsion : l'extrême de nos craintes ! » (III, 9).

Son vieil ami le marquis de Trans, vrai tuteur de sa vie publique, des tentations « intégristes » du milieu des années soixante aux raisonnables audaces de la paix du Fleix (du nom de son château, où, en 1580, a été dessiné un projet de réconciliation globale[6]), va mourir. Tel ou tel trait des *Essais* nous le décrit tombé dans une extravagance rageuse, « le plus tempestatif maître de France [...] déchu comme un enfant » du fait d'une cascade de deuils familiaux, ses fils et petits-fils ayant été foudroyés tour à tour à la guerre.

Pour le vieil homme en colère, le temps est venu de faire connaître ses volontés dernières – mais elles ne peuvent plus être formulées que par d'autres. La marquise de Trans fait appel pour cela à trois hommes : Geoffroy Eyquem de Bussaguet, cousin de Montaigne, Jacques Caumont de La Force (celui-ci huguenot, celui-là proche de la Ligue) et, voisin et confident du mourant, l'auteur des *Essais*.

Lui qui écrit alors : « Moi qui m'en vais, résignerais facilement à quelqu'un [...] ce que j'apprends de prudence pour le commerce du monde » (III, 10), inspire alors, plutôt qu'il ne rédige, des dispositions qui, selon Roger Trinquet, semblent moins former le testament du vieux marquis que le sien propre : « [...] Ses enfants et leurs descendants seront catholiques pour venir à la succession, et porteront les armes pour le roi, bons serviteurs et sujets de Sa Majesté, sans prendre

---

6. Montaigne était alors en Italie.

autre parti, ne s'enquérant de la religion ni opinion de leur prince, lui faisant bon et fidèle service [...]. »

Ainsi, dans l'esprit de l'auteur des *Essais*, qui a su convaincre son très catholique cousin Bussaguet, le droit privé reste conditionné par la religion romaine, mais pas le droit public : la légitimité du roi béarnais ne saurait aucunement dépendre de cette abjuration que Montaigne a si passionnément attendue de lui, et patiemment demandée. D'ores et déjà, fait écrire Montaigne à Trans – sous le double contrôle du protestant La Force et du catholique Bussaguet –, Henri est légitime et doit être reconnu pour tel par la plus noble famille d'Aquitaine – qui, vingt-cinq ans plus tôt, soutenait les efforts des « ultras » de Bordeaux contre le parti modéré du président Lagebaston... Ainsi le principe de légitimité l'emporte-t-il, dans le domaine public, sur le principe de catholicité.

On nous permettra de revenir au savoureux article d'Albert Thibaudet : « [Montaigne] vit dans un temps où il faut choisir, où il faut parier, où un pyrrhonisme politique, et la balance aux deux plateaux égaux, sont exclus. Nous voilà dans les conditions de l'acte libre, de l'initiative créatrice. Montaigne s'est voulu royaliste en dépit de son curé et en dépit de ceux de sa religion. [...] Ce couple français Henri IV-Montaigne représente tout un temps, une idée, une lignée, une famille-souche d'esprits. Montaigne eût-il aussi bien résisté à la pression cléricale s'il n'eût reconnu Henri [...] comme le roi de Montaigne [7] ? »

Michel de Montaigne est dans sa tour, cette fois pour de bon, en cette tour qu'il a si souvent désertée depuis plus de vingt ans pour la découverte du monde et le service de l'État.

« Autant qu'il y aura [...] du papier au monde », il peaufinera, nuancera, affinera son livre – dont il a achevé en 1588 la rédaction du tome III. D'un « allongeail » à l'autre (il en écrit plus d'un millier de 1588 à 1592), il se dévoile encore un peu, riche maintenant des expériences du grand voyage et de la mairie, des colloques avec les grands réformés allemands, des négociations aux côtés de Catherine et autres

---

7. *NRF*, avril 1933.

hommes du siècle, des missions capitales entre les trois Henri aux confidences de toutes celles et ceux qui y auront creusé leur sillon ou jeté leur rayon de lumière – L'Hospital, Corisande, Matignon, de Thou, « Margot », Pasquier, « le Balafré » et son visiteur de 1584, « nousté Enric »...

C'est toute la saignante sagesse de ce premier siècle des Lumières [8] haché de batailles qu'il greffe alors sur celle, plus empruntée, plus « récitée », dont sont faits les deux premiers livres. Sur la couverture de la cinquième édition (tenue par lui pour la sixième) des *Essais*, il ose écrire, citant Virgile : *« Viresque acquirit eundo »* (« Il accroît ses forces en marchant »). Défi absurde ? Mais non : le texte est là pour lui donner raison...

L'homme « vieil » et malade qui emplit encore les marges des premières éditions des *Essais* ne cesse de s'élever par l'ampleur des vues, la liberté du ton, la compréhension humaine, l'audace dans l'auto-portrait aussi. La conscience de sa seigneurie et de son savoir élitiste qui le guindait encore en 1572 se mue, vingt ans après, en sympathie citoyenne, en tolérance lucide. Il était renaissant, il s'est fait humaniste.

Dans son « Beuther », il ne fait plus mention des grands actes publics (comme naguère à propos de la visite du roi de Navarre ou de l'assassinat du duc de Guise), mais seulement de péripéties familiales :

« Juin 23, 1590 : un samedi à la pointe du jour, les chauds étant extrêmes, madame de la Tour, ma fille [9], partit de céans pour être conduite en son nouveau ménage. »

« Mars 31, 1591 : naquit à madame de la Tour, ma fille, son premier enfant fille baptisée par le sieur de Saint-Michel, oncle de son mari, et par ma femme qui la nomma Françoise de la Tour. »

8 Formule audacieuse, me souffle un premier lecteur : mais de Rabelais à Érasme, de Machiavel à Thomas More, de Copernic à Montaigne, on voit briller là autant de lumières et aussi décisives qu'au temps de Voltaire et de Hume...

9. Léonor, née le 9 septembre 1571, le seul de ses enfants qui ait vécu.

Il reçoit quelques amis – Pierre de Brach le poète, Pierre Charon le prédicateur et, probablement, Florimond de Raymond le juriste – et correspond avec la fervente Marie de Gournay et l'humaniste flamand Juste Lipse. Mieux encore peut-être, avec le futur cardinal d'Ossat qui sera mêlé plus étroitement que personne – sinon René Benoist, dit « le pape des Halles » – au retour au catholicisme d'Henri IV : ce qui soude encore mieux l'histoire du philosophe à celle du roi, et associe définitivement l'auteur des *Essais* à la pacification du royaume.

Sa gravelle le tourmente toujours – accompagnée d'accès de goutte et de migraines violentes. Mais ce n'est pas elle qui le tuera. Au début de septembre 1592, quelques mois avant son soixantième anniversaire, il est atteint d'une tumeur ou phlegmon à la gorge, que l'on appelle curieusement alors une « esquinancie [10] ».

Le récit des derniers temps, on peut l'emprunter à Étienne Pasquier, qui n'en fut pas témoin mais en recueillit les échos, en bon historien :

« Il mourut en sa maison de Montaigne, où lui tomba une esquinancie sur la langue, de telle façon qu'il demeura trois jours entiers plein d'entendement, sans pouvoir parler. Au moyen de quoi, il était contraint d'avoir recours à sa plume pour faire entendre ses volontés. Et comme il sentit sa fin approcher, il pria par un petit bulletin sa femme de semondre [11] quelques gentilshommes voisins, afin de prendre congé d'eux. Arrivés qu'ils furent, il fit dire la Messe en sa chambre ; et comme le Prêtre était sur l'élévation du *Corpus Domini*, ce pauvre gentilhomme s'élance au moins mal qu'il peut, comme à corps perdu, sur son lit, les mains jointes : et en ce dernier acte rendit son esprit à Dieu. Qui fut un beau miroir de l'intérieur de son livre [12]. »

La « chronique bourdeloise » de Jean Darnal signale que, se sentant mourir, le châtelain de Montaigne « fit appeler tous les valets et autres légataires et leur paya les légats mentionnés dans son testament, prévoyant les difficultés que feraient les héritiers... ».

Le testament de Montaigne s'est perdu.

---

10. Mot bien oublié par le corps médical du XXᵉ siècle. Littré le mentionne, comme une angine à abcès. Dans son étymologie, il y aurait « chien » (κύων) et « angoisse » (αγκη) parce que les malades étouffent et tirent la langue comme un chien haletant.

11. « Convoquer », déjà utilisé en ce sens p. 284.

12. Lettre écrite vingt ans plus tard, qui suscite l'ironie, très voltairienne ici, de Gide.

On ne connaît pas les commentaires que sa mort inspira au roi Henri.

Marie de Gournay, elle, n'en fut informée, par Juste Lipse, que sept mois plus tard...

Sa femme Françoise, avant de mettre tous ses soins à la publication définitive des *Essais* – de concert avec Marie de Gournay et Pierre de Brach –, fit déposer son cœur dans la chapelle Saint-Michel de Montaigne et inhumer le corps dans l'église des feuillants de Bordeaux.

Si elle lui éleva un solennel tombeau de chevalier[13], c'est évidemment en exécution d'un souhait qu'elle avait dû entendre formuler par son mari, afin que soit à jamais manifestée une vocation de cavalier militaire – un chevalier dont l'armure ne saurait brimer l'esprit le plus libre qui fût jamais.

Les épitaphes tracées sur ce tombeau, en grec et en latin[14], sont assez belles. Plus pertinente eût été celle-ci, empruntée au dixième chapitre du livre III des *Essais* :

« J'ai pu me mêler des charges publiques sans me départir de moi de la largeur d'un ongle, et me donner à autrui sans m'ôter à moi » (III, 10).

« M'ÔTER À MOI » ? La perte, fût-elle « de la largeur d'un ongle », nous la jugerions irréparable. Mais ce que l'on a voulu signaler en ce récit, c'est l'ampleur et la fertilité, pour la collectivité et pour lui-même, donc pour nous, du « donner à autrui ».

---

13. Ce tombeau, devenu cénotaphe, s'élève aujourd'hui dans une salle du musée d'Aquitaine, à Bordeaux. Les restes de l'essayiste, véritables ou supposés, ont connu des tribulations qui eussent excité sa verve.

14. Par un érudit local, Jean de Saint-Martin.

Bibliographie

Montaigne, Michel de, *Essais* (éd. de Claude Pinganaud), Paris, Arléa, 1992.

–, *Journal de voyage en Italie* (éd. de Fausta Garavini), Paris, Gallimard, coll. « Folio », 1983.

–, « Lettres », *Œuvres complètes,* Paris, Éd. du Seuil, coll. « L'Intégrale », 1967.

–, « Sur la mort d'un ami » (présenté par France Quéré), *Les Carnets DDB*, Paris, 1995.

–, *Éphéméride de Beuther*, in *Œuvres complètes*, Paris, Gallimard, La Pléiade, 1962.

*

Amyot, Jacques, *La Vie des hommes illustres*, Paris, Gallimard, La Pléiade, 1951, 2 vol.

Aubigné, Agrippa d', *Œuvres complètes*, Paris, Gallimard, La Pléiade, 1969.

Aulotte, Robert, *Montaigne, Essais*, Paris, PUF, coll. « Que sais-je ? », 1988.

Babelon, Jean-Pierre, *Paris au XVIᵉ siècle*, Paris, Hachette, 1986.

Barrière, Pierre, *Montaigne, gentilhomme français*, Bordeaux, Delmas, 1948.

Bonnefon, Paul, *Montaigne et ses amis*, Paris, Armand Colin, 1898, 2 vol.

Botineau, Pierre, et Lourenço, Eduardo, *Montaigne ou la vie écrite*, Bordeaux, L'Escampette, 1992 (photographie Jean-Luc Chapin).

Chaban-Delmas, Jacques, *Montaigne*, Paris, Laffon, 1992.

Chaillou, Michel, *Domestique chez Montaigne*, Paris, Gallimard, 1982.

Citoleux, Marc, *Le Vrai Montaigne, théologien et soldat*, Paris, Lethielleux. 1937.

Cocula, Anne-Marie, *Étienne de La Boétie*, Bordeaux, Sud-Ouest, 1995 ;

–, *Montaigne, maire de Bordeaux*, préface de J. Chaban-Delmas, Bordeaux, Horizon chimérique, 1992.

Comte-Sponville, André (dirigé par), « Montaigne philosophe », *Revue internationale de philosophie*, 1992.

Conche, Marcel, *Montaigne ou la conscience heureuse*, Paris, Seghers, 1964.

Courteault, Paul, *Montaigne, maire de Bordeaux*, Bordeaux, Delmas, 1933.

Dréano, Mathurin, *La Religion de Montaigne*, Paris, Nizet, 1969.

Dubois, Claude Gilbert, *La Conception de l'Histoire en France au XVIe siècle*, Paris, Nizet, 1977 ;

–, *Montaigne et l'Histoire* (acte du colloque de Bordeaux, 1988), Paris Klincksieck, 1991.

Duby, Georges, Wallon, Armand, et Jacquart, Jean, *Histoire de la France rurale*, Paris, Éd. du Seuil, 1975, t. II.

Dumas, Alexandre, *Les Quarante-Cinq*, Paris, Mercure de France, 1988.

Etiemble, René, *Mes contre-poisons,* Paris, Gallimard, 1974.

Fleuret, Colette, *Rousseau et Montaigne*, Paris, Nizet, 1980.

Fouilloux, Jean-Yves, *Montaigne, Que sais-je ?*, Paris, Découvertes Gallimard, 1988.

Frame, Donald, *Montaigne. Une vie, une œuvre, 1533-1592* (trad. de l'anglais), Paris, Honoré Champion, 1994.

Friedrich, Hugo, *Montaigne* (trad. de l'allemand), Paris, Gallimard, 1968 ; rééd. 1984.

Gardeau, Léonie, et de Feytaud, Jacques, *Le Château de Montaigne*, Bordeaux, Société des Amis de Montaigne, 1984.

Garrisson, Janine, *Marguerite de Valois*, Paris, Fayard, 1994

–, *1572, La Saint-Barthélemy,* Paris, Complexe, 1987

Gide, André, *Les Pages immortelles de Montaigne*, Paris, Corréa, 1948.

Grün, Alphonse, *La Vie publique de Michel de Montaigne*, Paris, Amyot, 1855 : rééd. Slatkine, 1970.

Henry, Patrick, *Montaigne in Dialogue*, Stanford University, Saratoga, Anma Libri, 1987.

Jeanson, Francis, *Montaigne par lui-même*, Paris, Éd. du Seuil, 1951 ; rééd. 1994.

Jouanna, Arlette, « Montaigne et la noblesse », in colloque *Les Écrivains du Sud-Ouest et la politique*, Bordeaux, Presses universitaires de Bordeaux.

Jullian, Camille, *Histoire de Bordeaux depuis les origines jusqu'en 1895*, Bordeaux, 1895

La Boétie, Étienne, *Le Discours de la servitude volontaire*, Paris, Imprimerie nationale, 1992 (présentation Françoise Gaillard).

Lamandé, André, *La Vie gaillarde et sage de Montaigne*, Paris, Plon, 1927

Lazard, Madeleine, *Montaigne*, Paris, Fayard, 1992.

Leschemelle, Pierre, *Montaigne ou le Mal à l'âme*, Paris, Auzas, 1992.

L'Estoile, Pierre de, *Journal pour le règne d'Henri III*, Paris, Gallimard, 1943.

Magnien-Simonin, Catherine (édité par), *Une vie de Montaigne, ou le som-*

maire discours sur la vie de Michel, seigneur de Montaigne (1608), Paris, Honoré Champion, 1992.

Malvezin, Théophile, *Michel de Montaigne, son origine, sa famille*, Bordeaux, 1875.

Michelet, Jules, *Journal*, Paris, Gallimard, 1959.

Monluc, Blaise de, *Commentaires*, Paris, Gallimard, La Pléiade, 1964.

Nakam, Géralde, *Montaigne et son temps*, Paris, Gallimard, coll. « Tel », 1993, reprise du t. 1 de sa thèse, *Les « Essais » de Montaigne, miroir et procès de leur temps*, Paris, Nizet, 1984.

Nicolaï, Alexandre, *Les Belles Amies de Montaigne*, Paris, Dumas, 1950.

Payen, Dr Jean-François, *Documents inédits ou peu connus sur Montaigne*, Paris, Slatkine, 1971.

Plattard, Jean, *Montaigne et son temps*, Paris, Boivin, 1933.

Rigolot, François, *Les Métamorphoses de Montaigne*, Paris, Presses universitaires de France, 1988.

Ritter, Raymond, *Une dame de chevalerie, Corisande d'Andoins*, Paris, Albin Michel, 1959.

Schaefer, David, *Political Philosophy of Montaigne*, Cornell University Press, 1990.

Screech, Michael Andrew, *Montaigne et la Mélancolie* (trad. de l'anglais), Paris, Presses universitaires de France, 1992.

Starobinski, Jean, *Montaigne en mouvement*, Paris, Gallimard, 1982.

Stéphane, Roger, *Autour de Montaigne*, Paris, Stock, 1986.

Strowski, Fortunat, *Montaigne, sa vie publique et privée*, Paris, Éd. Nouvelle Revue critique, 1938.

Tachouzin, Patrick, *Henri de Navarre à Nérac. Les marches du trône*, Nérac, 1989.

Thibaudet, Albert, *Montaigne*, Paris, Gallimard, 1963.

Tournon, André, *Montaigne. La glose et l'essai*, Lyon, Presses universitaires, 1983.

Trinquet, Roger, *La Jeunesse de Montaigne*, Paris, Nizet, 1972.

Villey, Pierre, *Les Sources et l'Évolution des « Essais » de Montaigne devant la postérité*, Boivin, 1933 ; *Essais*, Hachette, 1933.

Zweig, Stefan, *Montaigne* (trad. de l'allemand), Paris, PUF, 1942 ; rééd. 1991.

Index

Table

Du même auteur

L'Égypte en mouvement
en collaboration avec Simonne Lacouture
Le Seuil, 1956

Le Maroc à l'épreuve
en collaboration avec Simonne Lacouture
Le Seuil, 1958

La Fin d'une guerre
en collaboration avec Philippe Devillers
Le Seuil, 1960, nouvelle édition 1969

Cinq Hommes et la France
Le Seuil, 1961

Le Poids du tiers monde
en collaboration avec Jean Baumier
Arthaud, 1962

De Gaulle
Le Seuil, 1965, nouvelle édition 1971

Le Vietnam entre deux paix
Le Seuil, 1965

Hô Chi Minh
Le Seuil, 1967, nouvelle édition 1976

Quatre Hommes et leur peuple.
Sur-pouvoir et sous-développement
Le Seuil, 1969

Nasser
Le Seuil, 1971

L'Indochine vue de Pékin
(entretiens avec le prince Sihanouk)
Le Seuil, 1972

André Malraux, une vie dans le siècle
Le Seuil, prix Aujourd'hui, 1973
coll. « Points Histoire », 1976

Un sang d'encre
Stock-Seuil, 1974

Les Émirats mirages
en collaboration avec Gabriel Dardaud et Simonne Lacouture
Le Seuil, ¹975

Vietnam, voyage à travers une victoire
en collaboration avec Simonne Lacouture
Le Seuil, 1976

Léon Blum
Le Seuil, 1977
coll. « Points Histoire », 1979

Survive le peuple cambodgien !
Le Seuil, 1978

Le Rugby, c'est un monde
Le Seuil, coll. « Points Actuels », 1979

Signes du Taureau
Julliard, 1979

François Mauriac
Le Seuil, bourse Goncourt de la biographie, 1980
coll « Poins Essais », 2 vol., 1990
1. Le Sondeur d'abîmes (1885-1933)
2. Un citoyen du siècle (1933-1970)

Julie de Lespinasse
en collaboration avec Marie-Christine d'Aragon
Ramsay, 1980

Pierre Mendès France
Le Seuil, 1981

Le Piéton de Bordeaux
ACE, 1981

En passant par la France.
Journal de voyage
en collaboration avec Simonne Lacouture
Le Seuil, 1982

Profils perdus.
53 portraits contemporains
A.-M. Métailié, 1983

De Gaulle
1. Le Rebelle (1890-1944)
2. Le Politique (1944-1959)
3. Le Souverain (1959-1970)
Le Seuil, 1984, 1985 et 1986
coll. « Points Histoire », 3 vol., 1990
préface de René Rémond

Algérie : la guerre est finie
Éd. Complexe, Bruxelles, 1985

De Gaulle ou l'Éternel Défi
en collaboration avec Roland Mehl
Le Seuil, 1988

Champollion.
Une vie de lumières
Grasset, 1989

Enquête sur l'auteur
Arléa, 1989
Le Seuil, coll. « Points Actuels », 1991

Jésuites
1. Les Conquérants
2. Les Revenants
Le Seuil, 1991, 1992
et coll. « Points », 1995

Le Citoyen Mendès France
en collaboration avec Jean Daniel
Le Seuil, coll. « L'histoire immédiate, » 1992

Voyous et Gentlemen, une histoire du rugby
Gallimard, coll. « Découvertes », 1993

Le Désempire.
Figures et thèmes de l'anticolonialisme
en collaboration avec Dominique Chagnollaud
Denoël, coll. « Destins croisés », 1993

Une adolescence du siècle.
Jacques Rivière et la NRF
Le Seuil, 1994

Un siècle de papier
en collaboration avec Simonne Lacouture
Le Seuil, 1995 (hors commerce)

Mes héros et nos monstres
Le Seuil, 1995

Crédits photographiques

RÉALISATION : PAO ÉDITIONS DU SEUIL
IMPRESSION : BUSSIÈRE CAMEDAN IMPRIMERIES À SAINT-AMAND (7-96)
DÉPÔT LÉGAL : AVRIL 1996. N° 26368-10 (4/656)